LA PLANIFICACIÓN FAMILIAR

Una Guía para la Salud Reproductiva y la Anticoncepción

Edición Piloto año 2003

Robert A. Hatcher, MD, MPH
Profesor de Ginecología y Obstetricia
Escuela de Medicina de la Universidad Emory

Erika Pluhar, PhD
Administradora del Proyecto de Investigación
Escuela de Salud Pública de la Universidad Emory

Miriam Zieman, MD
Profesora Asistente de Ginecología y Obstetricia
Escuela de Medicina de la Universidad Emory

Anita L. Nelson, MD
Profesora de Ginecología y Obstetricia
Escuela de Medicina de la Universidad de California en Los Ángeles

Philip D. Darney, MD, MSc
Profesor de Obstetricia, Ginecología y Ciencias de la Reproducción
Hospital General de San Francisco
Universidad de California, San Francisco

Peter W. Hatcher, MD
Médico de Familia
Departamento de Salud del condado Multnomah
Portland, OR

Traducción al español:
Carlos Moisa, MD
Traductor Principal
Director Asociado de Investigación Clínica
Southeastern Gynecologic Oncology, LLC
Atlanta, Georgia, USA

Myriam Hernández-Jennings, MA
Administradora de Programas
JSI Instituto de Investigacion y Adiestramiento

Claudia Burnham, BS
Instructor de Parto, Doula

Jay Miranda, BA
Traductor/intérprete

Apoyo Técnico y Computación:
Graphic Composition, Inc.
Athens, GA

Diseño de cubierta:
Digital Impact Design, Inc.
Cornelia, GA

Información de Copyright

ADVERTENCIA

Los autores aconsejan al lector consultar a un profesional de la salud, de salud primaria o a un especialista en Obstetricia, Ginecología u Urología (dependiendo del método anticonceptivo o de la condición médica), el folleto que viene con el producto, u otras referencias, antes de tomar decisiones acerca del manejo o el tratamiento de cualquier problema. Bajo ninguna circunstancia debe el lector utilizar este libro en vez de, o sustituir la decisión del profesional de la salud tratante. Los autores y los empleados no son responsables por errores u omisiones.

Edición para el año 2003
ISBN # 0-9638875-1-3
Impreso en Los Estados Unidos de América
Bridging The Gap, Inc.
www.managingcontraception.com

Tabla de Contenido

Dedicación

Lybia Burgos, C.R.N.P.C.

Es un honor dedicar la edición en Español de La Planificación Familiar: Una Guía para la Salud Reproductiva y la Anticoncepción a Lybia Burgos, C.R.N.P.C. La Señora Burgos actualmente es la Directora de Servicios Médicos Especiales en La Planificación Familiar (Planned Parenthood) de la ciudad de Nueva York. Es una Nurse Practitioner (Enfermera Práctica), una experta en la salud de mujeres y anticoncepción avanzada. Ella también es consultora de diferentes organizaciones en los Estados Unidos y en otros países, en donde da conferencias sobre temas de la salud reproductiva de las mujeres, lo mismo que sobre anticoncepción. Lybia es una experimentada colposcopista y una consultora nacional e internacional en la Organización de Programas de Colposcopía, lo mismo que para la inserción y retiro de implantes de Norplant.

La Señora Burgos es titulada de la Escuela de Enfermería de la Universidad Central en Quito, Ecuador, a lo que siguió un Bachelor en Science y una Maestría en Ciencias de la Salud del Jersey City State College. Ha tenido una extensa especialización en Colposcopia, inserción y retiro de implantes de Norplant y en otras áreas de la salud de las mujeres. El logro más reciente de Lybia ha sido el establecer un programa de Colposcopía para la comunidad hispana en el West New York Community Health Center. Cada paciente es vista por Lybia desde el inicio hasta las consultas de seguimiento, explicando todos los procedimientos en Español. Ha efectuado mas de 2000 colposcopías en mujeres hispanas. La Sra. Burgos está luchando para lograr que llegue el día cuando todas las mujeres hispanas en los Estados Unidos y en otros países que necesitan Colposcopía, puedan recibir este importante cuidado de salud reproductiva sin costo alguno.

Agradecimientos

Muchas personas han contribuido con su sensibilidad, tiempo, habilidades gráficas y de diseño, apoyo financiero, amistad, sugerencias, paciencia y amor a la creación de Managing Contraception y de este libro para el público general, La Planificación Familiar: Una Guía para la Salud Reproductiva y la Anticoncepción. Nuestros padres nos ayudaron a ser lo mejor que podiamos ser brindándonos su apoyo cuando lo necesitamos. Estos dos libros contienen lo mejor que podemos ofrecer— la mejor manera que conocemos para comunicarnos: Primero, en un formato que los clínicos y consejeros pueden llevar consigo y consultar con facilidad, y segundo, con un formato que mujeres y hombres que estén considerando el uso de anticoncepción, puedan usar. Perlas de información nos han llegado de diferentes fuentes. Agradecemos a todos los contribuyentes, incluyendo a:

Jeffrey Allen, Radiólogo en Atlanta y Artista en Residencia.

Felix Andarsio, un excelente Residente en Obstetricia y Ginecología de la Universidad Emory.

Leslie Banta, Bibliotecaria Legal de Womble Carlyle en Atlanta, Georgia.

Laurie Bazemore, miembro del equipo que contribuyó enormemente en la edición en Español de "A Pocket Guide," al igual que con otros proyectos de Bridging The Gap.

Jim Bellinger, Asistente de Médico del Grady Memorial Hospital; extraordinaria atención a los detalles.

Lynn Borgatta, Investigadora de abortos médicos; Profesora de Boston University; esposa de Gary Stewart, a quién se le dedicó "1999–2000 Pocket Guide to Managing Contraception."

Martha Campbell y la Fundación David and Lucille Packard, por hacer posible las dos primeras ediciones de Pocket Guide to Managing Contraception.

Willard Cates, Presidente de Family Health International, investigador de anticoncepción, ITS, SIDA y uno de los autores de "Contraceptive Technology"; "cheerleader."

Claudette Colestock, Terapeuta de Niños y Familias en Marlton, NJ.

Shannon Colestock, Terapeuta de Niños y Familias en Marlton, NJ.

Mitchell D. Creinin, Investigador de anticoncepción de emergencia y abortos; Magee-Women Hospital (University of Pittsburg Health Center).

Marcia Drumhiller, Coordinadora del Proyecto para la traducción al Español de este libro, Profesora de Español para Estudiantes de Enfermería, y dedicada Traductora Clínica del DeKalb County Health Department.

Erika Frank, Escritora, Editora y Profesor Asistente de Medicina Familiar y Preventiva en Emory.

Yvonne Fulbright, Educadora de Sexualidad y estudiante de doctorado en la Universidad de Nueva York.

Meera Garcia, Residente de Obstetricia y Ginecología en Emory, ¡una de las personas verdaderamente más entusiastas del mundo!

Felicia Guest, Educadora de SIDA, sabia observadora y uno de los autores de "Contraceptive Technology."

John Guillebaud, Profesor de La Planificación Familiar y Salud Reproductiva de University College London Hospitals y Director Médico de Margaret Pyke Center for Study and Training in Family Planning. Le agradecemos a John el permiso para usar información de "Contraception Today" (Martin Dunitz, Ltd.) Londres, en Managing Contraception.

Arminda Hicks, Coordinadora Estatal de La Planificación Familiar del Estado de Georgia.

Andrew Kaunitz, Profesor y Jefe Asistente, Departamento de Obstetricia y Ginecología, University of Florida Health Sciences Center, Jacksonville, Florida.

Maxine Keel, Asistente Administrativa de Emory University Family Planning Program; soñadora, amiga e inspiración.

Holly Kennedy, Directora, Graduate Program in Nurse-Midwifery (programa de Post-grado en Enfermería Obstétrica) de la Universidad de Rhode Island; su revisión profunda y completa de "A Personal Guide" ha mejorado mucho el libro.

Victor LaCerva, Conferencista inspirador; Family Health Bureau Medical Director, New Mexico Department of Health.

Bert Peterson, líder de investigación en anticoncepción del Centers for Disease Control en Atlanta y en la World Health Organization en Ginebra; Profesor de Ginecología en Emory.

Anna Poyner, hizo, con Digital Impact Design, Inc., de Cornelia, Georgia, el diseño gráfico de la versión en Ingles del libro.

Sharon Schnare, Consultora y Entrenadora de Seattle; admirable maestra y soñadora.

Joseph Speidel y la Fundación Hewlett-Packard, por su generoso apoyo para el desarrollo y distribución de la versión en Español de este libro.

Hallie Stosur, médica creativa y caritativa, entrenada en Obstetricia y Ginecología, Oregon Health Sciences University, en Portland, Oregon; clínica de Kaiser Permanente en Portland.

Christian Thrasher, Director del Programa de Educación en Salud, 100 Black Men of America, en Atlanta, Georgia.

James Trussell, uno de los autores de "Contraceptive Technology," quién desarrolló las tablas de índices de falla y costos utilizados en "Managing Contraception"; admirable atención a los detalles.

Jane Wamsher, Nurse Practitioner del Grady Memorial Hospital de Atlanta, Georgia; creó los protocolos prácticos y las técnicas creativas para usar este libro para enseñar.

Lee Warner, investigador del CDC en ITS y VIH/SIDA; excelente ayuda con el capítulo sobre preservativos.

Anna Willingham, Coordinadora, Academic Services del Department of Health Policies and Management, Emory University Rollins School of Public Health; su fotografía aparece en los Signos de Advertencia de las Pastillas.

Introducción

Usted tiene en sus manos una compilación de información importante sobre la anticoncepción y la planificación familiar. Este libro se ha derivado directamente de un manual para médicos, enfermeras, asistentes de médico, enfermeras practicantes y enfermeras obstétricas. Esperamos que las personas que deseen utilizar métodos anticonceptivos de manera segura y efectiva encuentren este libro de ayuda.

Este libro ha sido organizado en gran medida alrededor del concepto de las ventajas y desventajas de las opciones existentes para el control de la fertilidad. Ningún método anticonceptivo es perfecto. Pueden ser caros, difíciles de usar, o tener un índice de falla relativamente alto. Pueden tener efectos secundarios importantes o complicaciones potenciales. Todos estos aspectos negativos se mencionan en las páginas de este libro.

También se presentan las ventajas de cada método. Se pone énfasis en los beneficios no anticonceptivos que cada método tiene, además de los beneficios anticonceptivos. Las pastillas anticonceptivas protegen contra el cáncer de ovario, el cáncer del endometrio y tumores benignos (no cancerosos) del pecho. Las pastillas disminuyen el dolor de la menstruación (la causa número 1 de ausencias al trabajo en las mujeres entre los 20 y 50 años) Además las pastillas pueden ser usadas para tratar el acné. La Depo-Provera es muy utilizada en el tratamiento de la endometriosis. La esterilización tubaria en la mujer disminuye el riesgo de infección pélvica o cáncer de ovario.

La mitad de todos los embarazos en los Estados Unidos son o no planeados o no buscados. Muchos son no deseados. Por cada mil niños que nacen hay 340 abortos. Estas estadísticas son impresionantes para nación tan avanzada. Nosotros podemos interactuar instantáneamente alrededor del mundo usando teléfonos celulares y los servicios de Internet, pero nos cuesta mucho tener relaciones sexuales sin que ocurran con frecuencia resultados trágicos. ¿Por qué? ¿Por qué ocurren estas fallas? Probablemente hay muchas respuestas. Nosotros creemos que las dos respuestas más importantes son: (1) que la anticoncepción es una prioridad baja en términos de educación, diálogo público, investigación y servicio en nuestra sociedad y (2) que la intimidad sexual es algo difícil de manejar para los individuos y para la sociedad en general, de manera racional, cuidadosa, deliberada y responsable.

Tal vez este pequeño libro ayudará a hombres y mujeres, adolescentes sexualmente activos y a todos los que tratan de evitar embarazos no deseados e infecciones, a que usen métodos preventivos lo más cercano posible a la perfección. ¡Por favor comparta este libro con su familia y amigos!

El futuro de la anticoncepción es emocionante; el control de la natalidad va a cambiar muchísimo. Guarde este libro para que sus hijos y sus nietos, quiénes tal vez querrán tener la posibilidad de mirar atrás y ver cómo se hacían las cosas en el año 2003.

¿Cómo Usar Este Libro?

1. Manténgalo a mano. ¡Compártalo con otros!
2. Los Capítulos sobre Anticoncepción presentan información actualizada sobre las ventajas y desventajas de cada método. Use esos Capítulos para aprender acerca de los métodos, como ayuda para seleccionar un método, para identificar los posibles efectos secundarios, y para enseñarle a otros.
3. Las mujeres y hombres que están teniendo relaciones sexuales deben de preocuparse acerca de las infecciones de transmisión sexual. Hemos incluido en las páginas 187–209 la información necesaria para prevenir, reconocer y tratar esas infecciones.
4. Las fotografías en colores le van a ayudar a identificar las pastillas que ha usado y las que está usando.
5. Las páginas sobre el ciclo menstrual explican un proceso muy complicado. Hemos tratado de presentarlo de la manera más simple posible para ayudar a nuestros lectores a entender esta parte tan importante de la fisiología femenina.
6. Los flujogramas que le pueden ayudar son:

Día de Fotografía para "La Planificación Familiar: Una Guía para la Salud Reproductiva y la Anticoncepción"

En la línea de arriba desde la izquierda: Erika Pluhar, autora y Ph.D. en Educación de Sexualidad Humana de la Universidad de Pennsylvania; LaChelle Keel; Donelle Martín; Odalys Andarsio; John Stanley, Editor y distribuidor, Bridging the Gap Communications, Inc.; Bob Hatcher, Profesor de Ginecología y Obstetricia de la Universidad Emory, y Presidente de la Fundación Bridging the Gap.

En la línea de abajo desde la izquierda: Eric Keel; Henry Millwood; Felix Andarsio; Paul García; y Meera García.

Cada una de las parejas que se presentan en la próxima página se han fotografiado y se encuentran en el libro acompañadas de una historia, de ejemplos de la vida real o de mensajes que se relacionan con La Planificación Familiar y Anticoncepción. Las fotografías se han colocado inmediatamente antes del capítulo al cual se relacionan.

Conozca a las Parejas Cuyas Fotografías Aparecen en Este Libro

Felix y Odalys Andarsio

Felix y Odalys están casados y tienen dos lindos niños, Zoey y Emmanuel. Felix es Jefe de Residentes de Ginecología y Obstetricia en la Universidad Emory. Antes de dedicarse a ser mamá de tiempo completo, Odalys trabajaba en el área de Administración de Bienes Raíces.

Donelle Martín y Henry Millwood

Donelle y Henry han estado juntos por más de un año. Donelle se graduó de la Escuela de Enfermería del Medical College of Georgia. Henry es un estudiante de medicina en el Medical College of Georgia.

Eric y LaChelle Keel

Eric y Lachelle Keel están casados y son los orgullosos padres de Marquis quién tiene un año. Eric es un empleado de la Mead Corporation y LaChelle es una estudiante en el Georgia Medical Institution y una empleada de medio tiempo en Service Master Aviation. Ellos planean tener otro niño cuando Marquis tenga 5 años.

Meera y Paul Garcia

Meera y Paul están casados y fueron recientemente los orgullosos padres de Violet. Meera es Residente de Ginecología y Obstetricia en la Universidad Emory; y Paul es Médico y estudiante de doctorado también en Emory. Su doctorado va a ser en Bio-Ingeniería, en un programa conjunto con Georgia Tech.

Números Importantes

Tema	Organización	Número de Teléfono
Abuso/violación	National Committee to Prevent Child Abuse	312-663-3520
	National Resource Center on Violence	800-537-2238
	CDC Rape Hotline	800-656-4673
	Español	800-344-7432
		800-243-7889
Adopción	Adopt a Special Kid-America	202-857-9708
	Adoptive Families of America	651-644-5223
Lactancia	La Leche League	800-LA-LECHE
Anticonceptivos	Planned Parenthood	800-230-7526
	Family Health International	919-544-7040
	PPFA	212-541-7800
Orientación/ Consejería	Peer Counseling for Gay/Lesbian	800-969-6884
	Peer Listening Line Gay/Lesbian	800-399-7337
	Depression after Delivery	800-944-4773
Anticonceptivos de Emergencia	Emergency Contraception Information 888-PREVEN2	888-NOT-2-LATE
VIH/SIDA	CDC SIDA Hotline	800-342-2437
	CDC National SIDA Clearinghouse	800-458-5231
	SIDA Clínical Trials Information Service	800-874-2572
Embarazo	National Pregnancy Hotline	800-311-2229
	Abortion Hotline (NAF)	800-772-9100
	Lamaze International	800-368-4404
ITS	Hepatitis B Coalition	651-647-9009
	CDC Sexually Transmitted Disease	800-227-8922
	Herpes and HPV Hotline	800-230-6039

Abreviaciones Usadas en Este Libro

ABC	Acido bicloroacético
ACOG	Colegio Americano de Obstétras y Ginecólogos
ADE	Anticonceptivos de Emergencia
AEV	Aparato de erección al vacío
AIC	Anticonceptivos inyectables combinados
AINE	Drogas antinflamatorias no Esteroides
AO	Anticonceptivos orales
AP	Anticonceptivos de Progestina sola
AQV	Anticoncepción quirúrgica voluntaria
ATC	Acido tricloroacético
AZT	Azidotimidina
BID	Dos veces al día
CA	Cáncer
CDC	Centro de Control y Prevención de Enfermedades
CV	Candidiasis vulvo-vaginal
CX	Cervical o Cérvix
D & C	Dilatación y Curetaje
DE	Disfunción eréctil
DIU	Dispositivo Intrauterino
DMPA	Acetato de Depo-Medroxiprogesterona (Depo-Provera)
EE	Etinil Estradiol
ECV	Enfermedad cardiovascular
EN-NET	Enantato de noretindrona (noretindrona)
EP	Embolismo pulmonar
EPI	Enfermedad pélvica inflamatoria
AEM	Autoexámen de senos
FDA	Administración de Drogas y Alimentos
FSH	Hormona de estimulación folicular
GcH	Gonadotropina Coriónica Humana
HVA	Hepatitis viral Tipo A
HBAgS	Antígeno de superficie de la Hepatitis B
HVB	Hepatitis viral Tipo B
Ht	Hematocrito
HGB	Hemoglobina
LH	Hormona luteinizante
HLGn	Hormona liberadora de gonadotropina
IM	Infarto de miocardio
IPMM	Inventario Multifacético de Personalidades de Minnesota

IPPF	Federación Internacional de La Planificación Familiar: "Planned Parenthood"
ISRS	Inhibidores selectivos de la recaptación de las serótoninas
ITS	Infecciones de transmisión sexual
IUSTED	Infecciones del tracto urinario
IV	Intravenoso
KOH	Hidróxido de Potasio
LA	Líquido Amniótico
LDA	Lipoproteína de alta densidad
LDB	Lipoproteína de baja densidad
LGV	Linfogranuloma venereum
LOA	Lo antes posible
MBCF	Métodos basados en el conocimiento de la fertilidad
MELA	Método de Lactancia-Amenorrea
MIS	Misoprostol
MMA	Manejando los métodos anticonceptivos
MMC	Método de moco cervical
MTX	Methotrexato
N-9	Nonoxinol 9
N/A	No aplicable
NIC	Neoplasia intraepitelial cervical
NIP	Neoplasia intraepitelial del pene
O-9	Octoxinol-9
OB/GIN	Obstetricia y Ginecología
OMS	Organización Mundial de la Salud
PACs	Pastillas anticonceptivas combinadas
PAEs	Pastillas anticonceptivas de emergencia
PAPs	Pastillas anticonceptivas de Progestina sola
PAT	Película anticonceptiva vaginal
VPH	Virus del papiloma genital humano
pH	Concentración de iones de hidrógeno
PFN	La planificación familiar natural
po	Per os (oral)
PS	Presión sanguínea
qid	4 veces al día
RPC	Reacción de polimerasa en cadena
RPR	Reagina plasmática rápida
SE	Sala de Emergencia
SIDA	Síndrome de Inmunodeficiencia Adquirida
SME	Servicios médicos de emergencia
STAT	Inmediatamente, en este momento
SPM	Síndrome premenstrual
SST	Síndrome del shock tóxico
TB	Tuberculosis
TCB	Temperatura basal del cuerpo

TEV	Trombo embolismo venoso
TRE	Terapia de reemplazo de estrógeno—incluye tratamiento con estrógeno y progestina
TRH	Terapia de reemplazo hormonal
TVP	Trombosis venosa profunda
UNG	Uretritis no-gonocócica
UPM	Último período menstrual
US	Ultrasonido
VB	Vaginitis bacteriana
VDRL	Exámen serológico no-treponémico estándar para la sífilis
VHS	Virus del herpes simples (I o II)
VIH	Virus de la inmunodeficiencia humana
ZDV	Zidovudina

CAPÍTULO 1

Anatomía Reproductiva Femenina

¡Conózcase a si misma!, Este es el objetivo de los Capítulos 1 y 2, en donde se presenta una descripción general de la anatomía reproductiva femenina y masculina que incluye diagramas detallados. Utilice estos capítulos para dar respuesta a sus preguntas, para refamiliarizarse con este conocimiento o para enseñar a otros.

Vista lateral de los órganos genitales femeninos internos.

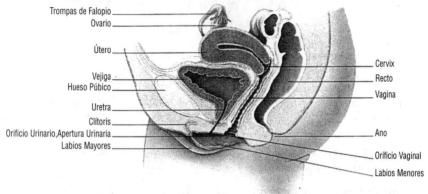

Tomado de: *Human Sexuality; Diversity in Contemporary America, Third Edition* por Bryan Strong y Christine DeVault. Copyright 1999 by Mayfield Publishing Company. Reproducido con permiso del Editor.

Los órganos femeninos internos de la reproducción incluyen los siguientes:

- **Vagina,** Es una estructura muscular que sirve para dos propósitos reproductivos: recibe el pene durante las relaciones sexuales y sirve de pasaje para el niño durante el nacimiento. La vagina está cubierta con una membrana mucosa que produce lubricación cuando la mujer está excitada sexualmente.
- **Útero,** o matriz, es un órgano muscular hueco donde se desarrolla el feto durante el embarazo. Las paredes del Útero y el Endometrio tienen gran cantidad de pequeños vasos sanguíneos que se llenan con sangre en la preparación para el embarazo (de aquí es de donde viene la sangre menstrual cuando una mujer no está embarazada y le viene la regla).
- **Cervix**, el cuello del útero. Tiene que dilatarse para permitir el paso del niño durante el parto.
- **Uretra**, es un tubo que comienza en la vejiga y que a través del cual pasa la orina.
- **Vejiga,** es el órgano que contiene la orina.
- **Ovarios,** son órganos a cada lado del Utero, aproximadamente del tamaño de almendras grandes que producen los óvulos (huevos) que son las células

reproductivas femeninas. También producen las hormonas femeninas Estrógenos y Progesterona.

- **Trompas de Falopio,** tubos estrechos que van desde los Ovarios hasta el Útero y por donde los óvulos fertilizados son transportados hasta el Utero.

Vista frontal de los órganos genitales femeninos externos

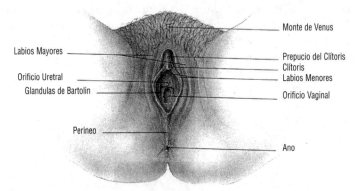

Tomado de: *Human Sexuality; Diversity in Contemporary America, Third Edition* por Bryan Strong y Christine DeVault. Copyright 1999 by Mayfield Publishing Company. Reproducido con permiso del Editor.

Los órganos genitales femeninos externos son conocidos como la vulva. La vulva incluye lo siguiente:

- **Monte de Venus,** o mons pubis; es un área alcolchada por tejido graso que cubre el hueso púbico y donde se desarrolla vello al comenzar la pubertad. Es sensible a la estimulación sexual en algunas mujeres.
- **Clítoris,** es un órgano con una alta concentración de terminaciones nerviosas cuyo único propósito es el placer sexual. Tiene partes externas y partes internas—El glande del clitoris, que es la punta más sensible, esta en la parte de afuera y está cubierto por el prepucio del clítoris, el cual es un pliegue de piel, y el cuerpo, que se extiende hacia arriba aproximadamente 3 pulgadas y contiene tejido esponjoso que se llena de sangre cuando la mujer está excitada sexualmente. Este tejido es similar al glande del pene en el hombre.
- **Labios Mayores,** son dos pliegues de piel que se extienden desde el Monte de Venus y que rodean los labios menores, el clítoris, los orificios uretral y vaginal.
- **Labios Menores,** son los pliegues de piel más pequeños que se unen para formar el prepucio del clítoris. Los labios menores son diferentes en cada mujer y se hinchan durante la excitación sexual.
- **Orificio Uretral,** es un pequeño orificio que conduce a la uretra y a través del cual sale la orina.
- **Orificio Vaginal,** es el orificio que lleva a la vagina y a través del cual sale la sangre durante la menstruación y pasa el niño durante el parto.

Otras estructuras son:

- **Las glándulas de Bartolin,** son pequeñas glándulas en ambos lados del orificio vaginal, que secretan una pequeña cantidad de líquido durante la estimulación sexual.
- **Ano,** es el orificio del recto, a través del cual salen las heces. Consiste de dos esfínteres los cuales son músculos circulares apretados que pueden relajarse y contraerse. El tejido que rodea el ano es sexualmente sensible en algunas personas.
- **Perineo,** es el área entre el orificio vaginal y el ano, y está formado por un tejido suave y sexualmente sensible en muchas personas.

CAPÍTULO 2

Anatomía Reproductiva Masculina

Vista lateral de las estructuras masculinas reproductivas internas

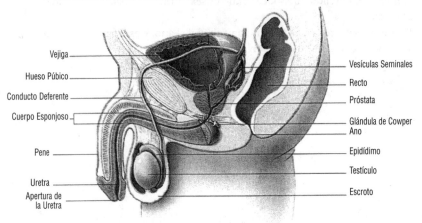

Tomado de: *Human Sexuality; Diversity in Contemporary America, Third Edition* por Bryan Strong y Christine DeVault. Copyright 1999 by Mayfield Publishing Company. Reproducido con permiso del Editor.

Adentro, el hombre tiene las siguientes estructuras reproductivas:

- **Testículos,** glándulas reproductoras masculinas. Producen los espermatozoides y la hormona testosterona.
- **Epidídimo,** almacena los espermatozoides para que maduren.
- **Conducto deferente,** son los tubos que trasportan los espermatozoides desde el epidídimo a las vesículas seminales y a la glándula prostática.
- **Vesículas Seminales**, producen el fluido que forma hasta el 60% de la eyaculación.
- **Próstata (glándula prostática),** produce aproximadamente del 30% al 35% del líquido de la eyaculación
- **Glándulas de Cowper,** dos pequeñas glándulas por debajo de la próstata que conectan con la uretra y producen una pequeña cantidad de líquido antes de la eyaculación (líquido pre-eyaculatorio).
- **Uretra,** tubo a través del cual pasa la orina.
- **Vejiga,** órgano que contiene la orina.

Otras estructuras incluyen:

- El ano, que es la apertura en el recto a través del cual sale el excremento, consiste de dos esfínteres que son músculos circulares apretados que pueden ser relajados y contraídos. El tejido que rodea el ano puede ser sexualmente sensible en algunas personas.

Vista frontal de los genitales masculinos externos

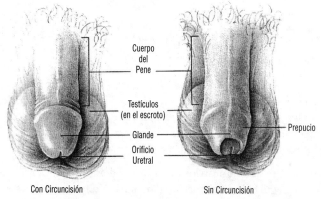

Con Circuncisión   Sin Circuncisión

Tomado de: Human Sexuality; Diversity in Contemporary America, Third Edition por Bryan Strong y Christine DeVault. Copyright 1999 by Mayfield Publishing Company. Reproducido con permiso del Editor.

El pene de un hombre puede estar circuncidado (o sea que el prepucio ha sido removido) o no circuncidado (el prepucio no se ha removido). Dependiendo de esto, los genitales externos pueden lucir ligeramente diferentes.

Los genitales masculinos externos contienen las siguientes estructuras:

- **Pene,** el órgano a través el cual pasan los espermatozoides cuando un hombre eyacula, (cums). También contiene la uretra que es el tubo por el cual sale la orina. El pene tiene 3 partes: la base o raíz que es la parte que se fija a la pelvis, el cuerpo del pene, y el glande, que es la cabeza del pene y que en la punta tiene el orificio uretral. En muchos hombres la parte de abajo del glande es la parte sexualmente más sensible ya que contiene una alta concentración de terminaciones nerviosas (similar al clítoris en la mujer). El pene contiene el cuerpo esponjoso y el cuerpo cavernoso, que son estructuras esponjosas que se llenan con sangre cuando el hombre tiene una erección.
- **Prepucio,** en un hombre sin circuncisión, es la delgada capa de piel que cubre el glande. El prepucio se retrae hacia atrás cuando el pene se pone erecto.
- **El Escroto,** es una bolsa de piel que contiene los testículos. El escroto se fija al cuerpo del hombre con músculos que se contraen y se relajan, los que acercan los testículos hacia el cuerpo o los alejan para mantener el control de la temperatura.

CAPÍTULO 3

Conociendo el Ciclo Menstrual

Conocer el ciclo menstrual es de mucha ayuda al hablar de anticoncepción, ya que muchos métodos alteran el ciclo menstrual para prevenir el embarazo. Este capítulo presenta un resúmen básico del proceso para ayudar a usted o a su pareja a entender mejor su cuerpo [adaptado de *Contraceptive Technology, 1998*].

- Los ovarios de la mujer fabrican los ovocitos (óvulos; huevos) y también las hormonas que regulan la reproducción femenina. A diferencia del sistema reproductivo masculino, el cual produce continuamente grandes cantidades de espermatozoides, una mujer nace con un número establecido de óvulos y sólo un óvulo se libera cada mes, desde la menarquia (el tiempo cuando una chica comienza a tener menstruaciones) al momento de la menopausia (cuando la regla deja de venir).
- Durante cada ciclo menstrual una serie de eventos ocurren que terminan en la ovulación, (la liberación de un óvulo maduro) y después, en la preparación del endometrio (lo que tapiza la parte interna del útero) para la implantación de un óvulo fertilizado. Si la fertilización y la implantación no ocurren, la cubierta de la parte interna del útero se desprende, lo que causa el sangramiento menstrual y, de nuevo comienza el ciclo.
- El ciclo menstrual está regulado por una estructura en el cerebro que se llama *hipotálamo,* por la glándula pituitaria y por los ovarios. Estas estructuras envían señales y secretan hormonas que participan en el desarrollo mensual de los óvulos y en la preparación de la parte interna del útero.
- Los ciclos menstruales normales varían de 23 a 35 días, y los ciclos de cada mujer pueden variar mes a mes. Sólo un 15% de mujeres tienen consistentemente un ciclo de 28 días. Las 3 fases de la actividad ovárica son: *la folicular, la ovulatoria, y la fase luteal.* Si una mujer no queda embarazada durante un ciclo, la capa interna del útero se desprende y la mujer menstrúa. Al momento que está ocurriendo la menstruación, un nuevo folículo se está desarrollando.

FASES DEL CICLO MENSTRUAL

Fase folicular:

Durante la primera mitad de la fase follicular, los folículos, que son las estructuras en forma de sacos en los ovarios, donde los óvulos se desarrollan y maduran, comienzan a crecer. La hormona estrógeno envía una señal a otra hormona llamada *Hormona Folículo Estimulante* (FSH).

INFORMACIÓN IMPORTANTE PARA SU SALUD:

Síndrome de shock tóxico (SST): El SST es una enfermedad rara causada por algunos tipos de bacterias que normalmente se encuentran en la vagina de algunas mujeres. Algunas veces cuando estas bacterias se combinan con el uso de tampones vaginales o métodos de barrera vaginales cómo el diafragma o el capuchón cervical, el riesgo del SST se aumenta. En general, el riesgo del SST es bajo. Se ha estimado que cada año de 1 a 17 de cada 100,000 mujeres y jóvenes que menstrúan van a tener SST. De las mujeres que les da el SST, aproximadamente el 5% se han muerto.

Los síntomas de SST incluyen: una fiebre alta y repentina (usualmente de 102°F/ 38.8° C o más alta); vómitos y/o diarrea; desmayos o vahídos cuando se para; mareos; y una erupción que parece que es una quemada de sol. Los síntomas de SST usualmente aparecen muy rápidamente y con frecuencia son severos. Otros síntomas pueden ser dolores musculares y de las articulaciones, ojos rojos, garganta dolorosa y debilidad generalizada. Si usted tiene cualquiera de estos síntomas o cree que puede tener SST, contacte a su professional de salud inmediatamente.

Usted puede evitar el riesgo del SST si no usa los tampones. Si usted usa tampones puede reducir el riesgo del SST al utilizar el tampón más pequeño que es suficiente para controlar el flujo menstrual. Usted también puede disminuir su riesgo usando algunas veces maxi-pad en vez de los tampones (por ejemplo en la noche). Si usted está utilizando un método de barrera vaginal cómo el diafragma o el capuchón cervical, evite mantenerlo adentro de su vagina más allá del tiempo recomendado, conozca los síntomas del SST y llame inmediatamente a su profesional de salud si usted piensa que puede tener el SST.

Duchas: Las duchas (lavados vaginales) son algo que algunas mujeres hacen con el fin de "limpiar la vagina." Hay muchos productos que se venden para esto (por ejemplo, Summer's Eve). Sin embargo es importante saber que la vagina es un órgano que se limpia por sí misma. Un flujo vaginal escaso y un ligero olor es normal. Si utiliza duchas, que con frecuencia contienen productos químicos, éstas pueden irritar la vagina y causar infecciones cómo la vaginosis bacteriana y la candidiasis (infección por hongos). Si usted tiene un flujo vaginal anormal abundante o raro o con mucho mal olor, puede ser que usted tenga una infección. Contacte a su profesional de la salud inmediatamente.

La FSH estimula el crecimiento de los folículos. Aproximadamente en el día 7 un folículo dominante se produce y continua creciendo mientras que los otros folículos paran su crecimiento. El folículo dominante continua produciendo altos niveles de estrógeno. La duración de la fase folicular varía de mujer a mujer, pero es usualmente entre 10 y 17 días. Tiende a ser más larga en mujeres de menos de 20 años y en mujeres mayores de 40.

Fase ovulatoria:

Una vez que el folículo dominante ha alcanzado su máximo nivel de producción hormonal y de crecimiento, se envía un mensaje a la glándula pituitaria lo que causa una elevación muy grande de la FSH y de otra hormona llamada *HormonaLuteinizante (LH)*. Estas hormonas hacen que el folículo se rompa liberándose un óvulo maduro. Esto se llama ovulación. Es durante este tiempo que una mujer puede quedar embarazada si ella y su pareja tienen relaciones sin protección.

Fase Luteal:
Después que el óvulo ha sido liberado, la hormona progesterona es producida en una estructura que se llama *corpus luteum*. El corpus luteum es lo que queda del folículo una vez que el óvulo ha sido liberado. La progesterona hace que los otros folículos paren de crecer y ayuda a que la parte interna del útero se haga más gruesa de modo que se prepare para un posible embarazo. Si no ocurre un embarazo la fase luteal tiende a durar 14 días en la mayoría de las mujeres.

Menstruación:
Si no ocurre el embarazo los niveles de progesterona y estrógenos bajan durante la parte final de la fase luteal. Esto causa que la capa interna del útero ya no crezca y se desprenda, resultando en el sangramiento menstrual. La mayoría de las mujeres pierden aproximadamente de 30 a 35 mililitros, ó sea 2 cucharadas soperas de sangre durante la menstruación. Es normal perder de 20 a 80 mililitros de sangre. El 70% de la sangre sale en el segundo día y el 90% ya ha quedado al tercer día. La duración promedio de la fase menstrual es de 4 a 6 días. Un sangramiento de 2 a 7 días está dentro de límites normales.

EVENTOS DEL CICLO MENSTRUAL

En cada una de las fases del ciclo menstrual, le ocurren a la mujer ciertos cambios fisiológicos. Algunos de estos cambios ocurren en todas las mujeres, mientras que otros varían de mujer a mujer. La figura 3.1 presenta una síntesis del ciclo. Esta muestra los diferentes cambios corporales que ocurren en cada fase, incluyendo los cambios de temperatura, los cambios del moco cervical, los niveles variables de hormonas y los posibles síntomas del ciclo menstrual cómo los cambios de ánimo, dolores de cabeza y calambres.

Día

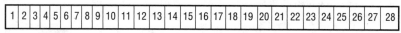

| 1 | 2 | 3 | 4 | 5 | 6 | 7 | 8 | 9 | 10 | 11 | 12 | 13 | 14 | 15 | 16 | 17 | 18 | 19 | 20 | 21 | 22 | 23 | 24 | 25 | 26 | 27 | 28 |

Fase

| Follicular | Luteal |

↑ ↑ ↑ ↑
Menstruacíon   ↑
                    Ovulación

Moco Cervical

Bajo Volumen	Alto Volumen	Bajo Volumen
Espeso	Delgado	Espeso
Opaco	Claro	Opaco
Pegajoso	Poco pegajoso	Pegajoso

Temperature Corporal Basal

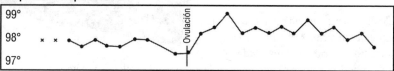

99°
98°
97°
Ovulación

Posibles Cambios Corporales

Fase Menstrual	Midciclo	Fase Premenstrual
Irritabilidad	Secreciones	Ganancia de peso
Ansiedad	Náusea	Llenazón
Depresión	Dolor abdominal leve	Hinchazón de los ojos
Sangramiento	a agudo	Hinchazón de los tobillos
Dolor abdominal bajo	Manchas	Hinchazón de los pechos
Dolor de espalda y piernas	Aumento del deseo	Sensibilidad en los pechos
Dolor de cabeza	sexual	Ansiedad
Náuseas		Depresión
Mareos		Dolor de cabeza
Diarrea		Náusea
Deseo sexual aumentado		Acné
o disminuido		Manchas
Infección		Flujo vaginal
Sangramiento nasal		Dolor
		Estreñimiento

¡¡¡Hablemos Acerca del Sexo!
Qué es lo Que las Parejas Dicen al Respecto . . .

"Para nosotros, la base fundamental de nuestra comunicación acerca del sexo es la confianza y la honestidad. Aún en nuestros momentos más vulnerables, hemos sido abiertos el uno con el otro y esto solamente ha aumentado el nivel de intimidad que compartimos"
—Tamara, 39 y Keith, 40

"El uso del buen humor para aliviar algo de la incómodidad y de las dificultades para comunicarse con una pareja acerca del sexo ayuda mucho. Un buen consejo es que nunca se tome usted, su pareja o su relación demasiado seria y que se divierta y sea un poco desinhibido. Esto permitirá una comunicación abierta de temas potencialmente incómodos."
—Sammy y Liz, ambos de 27 años

"El ser absolutamente honesto con mi pareja me hace sentir absolutamente seguro. Entre más honestos somos, me siento más conectado. Mis celos e inseguridades desaparecieron conforme la honestidad se solidificó como el fundamento de nuestra relación. Si yo conozco sus fantasías y experiencias y sueños sin censura he eliminado una de las fuerzas más preocupantes en el universo—lo desconocido. ¿Qué puede ser más bonito que saber que su pareja conoce todo acerca de tí y te acepta a tí por lo que usted es?"
—John, 26, en su relación con Elizabeth, 28

CAPÍTULO 4

Hablando de Anticoncepción
y Sexualidad

HABLANDO CON SU PAREJA

Hablar con su pareja acerca de temas sexuales no siempre es fácil, pero es muy importante. Algunas veces parece ser más fácil simplemente tener relaciones que hablar acerca de ello. PERO hay muchas razones importantes para hablar primero antes de tener relaciones. Antes de que hablemos de estas razones, veamos primero algunas de las razones por las cuales puede ser difícil hablar con su pareja acerca del sexo:

- No importa cual sea su edad, es muy posible que nadie le haya enseñado cómo hablar acerca del sexo. En la vida aprendemos de una manera muy organizada sobre muchas cosas: cómo usar las matemáticas, cómo deletrear, cómo manejar, cómo escribir un cheque. Pero usualmente no aprendemos cómo comunicar nuestros pensamientos y nuestros sentimientos acerca de nuestra sexualidad, nuestras necesidades, o de nuestra anatomía. Así que no se sienta sola si no sabe cómo comenzar.
- Hay algunos estereotipos o prejuicios muy negativos que se les aplica a personas que hablan abiertamente del sexo. Si alguien, especialmente una mujer, habla del sexo, la gente puede pensar que ella es "fácil." Si ella no habla acerca del sexo se le puede llamar, anticuada. Con frecuencia si es un varón el que habla y lo hace de una manera seria acerca de sus sentimientos, sus amigos lo pueden llamar amanerado, o decir que él es demasiado sensible. Los muchachos que hablan del sexo de una manera orgullosa o con aires de conquista pueden ser considerados "machos." Estos estereotipos no dejan mucho espacio para una comunicación saludable.
- Los más probable es que en algún momento al crecer usted haya aprendido que el sexo es un tema del cual no se habla, o que puede causarle timidez o inclusive avergonzarle. Usted puede haber aprendido nombres como "wee wee" o "por allí abajo" en referencia a las partes sexuales de su cuerpo, lo que hace difícil decir de manera confortable a su pareja "pene" o "vulva." No tenemos un buen lenguaje para la sexualidad, lo cual es una de las cosas que mas necesitamos para poder comunicarnos bien con nuestra pareja.

Ahora que hemos mencionado algunas de las razones por las cuales puede ser difícil hablar acerca del sexo con su pareja, necesitamos saber por qué es importante. En nuestros tiempos más que nunca, el ser honesto y abierto con la pareja sexual es una necesidad de salud. Debido al riesgo de las enfermedades sexualmente transmitidas, incluyendo el VIH/SIDA, es necesario ser capaz de tener este tipo de conversación con la pareja antes de tener relaciones sexuales. El preguntarle a su pareja su historia sexual, si él o ella han tenido o les han examinado por infecciones transmitidas sexualmente y cual tipo de protección van a usar, son todos temas muy importantes para discutir antes de tener intimidad sexual. Ni siquiera es necesario mencionar que si se habla de estas cosas en el calor del momento, se puede arruinar el sentimiento. Hablar acerca de los métodos de anticoncepción que van a usar, si es que se va a usar alguno, es también importante—todo está orientado a tener relaciones agradables y de manera responsable. Finalmente y aún más importante, el hablar acerca de sexo puede acercarlo a su pareja. La intimidad que se logra puede ayudarle a que usted se acerque más a su pareja, a que su relación se vuelva más fuerte, y además, a mejorar las relaciones sexuales.

Debido a la importancia de la comunicación, y en vista de que muchos no hemos aprendido a comunicarnos efectivamente, en especial en lo que respecta al sexo, hemos incluido algunas sugerencias que pueden ayudarle a abordar estos temas con su pareja..

ESTRATEGIAS PARA LA COMUNICACIÓN

Escuchar Activamente

- Algunos sostienen que ser capaz de escuchar es más importante que ser capaz de hablar. Ciertamente este concepto es difícil para muchas personas. Escuchar activamente significa dar atención completa a su pareja—mirale a los ojos, asentir o mover la cabeza cuando dice algo y, orienta el cuerpo en su dirección. El utilizar palabras y sonidos como "ahá," "entiendo," y "mm mm" denotan que está participando en la conversación. Piense cómo se siente cuando le habla alguien que no le presta atención—que está mirando para otro lado, mira el reloj, o juega con un lápiz. Es poco agradable. Compare esto con cómo se siente cuando la otra persona le mira, mueve su cabeza y le hace preguntas. Es muy diferente, verdad?. Eso es escuchar activamente.

"Frases con Yo"

- Usar el YO es una de los componentes más difíciles de la buena comunicación. Usar el Yo significa que usted está hablando por sí mismo y que uno asume autoridad por lo que dice. Esto significa que usted está compartiendo sus propios sentimientos sobre algo. Por ejemplo, en vez de decir "nunca me escuchas cuando yo te hablo" puede decir, "me siento ignorado cuando yo te hablo." Cuando usted es dueño de lo que dice, evita acusar a la otra persona o hacer generalizaciones. Las frases con YO pueden ayudar también a reducir las posturas defensivas en la comunicación. ¿No le parece que la frase "para mí el sexo oral no me parece tan bueno" es mejor que la frase "todas las mujeres odian el sexo oral?"

Ser abierto

- Esto va a junto con el uso de las frases con YO. Sí uno está hablando de sí mismo, al mismo tiempo uno le está compartiendo o diciendo cuales son sus pensamientos y sus sentimientos a su pareja. Se han hecho estudios que han demostrado que el ser abierto es recíproco—lo que significa que mientras más abierto es un miembro de la pareja , más lo será el otro. Compartir cosas personales con su pareja, tanto acerca del sexo como de otros temas, es una forma de lograr que aumente el nivel de intimidad en su relación.

Parafrasear

- Significa que uno repite a la pareja lo que uno piensa que éste dijo. Por ejemplo, si su pareja está enojado porque llegó tarde y le está gritando acerca de que nunca llega a tiempo, usted puede decir (con voz calmada) "lo que yo te escucho decir es que estás realmente frustrado conmigo porque no vine a casa a la hora que yo dije que iba a venir." Utilizando una frase como "lo que yo te oigo decir" o "así que lo que quieres decir es," puede ayudarle a asegurarse que tanto su pareja como usted están hablando de lo mismo y entienden que es lo que está pasando en esa conversación.

Lenguaje Corporal

- El lenguaje corporal, que también se llama comunicación no verbal, es una parte muy importante de la comunicación. Lo que nosotros hacemos con nuestro cuerpo mientras estamos hablando, puede apoyar y enfatizar lo que estamos diciendo o negarlo por completo. Por ejemplo, si usted dice que se siente confortable hablando acerca del sexo, pero está mirando en otra dirección, moviendo sus pies, utilizando una voz suave y no muy clara y sentándose de lado—esto puede dar un mensaje ¡completamente diferente a su pareja! En algunos casos el lenguaje corporal puede mantener o romper la conversación.

HABLANDO CON SU PROFESIONAL DE LA SALUD

Tomando Historias Sexuales

El hablar de temas sexuales y de salud reproductiva con un profesional de la salud puede ser algunas veces difícil o vergonzoso. Algunas veces es más vergonzoso para quien le atiende de lo que es para usted. Pero estas conversaciones son críticamente importantes para ayudarle a tomar buenas decisiones y mantener la salud. Así que haga preguntas si necesita ayuda o información.

Es importante saber que en el mejor de los casos, documentar la historia sexual de un paciente es parte rutinaria de los servicios del profesional de la salud. Con demasiada frecuencia se descuida. Igualmente importante es que usted evalue su propia historia sexual. Más adelante encontrará algunas de las preguntas posibles que un profesional de la salud puede hacerle y que usted deberá responder por sí misma. Si el profesional de la salud no le hace estas preguntas, usted puede mencionar el tema al preguntar si tiene riesgo de infecciones, pedir que le evalúen para ver si tiene infección, pedir información sobre disfunción sexual, u otras preguntas similares.

NOTA: *Tiene derecho a la confidencialidad cuando revise todos estos temas con un profesional de la salud.*

Ventajas de hablar abiertamente con su profesional de la salud:

• Puede aclarar cualquier información equivocada o cualquier mito—va a obtener sólo datos reales.
• Le puede ayudar a entender mejor los tratamientos.
• Le puede ayudar a cambiar comportamientos que son dañinos para su salud.
• Le puede ayudar a tomar decisiones acerca de anticoncepción y de un sexo más seguro.
• Le permite conocer los posibles efectos secundarios.
• Le permite saber cuando debe volver si en caso lo necesita.
• Le disminuye los riesgos de problemas serios.
• Puede hacer que su relación con su profesional de la salud sea más estrecha.

¿QUÉ ESTÁ HACIENDO PARA PROTEGERSE DEL VIH /SIDA Y DE OTRAS ENFERMEDADES SEXUALMENTE TRANSMITIDAS?

• ¿Ha tenido alguna experiencia sexual con otra persona en los últimos 12 meses? *Si responde Sí, ¿con cuantas personas?, ¿fueron esas parejas hombres, mujeres o ambos?*

• ¿Sabe si alguna de sus parejas sexuales ha tenido alguna enfermedad sexual?

• ¿Ha tenido usted una enfermedad de transmisión sexual? *Si la respuesta es Sí, ¿qué tipo de infección?*

• ¿Ha compartido agujas o equipo de inyección con alguna persona?

• ¿Ha tenido relaciones sexuales bajo la influencia de drogas incluyendo el alcohol?

• ¿Se ha despertado y no sabe si alguien tuvo relaciones con usted?

• ¿Alguna de sus parejas sexuales lo ha puesto a riesgo de pasarle una infección?

• ¿Qué hacen usted y su pareja para evitar el embarazo? ¿Lo ha obligado alguien o lo han forzado a tener relaciones con él o con ella?

• ¿Ha tenido problemas para excitarse o para sentir el orgasmo?

• ¿Hay algo más acerca de usted como un ser sexual que yo deba de saber para que se permita ofrecerle el mejor cuidado posible?

CAPÍTULO 5

Comprendiendo las
Disfunciones Sexuales

El funcionamiento sexual saludable es una parte importante de toda su salud en general. Hemos incluido esta breve guía para ayudarle a reconocer los diferentes problemas sexuales. Si usted cree que una de las descripciones se aplica a usted o a su pareja, le recomendamos que hable de esto con un profesional de la salud o con un consejero o terapeuta sexual. La mayor parte de las disfunciones sexuales pueden ser manejadas o tratadas con la ayuda de profesionales capacitados. Para obtener el teléfono de un terapeuta sexual certificado o de un consejero en el área donde vive, llame a la Asociación Americana de Educadores Sexuales, Consejeros y Terapeutas (AASECT) al teléfono (319) 895-8407 o en internet visita www.aasect.org.

DISFUNCIÓN SEXUAL FEMENINA

Deseo Sexual Disminuido

El deseo sexual disminuido ocurre cuando una mujer no tiene, o tiene muy poco deseo sexual (fantasías y deseo de tener una actividad sexual). Esta falta de deseo le causa problemas a ella y a su pareja sexual. La disminución del deseo es relativo al deseo de la pareja. No hay un nivel absoluto "normal"; esto es un problema muy común—una de cada tres mujeres tiene falta de deseo en algún momento de su vida.

- *¿Qué es lo que lo causa?* La causa es usualmente sicológica; factores como problemas en la relación de pareja, preocupaciones financieras, de carrera, o preocupaciones en la escuela pueden causarle a una mujer una dismunición en el deseo sexual. Además si ha sido sexualmente abusada en el pasado o está usando drogas o alcohol, todo esto puede disminuir su deseo sexual. También puede estar relacionado a problemas médicos como ciertas enfermedades, la depresión, desbalance hormonal o alteraciones de las hormonas, como tener niveles muy bajos de la hormona testosterona. Todo esto puede llevar a la disminución del deseo sexual. En algunos casos ella puede tener menos deseos después que comienza a utilizar un método anticonceptivo hormonal como las pastillas anticonceptivas.
- *¿Cómo se trata?* La mujer necesita ser examinada por un médico y evaluada por un sicólogo. Si lo que le causa no tener deseo sexual es un problema médico, ese

problema debe ser tratado. Algunas veces se prescribe la hormona testosterona para aumentar el deseo sexual. Si hay algunas razones sicológicas, usted y su pareja pueden reunirse con un consejero o un terapeuta para tratar el problema. NOTA: Si la mujer tiene o está en una relación, esto usualmente no es "sólo su problema." Es importante que ambos participen en el tratamiento. Ambos son afectados cuando uno de ellos tiene falta de deseo sexual.

Deseo Sexual Excesivo

El deseo sexual excesivo es cuando una mujer tiene un deseo sexual que está fuera de su control. Este impulso la puede llevar a actuar de manera obsesiva compulsiva. Puede que satisfaga sus deseos de manera que sea directamente dañina para ella o para otros (relaciones sin protección con varias parejas, abuso sexual a niños).

- *¿Qué lo causa?* Las causas son complicadas. Usualmente son sicológicas y se relacionan de alguna manera a experiencias pasadas. Por ejemplo, puede ser que ella haya sido sexualmente abusada cuando niña y ahora esté repitiendo lo que aprendió mientras crecía. Una baja auto estima y la depresión pueden tener algo que ver. El uso del alcohol o drogas puede complicar el problema.
- *¿Cómo se trata?* El tratamiento varía dependiendo del tipo y la causa. Usualmente se utilizan terapias individuales y de grupo. Las técnicas de tratamiento utilizadas para los comportamientos obsesivo-compulsivos generalmente son de ayuda.

Problemas del orgasmo: Preorgasmia

Dice que una mujer sufre de preorgasmia cuando nunca ha tenido un orgasmo—ya sea masturbándose o con una pareja.

- *¿Qué lo causa?* La causa usualmente es sicológica. Es posible que algunas mujeres no sepan cómo funciona su cuerpo y su ciclo de reacción sexual. Otras pueden tener ansiedad acerca del desempeño sexual—están tan enfocadas en alcanzar el orgasmo (resultado) que la ansiedad no les permite relajarse lo suficiente para lograrlo. A otras mujeres les han enseñado que el sexo es malo, o han sido abusadas sexualmente, lo que les impide poder relajarse y gozar del sexo.
- *¿Cómo se trata?* Dependiendo de la causa, la preorgasmia usualmente es tratada visitando a un consejero o un terapeuta. Hay ejercicios que la pareja puede hacer para disminuir la presión de alcanzar el orgasmo durante el sexo. Estos se llaman ejercicios de foco sensorial, e intentan que la mujer focalise su atención en todos sus sentimientos sexuales, sin tratar de alcanzar el orgasmo. Aprender a conocer su cuerpo a través de auto-estimulación puede también ayudarle a identificar lo que a ella le gusta. Si un miembro de la pareja no es capaz de tener un orgasmo, esto puede afectar la relación, así que lo más probable es que el consejero quiera trabajar con ambos al mismo tiempo.

Problemas del orgasmo: Anorgasmia

Se llama anorgasmia cuando una mujer que ha tenido orgasmos en el pasado—ya sea masturbándose o con una pareja—no es capaz de sentirlos en este momento o en ciertas situaciones.

- *¿Qué lo causa?* La causa es usualmente sicológica o situacional. Por ejemplo, una mujer puede ser capaz de sentir el orgasmo cuando ella se masturba pero no cuando ella está con su pareja (NOTA: si ella es capaz de sentir el orgasmo durante el sexo oral o la masturbación mutua con su pareja pero no durante las relaciones sexuales, esto no necesariamente significa que ella tiene anorgasmia. La mayoría de las mujeres no tienen orgasmos únicamente con la introducción del pene,—se necesita la estimulación del clítoris). Otras razones pueden ser el tener una nueva pareja o tener ansiedad acerca del desempeño sexual. Problemas médicos de origen neurológico (cerebro) o vascular (el corazón) también pueden ser causantes.. Los medicamentos para la depressión, para la presion sanguínea y otros problemas pueden disminuir el deseo sexual y la habilidad de tener orgasmos.
- *¿Cómo se trata?* Los tratamientos son similares tanto para la anorgasmia como la preorgasmia (ver antes).

Vaginismo

El vaginismo es una contracción espástica y dolorosa (cómo una calambre) de los músculos pélvicos que le ocurre a la mujer cuando el hombre trata de introducir el pene, un dedo u otro objeto en la vagina.

- *¿Qué lo causa?* La causa usualmente es sicológica. La mujer puede haber sido abusada sexualmente, puede estar teniendo relaciones cuando no lo desea, o le pueden haber enseñado que el sexo es malo o negativo. El vaginismo puede ocurrir también cuando la relación es dolorosa para la mujer. Las contracciones entonces se vuelven una respuesta inconsciente para proteger a la mujer de sentir más dolor. NOTA: alguna veces es difícil diferenciar entre el vaginismo y la dispareunia (coito doloroso). Es importante ver a un profesional de la salud capacitado, para que haga el diagnóstico y se dé el tratamiento correcto.
- *¿Cómo se trata?* Usualmente se trata con consejería en la cual una mujer (ya sea sola o con su pareja) aprende lentamente a relajar su vagina insertándose dilatadores progresivamente más grandes y relajando conscientemente los músculos vaginales.

Dispareunia

Dispareunia es el dolor causado cuando el pene, un dedo u otro objeto se inserta en la vagina.

- *¿Qué lo causa?* La causa con frecuencia tiene relación con un problema médico cómo una infección del tracto urinario, una infección transmitida sexualmente, la endometritis (la inflamación de la parte interna del útero), enfermedad pélvica inflamatoria, fibromas, cistitis intersticial (vejiga inflamada), o enfermedades de los discos de la columna vertebral. La sequedad de la vagina puede también causar dolor. Además puede ser causado por factores sicológicos como el haber sido abusada sexualmente, haber sido enseñada que el sexo es malo o estar en una relación en la cual la mujer no es feliz.
- *¿Cómo se trata?* Es importante ver a un profesional de la salud calificado para obtener el diagnóstico y el tratamiento correcto. Algunos problemas médicos

como las infecciones, pueden ser tratados, y esto ayuda a que el dolor se alivie o desaparezca. La sequedad en la vagina puede ser fácilmente tratada utilizando un lubricante personal a base de agua como la crema K-Y. Otros problemas médicos son más difíciles de tratar y pueden requerir que la mujer y su pareja encuentren posiciones y actividades sexuales que son menos dolorosas. Consultar a un consejero o a un terapeuta puede ser necesario para tratar las causas sicológicas o para ayudar a la mujer y a su pareja a eliminar los efectos sicológicos de la dispareunia.

DISFUNCIONES SEXUALES MASCULINAS

Deseo Sexual Disminuido

Es el deseo sexual disminuido en un hombre no que tiene deseo sexual o lo tiene muy bajo (tanto las fantasías como el deseo de actividad sexual). La falta de deseo le causa problemas a él personalmente y en su relación sexual. El deseo disminuido es relativo al deseo de su pareja. No hay un nivel "normal" absoluto.

- *¿Qué lo causa?* La causa usualmente es sicológica. Cosas como problemas en una relación, preocupaciones financieras, preocupaciones de carrera o en la escuela, le pueden causar a un hombre una disminución de su deseo sexual. Además si ha sido sexualmente abusado en el pasado o si utiliza drogas o alcohol, esto puede disminuir su deseo sexual. También puede estar relacionado con problemas médicos como ciertas enfermedades, la depresión o inbalances hormonales. Por ejemplo, tener un bajo nivel de testosterona puede llevar a un deseo sexual disminuido.
- *¿Cómo se trata?* El hombre necesita ser examinado por un médico y un sicólogo. Si el problema es médico y esa es la causa de tener la falta de deseo, ese problema debe de ser tratado. Si hay razones sicológicas, él y su pareja pueden trabajar con el consejero o el terapeuta para tratar el problema. NOTA: Si el hombre está en una relación, esto no es usualmente "sólo su problema"; es importante que ambos participen en el tratamiento. Ambos son afectados cuando uno de ellos no tiene deseo sexual.

Deseo Sexual Aumentado

El deseo sexual se considera aumentado cuando un hombre tiene un deseo sexual que no puede controlar. Puede llevarlo a actuar de manera obsesiva compulsiva, puede actuar de tal manera que su comportamiento sea directamente dañino para otros (violación, abuso sexual de niños, desnudarse en público, hacer llamadas telefónicas obscenas)

- *¿Qué lo causa?* Las causas son complejas usualmente son sicológicas y se relacionan de alguna manera a las experiencias pasadas del hombre. Por ejemplo, puede haber sido sexualmente abusado cuando niño y está repitiendo lo que aprendió cuando crecía. Puede estar relacionado con ciertas actitudes, como creer mitos acerca de la violación tal como que las mujeres desean o merecen ser violadas. (NOTA: las violaciones tienen mayor relación con la sensación de poder y control sobre la víctima que con el placer sexual). El uso de drogas o alcohol puede complicar el problema.

- *¿Cómo se trata?* El tratamiento varía dependiendo del tipo y de la causa. En algunos casos el hombre va a prisión por ofensas como violación, incesto, o abuso sexual de niños, y debe recibir tratamiento intensivo de grupo y terapia individual. En las técnicas de tratamiento utilizadas para los comportamientos obsesivo compulsivos, usualmente son útiles medicinas como la Depo-Provera, la que se les administra a algunos hombres para ayudar a reducir o disminuir el deseo sexual.

Eyaculación Prematura (Temprana)

Se llama eyaculación prematura cuando un hombre eyacula involuntariamente muy rápido. Es difícil saber cúan temprano es demasiado temprano. Una definición es la eyaculación en menos de un minuto después de haber comenzado las relaciones sexuales con la introducción del pene; sin embargo debido a que esto varia tanto en cada pareja, los terapeutas sexuales muchas veces basan su diagnóstico en la percepción de la pareja acerca de su satisfacción y placer, más que en un período de tiempo específico. Este problema es más común en los hombres jóvenes.

- *¿Qué la causa?* La causa es usualmente sicológica. Con frecuencia este es un comportamiento aprendido, lo que significa que el hombre se ha formado un hábito basado en su comportamiento previo. Por ejemplo, los jóvenes con frecuencia aprenden a masturbarse en instancias en las que están con prisa, probablemente tratando de que no los encuentren en esa situación. Este hábito puede entonces presentarse en el comportamiento sexual en pareja. También puede estar relacionado con enfermedades neurológicas, enfermedades de la espina dorsal, de los nervios, enfermedades cómo la esclerosis múltiple, y posiblemente infecciones como la uretritis.
- *¿Cómo se trata?* Un hombre y su pareja pueden trabajar con un consejero para "des-aprender" este comportamiento. Hay dos técnicas que pueden ser utilizadas—la técnica de comenzar y parar y la técnica de apretar. En la técnica de comenzar y parar el hombre le dice a su pareja cuando está a punto de eyacular. Su pareja detiene la estimulación del pene durante 30 segundos y luego comienza de nuevo. En la técnica de apretar, el hombre le dice a su pareja cuando está a punto de eyacular y entonces su pareja aprieta gentilmente debajo del glande (cabeza del pene) durante 4 o 5 segundos. Ambas técnicas pueden ser repetidas durante la actividad sexual hasta que el hombre tenga mayor control sobre su eyaculación. Finalmente el uso de preservativos o la toma de pequeñas dosis del antidepresivo Prozac® puede también ser útil para tratar la eyaculación precoz.

Eyaculación Tardía

La eyaculación tardía ocurre cuando un hombre es incapaz o tiene problemas para tener un orgasmo durante la actividad sexual con una pareja.

- *¿Qué la causa?* Es similar a la eyaculación precoz en que la causa es usualmente sicológica. Este es también con frecuencia un comportamiento aprendido, lo que significa que el hombre se ha formado un hábito basado en su comportamiento previo. Por ejemplo, el hombre puede masturbarse de una manera que le permite sentir el orgasmo. Si él no puede repetir esto con una pareja, puede tener problemas para llegar al orgasmo. También puede ocurrir que el hombre tenga ansiedad de ejecución, lo que significa que siente tanta presión por tener un orgasmo que esta presión se lo impide. Finalmente es importante que el hombre sea examinado por un profesional de la salud para asegurarse de que no hay problemas médicos que sean causa del problema.
- *¿Cómo se trata?* Algunos terapeutas sexuales usan lo que se llama la estrategia de "demanda," en la cual la pareja del hombre estimula el pene manualmente y cambian a tener relaciones al momento en que él va a tener un orgasmo. Otros expertos prefieren tratar la eyaculación tardía de manera similar al tratamiento de la anorgasmia en la mujer. En este método la pareja trata de quitar la presión de la eyaculación del hombre haciendo que él se enfoque más en todas los sensaciones sexuales, que en alcanzar el orgasmo solamente. De esta manera la pareja no está tratando de forzar al hombre a tener un orgasmo.

Disfunción Eréctil: Primaria

La disfunción eréctil primaria sucede cuando un hombre nunca ha podido tener una erección que le permita tener relaciones sexuales. Este es un problema raro, usualmente causado por altos niveles de ansiedad en relación al desempeño sexual. Es buena idea que el hombre tenga una evaluación médica y sicológica para determinar la causa y el mejor tratamiento.

Disfunción Eréctil: Secundaria

La disfunción eréctil secundaria es cuando un hombre ha sido capaz de tener erecciones en el pasado y no lo puede lograr en el presente o puede tener erecciones en algunas situaciones (masturbación), pero no en otras (con una pareja). Este es un problema frecuente. Aproximadamente 30 millones de hombres en los Estados Unidos tienen disfunción eréctil y la mitad de ellos son menores de 65 años. El hombre tiene con mayor frecuencia disfunción eréctil conforme aumenta en edad. Aproximadamente 1 de cada 20 hombres de 40 años o más y, 1 de 4 hombres de 65 años o mayor tienen disfunción eréctil.

- *¿Qué la causa?* Aúnque puede ser causada tanto por factores sicológicos y físicos, sólo aproximadamente el 15% de los casos tienen bases sicológicas o una combinación de causas sicológicas y físicas. En el pasado se pensaba que la disfunción eréctil estaba "en la cabeza del hombre" pero ahora sabemos que no es así. Con mucha frecuencia la causa son los problemas médicos. La diabetes es la causa más común (aproximadamente el 50%–60% de hombres con diabetes tienen un disfunción eréctil). Otras causas son las enfermedades del corazón, daños de la espina dorsal, el uso de alcohol, cigarrillos u otras drogas, o el tomar algunas medicinas cómo los antidepresivos.

- *¿Cómo se trata?* El hombre necesita hacerse un examen médico para determinar si hay un factor físico que sea la causa. Si hay un factor físico hay muchos tratamientos médicos disponibles incluyendo Viagra, los dispositivos de erección por vacío, la terapia con inyección, los implantes y la cirugía. La consejería puede ser necesaria si la causa es sicológica o si la disfunción eréctil le ha causado problemas al hombre en su relación.

CAPÍTULO 6

Temas Especiales para Adolescentes

El cuarenta y ocho por ciento de todos los adolescentes en los Estados Unidos han tenido relaciones sexuales—aproximadamente el 70% antes de la edad de 18 años. Los autores creen que la abstinencia de las relaciones sexuales (oral, vaginal, anal) es lo mejor para los individuos que todavía no están preparados para tener relaciones de manera responsable. Sin embargo también creemos que cualquiera que tiene relaciones sexuales debe tener acceso a anticonceptivos, a la protección contra las infecciones sexualmente transmitidas y a otros servicios de salud reproductiva. Es importante para los adolescentes tener un diálogo abierto con un adulto en quien confíen, ya sea uno de sus padres, un profesor, o el profesional de la salud. Es normal sentirse avergonzado o tímido, pero el hablar con un adulto puede ayudar a los adolescentes a eliminar los mitos, a tener respuestas a sus preguntas y a que les den consejos.

Mal entendidos

Es común que la gente joven tenga mal entendidos acerca del embarazo. La realidad es que incluso muchos adultos tienen también información incorrecta. En esta sección usted puede aprender cosas nuevas que usted le puede enseñar a alguien más.

Mito:	Una mujer no puede quedar embarazada la primera vez que tiene relaciones sexuales.
Realidad:	El embarazo puede ocurrir con la primera relación sexual, aún antes de que la chica tenga su primera regla.
Mito:	No puede quedar embarazada si no hay penetración.
Realidad:	El líquido seminal que se deposita en las afueras de la vagina puede entrar en ella y causar un embarazo.
Mito:	No se puede quedar embarazada antes de haber tenido la primera regla.
Realidad:	La ovulación puede ocurrir antes que una chica comience a tener sus reglas, haciendo posible un embarazo.
Mito:	No se puede quedar embarazada si la mujer se hace una "ducha" después de tener relaciones.
Realidad:	La ducha vaginal no remueve o mata todo el semen; es posible quedar embarazada.

Confidencialidad

Es natural preocuparse de si los servicios serán confidenciales. Los autores de este libro creen que todos los adolescentes tienen derecho a servicios y consejería en privado, pero existen leyes en algunos estados que restringen el acceso de los adolescentes a los servicios de la planificación familiar.

Adolescentes y la Ley

Esta tabla provee información sobre los derechos que tienen los adolescentes y cuando tienen que consentir para obtener servicios de salud reproductiva, anticoncepción, y servicios de aborto.

CUÁLES SON LA LEYES EN SU ESTADO PARA OBTENER SERVICIOS DE SALUD REPRODUCTIVA

AL ●■□★	FL ●■_	LA ○■□★	NE ○■◆	OK ●■□◆	VT ○■◉
AK ●■☆	GA ●■□◆	ME ●■□◉	NV ●■_	OR ●■◉	VA ●■◆
AZ ●■☆	HI ●■□◉	MD ●■□◆	NH ●■◉	PA ●■★	WA ●■◉
AR ●■□◆	ID ●■★	MA ●■★	NJ ●■□_	RI ○■★	WV ○■◆
CA ●■☆	IL ●■□	MN ●■□◆	NM ●■☆	SC ●■★	WI ○■★
CO ●■_	IN ○■★	MI ○■□★	NY ●■◉	SD ○■◆	WY ●■★
CT ○■◉	IA ○■◆	MS ●■★	NC ●■★	TN ●■★	
DE ●■□◆	KS ●■□◆	MO ○■□★	ND ○■★	TX ○■□◆	
DC ●■◉	KY ●■□★	MT ●■□_	OH ○■☆◆	UT ○■◆	

● = Los menores pueden consentir para usar anticonceptivos(incluye algunos estados con circunstancias especiales como la salud del menor, o el estado marital o de embarazo).

○ = Estos estados no tienen una política explicita con relación al acceso de menores a los servicios de anticoncepción.

■ = El menor puede dar su consentimiento para que le hagan pruebas o le den tratamiento para infecciones de transmisión sexual.

□ = El médico puede informar a los padres acerca de la presencia de infecciones de transmisión sexual y su tratamiento, pero la ley no lo requiere

★ = Se requiere el consentimiento de los padres antes de que un menor se pueda hacer un aborto

☆ = Existe la ley de consentimiento paterno pero no es aplicada (fue declarada no imponible por las Cortes)

◆ = Se requiere el consentimiento de los padres antes de que un menor se pueda hacer un aborto

_ = Existe la ley de consentimiento paterno pero no es aplicada (fue declarada no imponible por las Cortes)

◉ = No requiere participación de los padres para que un menor pueda hacerse un aborto.

Fuente: State Policies In Brief: Parental Involvement in Minors' Abortions; Minors' Access to STD Services; Minors' Access to Contraceptive Services. A Enero 1, 2002. Alan Guttmacher Institute.

Nota: Muchas de las leyes contienen cláusulas específicas que afectan su significado y aplicación. Los autores le recomiendan al lector que consulte los documentos antes mencionados.

CAPÍTULO 7

Menopausia

¿QUÉ ES LA MENOPAUSIA?

Es el momento cuando una mujer deja permanentemente de tener reglas mensuales y ocurre a causa de la disminución de la producción de estrógenos en los ovarios. La peri menopausia es el período que precede a la menopausia, cuando la mujer puede experimentar algunos de los cambios físicos que ocurren con la menopausia. Vea www.menopause.org para obtener más información.

Edad promedio de la perimenopausia (reglas irregulares): 46 años

Edad promedio de la menopausia: 51 años

Cambios físicos frecuentes:

- Oleadas de calor.
- Cambios de carácter.
- Adelgazamiento de las paredes de la vagina.
- Sequedad vaginal.
- Perdida de calcio en los huesos.
- Aumento del riesgo de aterogenesis-arterioesclerosis (la formación de depósitos de grasas en las arterias).

¿QUÉ HAY ACERCA DE LA ANTICONCEPCIÓN Y LA PERIMENOPAUSIA?

- Es importante recordar que aún con una disminución de la fertilidad, la mujer necesita anticoncepción hasta la menopausia si no desea quedar embarazada. Hasta un 75% de los embarazos en las mujeres mayores de los 40 años son embarazos no buscados.
- Todos los anticonceptivos disponibles actualmente pueden ser utilizados hasta la menopausia.
- Las pastillas anticonceptivas son ideales para la mujer sana que no fuma y que tiene reglas irregulares y está en la perimenopausia, ya que los ciclos se vuelven regulares y mantienen los niveles de estrógeno.
- Los métodos de largo plazo cómo el DIU y el Norplant son métodos excelentes para lograr, con una simple decisión única, anticoncepción de larga duración hasta la menopausia.

- La esterilización quirúrgica es popular en este grupo de edad. 50% de todas las mujeres entre los 40 y los 44 años y que utilizan anticoncepción han sido ya esterilizadas, y otro 20% tiene una pareja masculina que se ha hecho la vasectomía.

¿QUÉ ES EL TRATAMIENTO DE REEMPLAZO HORMONAL?

El tratamiento de reemplazo hormonal significa tomar hormonas—estrógenos y progesterona (cuando la mujer aún tiene el útero)—para sustituir los niveles hormonales decrecientes que ocurren cuando una mujer se acerca a la menopausia. El tratamiento de reemplazo hormonal puede ayudar a aliviar algunos de los síntomas de la menopausia cómo las oleadas de calor, el adelgazamiento de la mucosa vaginal, los cambios de carácter y puede ayudar a prevenir la osteoporosis (adelgazamiento de los huesos) y las enfermedades cardiovasculares. También puede ayudar a prevenir la enfermedad de Alzheimer, cáncer de colon y la pérdida de dientes. Su profesional de la salud debe aconsejarla e informarla de los riesgos y beneficios de la terapia de reemplazo hormonal. La decisión de comenzar la terapia de reemplazo hormonal no es sencilla y debe revisarse cuidadosamente por la mujer junto con su profesional de la salud.

¿ QUÉ SE REQUIERE PARA TOMAR LA TERAPIA DE REEMPLAZO HORMONAL?

- Su profesional de la salud debe obtener una historia médica general y hacer una exámen físico (incluyendo exámen de los senos y de la pelvis). Ella o él le tomarán su presión arterial, una citología (PAP), pueden chequear su perfil de lípidos sanguíneos y hacerle una mamografía.
- Si usted ya tuvo una histerectomía (haberse quitado el útero) probablemente sólo recibirá estrógenos.
- Si usted todavía tiene el útero, va a recibir progestina junto con estrógenos, para prevenir el cáncer endometrial.
- Probablemente usted tomará estrógenos continuamente (por ejemplo una pastilla diaria o en forma de parche); usted también puede recibir estrógenos a través de la vagina en forma de cremas o anillos.
- Usted tomará progestina de manera cíclica por (ejemplo una pastilla durante 12 a 14 días cada mes, lo que le causará que le venga la regla cuando pare de tomar la pastilla) o continuamente (diariamente) en una pastilla con dosis más baja; usted también puede recibir la progestina vaginalmente en forma de gel.
- Existen combinaciones de las medicinas, estrógenos y progestina (Premface, Combipatch)
- También hay disponible combinaciones de estrógenos y testosterona (Estratest). Algunas mujeres reportan que la hormona testosterona les ayuda a aumentar su deseo sexual.

¿CUÁLES SON LAS VENTAJAS DE LA TERAPIA DE REEMPLAZO HORMONAL?

- Ayuda a aliviar algunos de los síntomas de la perimenopausia: Oleadas de calor, cambios del carácter, menstruaciones irregulares, adelgazamiento de las paredes vaginales.
- Previene la osteoporosis y las enfermedades del corazón.
- Puede ayudar a prevenir la enfermedad de Alzheimer, el cáncer de colon y la pérdida de dientes.
- Cuando los estrógenos y la progestina se toman juntos se disminuye el riesgo de cáncer del endometrio.
- Cuando la terapia de sustitución hormonal se toma en la noche puede ayudarle a la mujer que tiene trastornos del sueño.

¿CUÁLES SON LAS DESVENTAJAS DE LA TERAPIA DE REEMPLAZO HORMONAL ?

- Los efectos colaterales pueden incluir sensibilidad y pesadez en los pechos, sangramiento o manchas vaginales, náuseas e inflamacion abdominal.
- Si sólo se están tomando estrógenos, puede aumentar el riesgo de cáncer del endometrio (cuando se toman junto con progestinas, el riesgo de cáncer del endometrio es igual o menor comparado con el de mujeres que no están tomando terapia de sustitución hormonal).
- Los reportes de estudios efectuados sobre el riesgo de cáncer de mamario cuando se utilizan terapia de reemplazo hormonal, no ofrecen las mismas conclusiones. Algunos estudios demuestran un aumento del riesgo cuando los estrógenos se toma sólos, mientras que otros no lo demuestran. De igual manera algunos muestran una disminución del riesgo de cáncer de mamario, si los estrógenos se toman junto con progestina, mientras que otros no muestran ninguna diferencia. Hay que mantenerse alerta y vigilante hasta que la relación entre la terapia de sustitución hormonal y el cáncer de mamario sea mejor entendida. Todas las mujeres en este grupo de edad deben tener mamografías regularmente y se deben hacer el auto exámen de los senos todos los meses.
- Se recomienda que todas las mujeres que han tenido cáncer de los senos no tomen terapia de reemplazo hormonal; sin embargo recientemente han sido publicados estudios pequeños que no han mostrado un aumento del riesgo de resurgimiento del cáncer.

El Primer Paso en la Planificación de una Familia . . .

Comienza con la decisión de quedar embarazada y tener un niño. Este proceso activo de tomar decisiones debe incluir un compromiso de ambos en la pareja de participar en el amor, cuidado, educación y apoyo económico de ese maravilloso niño que va a resultar de unos minutos de relaciones sexuales. Este es un compromiso a largo plazo.

La planificación familiar incluye las consideraciones previas al embarazo mencionadas en este capítulo, incluyendo tomar ácido fólico (por lo menos 0.4 miligramos diarios) desde antes de quedar embarazada; decidir dejar de fumar o tomar alcohol o dejar otras drogas durante el embarazo; prevenir y ser examinada para infecciones de transmisión sexual que puedan afectar al niño; y seleccionar quién le va a proveer de cuidado médico durante su embarazo.

La familia a la derecha es una de entre las muchas familias planificadas. Cuando se hizo el primer censo en los Estados Unidos, la mujer promedio tenía 8 hijos y los métodos de planificación familiar eran limitados. Ahora la mujer promedio tiene 2 niños. La tecnología avanzada de anticoncepción y el conocimiento médico le dan a los hombres y mujeres muchas opciones para el control de la fertilidad y les ayudan a tener embarazos saludables. La anticoncepción segura y efectiva y el conocimiento de que es lo que hay que hacer para tener embarazos sanos es importante para la salud de las mamás, los niños y las familias.

CAPÍTULO 8

Planificando para el Embarazo

Tomar la decisión de quedar embarazada es una decisión muy importante—quizás una de las decisiones más importantes que usted va a tomar en su vida. Al crear una nueva vida, es muy importante recordar que el feto en desarrollo es afectado por todo lo que la madre embarazada hace, incluyendo correr, la actividad física, dormir, y cosas dañinas como fumar, tomar, y usar drogas. Algunas cosas pueden ser controladas por la madre, como tomar vitaminas con 0.4 mg de ácido fólico y todo lo que ella decide ponerse en su cuerpo. Algunas cosas ella no las puede controlar, como la historia familiar de ciertas enfermedades o problemas genéticos. Otras cosas pueden estar o no bajo su control, como los factores ambientales de donde ella vive y trabaja. De todas maneras si usted está considerando quedar embarazada es importante que se haga las siguientes preguntas y que revise cada una de ellas con su profesional de la salud:

Si usted:

____ Fuma? (Si la respuesta es SÍ, es muy importante que trate de dejar de fumar antes de quedar embarazada).

____ Toma alcohol ? (Usted no debe tomar durante el embarazo; aún pequeñas cantidades de alcohol pueden causar problemas con el desarrollo del niño).

____ Usa drogas ilegales? (Si la respuesta es SÍ, usted necesita dejar de usarlas para proteger la salud de su niño y su propia salud).

____ Tiene buenos hábitos nutricionales?

____ Vive cerca de o trabaja en condiciones que pueden ser riesgosas para el embarazo (trabajo físico extenuante, químicos, radiación, etc.)

____ Toma medicinas que pueden ser dañinas? (asegúrese de revisar todas las medicinas que toma incluyendo las vitaminas o productos naturales con su profesional de la salud. No suspenda o comience a tomar alguna sin hablar primero con su profesional de la salud.

Le han hecho exámenes para:

____ El virus de la inmunodeficiencia humana (VIH)

____ Sífilis

____ Hepatitis B y C

____ Tuberculosis (TB)

____ Clamidia, gonorrea, herpes, virus del papiloma humano (HPV)

Ha recibido usted:	____	¿Vacuna contra la rubéola? (si no, debería esperar 3 meses después de que la vacunen antes de tratar de quedar embarazada).
	____	¿Varicela? (si no, que le hagan el exámen y vacúnese si aún no lo a hecho).
	____	¿Inmunización contra el tétano? (si no, también asegúrese de que la vacunen).
	____	¿Citología (Pap)? (si no se la han tomado es muy importante que le hagan una como parte de la evaluación antes del embarazo).

Ha consultado con su profesional de salud si usted tiene una historia familiar de:	____	Anemia de células falciformes?
	____	Enfermedad de Tay-Sachs, de Canavan?
	____	Problemas en embarazos previos, como retardo mental o defectos congénitos.
	____	Talasemia?
	____	Fibrosis quística?
	____	Convulsiones?
	____	Diabetes?

| Vive usted cerca de o trabaja con: | ____ | Pesticidas? |
| | ____ | Plomo o mercurio? |

Está sufriendo (o ha tenido):	____	¿Problemas de violencia doméstica?
	____	¿Problemas emocionales o de relación con su pareja?
	____	Depresión?
	____	Problemas financieros?

Se le recomienda que:	____	Se proteja de infecciones de transmisión sexual (siempre use un preservativo si hay riesgo de que pueda adquirir una infección.)
	____	Tenga una dieta saludable (hable con su profesional de la salud acerca de la mejor dieta para usted)
	____	Tomese una vitamina con por lo menos 0.4 mg. de ácido fólico todos los días.
	____	Use guantes cuando trabaje en el jardín.
	____	Reduzca si tiene exceso de peso
	____	Haga ejercicio moderado (hable con su profesional de la salud acerca del mejor plan de ejercicios para usted).

Evite esto:	____	Carnes o pescados crudos
	____	Productos lácteos no pasteurizados.
	____	Rayos X abdominales, a menos que sean necesarios.
	____	Tomar vitaminas en exceso.

_____ Temperatura corporal elevada (como en un jacuzzi)
_____ Adquirir un gato nuevo (las heces de los gatos pueden ser peligrosas para las mujeres embarazadas)
_____ Ejercicio excesivo.

Seleccionando un profesional de salud:

_____ La planificación de un embarazo requiere tener confianza en el profesional de salud que la va a cuidar durante su embarazo y el parto. El conocer a esta persona antes de la concepción produce una transición sin problema entre el cuidado pre y post natal. Los siguientes sitios web tienen información acerca de como encontrar el mejor profesional de salud para usted:

- *www.acog.org* (American College of Obstetrics & Gynecology)
- *www.acnm.org* (American College of Nurse-Midwives)
- *www.aafp.org* (American Academy of Family Practice Physicians)

CAPÍTULO 9

Pruebas de Embarazo

¿Qué son las pruebas de embarazo y por qué son importantes?

- Las pruebas de embarazo miden el nivel de la hormona llamada Gonadotropina Corionica Humana (GcH) en la orina; se completan en 1 a 5 minutos.
- Las pruebas de embarazo de orina son positivas cuando el nivel de GcH es de 25 o más.
- Para cuando una mujer se da cuenta que no le ha venido la regla y sospecha que está embarazada, su nivel de GcH va a estar en el nivel de 20 a 250. Esto significa que una prueba de orina hecha en la oficina del doctor puede ser positiva aún antes de que a la mujer no le haya venido su regla cuando la esperaba.
- Usted puede también utilizar pruebas caseras, pero éstas con frecuencia se utilizan mal o se interpretan mal. Por lo tanto es importante ver a un profesional de la salud si usted piensa que está embarazada, y confirmar la presencia del embarazo.
- Las pruebas hechas a tiempo le pueden dar una ventaja inicial en su cuidado prenatal, o pueden hacer posible que usted obtenga un aborto médico antes de que usted tenga 3 meses (12 semanas) de embarazo.
- Si usted está en riesgo de embarazo ectópico (o tubario) (porque ha tenido una infección sexualmente transmitida, una enfermedad en las trompas de Falopio, cirugía pélvica, endometriosis, o un embarazo ectópico en el pasado), debe hacerse los exámenes temprano. El tratamiento oportuno de un embarazo ectópico ha salvado la vida de muchas mujeres y, en muchos casos, se han podido preservar las trompas de Fallopio.

¿Qué es la GcH?

- La Gonadotropina Corionica Humana (GcH) es una hormona que produce la placenta en desarrollo (el órgano que une a la madre y el feto) y el huevo fertilizado después que se implanta en el útero. Esta hormona ayuda a mantener el embarazo.
- La GcH es la hormona que se mide en la orina para detectar el embarazo.

¿Que hacer si la prueba de embarazo es positiva?

Si su prueba de embarazo es positiva es importante que sepa cuales son sus opciones. Entre ellas están: el hablar con alguien en quien usted confíe (un miembro de su familia, su compañero, un ministro, un rabino, un cura o un profesional de la salud) que le pueda ayudar a tomar una decisión.

Sus opciones incluyen:

- Llevar el embarazo a termino, dar a luz y tener su niño. Si ésta es la opción que usted selecciona, es importante que vaya lo más pronto posible a donde un profesional de la salud para obtener cuidado prenatal. Comience a tomar 0.4 miligramos de ácido fólico todos los días y deje de tomar alcohol.
- Llevar el embarazo a termino, dar a luz y poner el niño para adopción. De nuevo, si ésta es la opción que usted selecciona, es importante que vaya lo más pronto posible al profesional de la salud para su cuidado prenatal.
- Terminar el embarazo por medio de un aborto. Si ésta es su decision, es importante que sepa que el aborto es seguro, legal y efectivo y que es mejor hacerlo muy temprano en el embarazo. Por lo tanto usted necesita ver un profesional de la salud lo más pronto posible. (Para más información sobre abortos vea el Capítulo 11)

CAPÍTULO 10

Anticoncepción después del Parto

¿Cuáles son mis opciones anticonceptivas después de un parto?

Mientras usted esté embarazada es importante pensar en que método anticonceptivo usará después del parto. Hay que tener en mente algunas consideraciones específicas acerca de cuándo y como empezar los diferentes métodos; esto debido a los cambios sufridos en el cuerpo de la mujer durante el embarazo, y también porque cada una debe decidir si va a amamantar a su niño o no.

¿Inmediatamente después del parto?

* Se puede hacer una esterilización quirúrgica.
* Se puede insertar un dispositivo intrauterino.

¿Antes de salir del Hospital?

* Usted puede comenzar a dar pecho (amamantar) y esto puede ser utilizado como un método anticonceptivo.
* Se le pueden recetar o proveer pastillas anticonceptivas combinadas. Puede comenzar a tomar las pastillas 21 días después del parto o el domingo después del día 21 (si usted no está dando pecho).
* Las pastillas de Progestina sola pueden ser recetadas o se le pueden proveer, y es posible comenzar a tomarlas al momento de salir del Hospital (ya sea que esté o no esté dando pecho –amamantando) Habría alguna preocupación si usted sufre de diabetes gestacional.
* Se pueden insertar los implantes de Norplant (ya sea que esté o no esté dando pecho-amamantando) / Se puede insertar un dispositivo intrauterino (ya sea que esté o no esté dando pecho-amamantando).
* Se pueden usar preservativos; estos pueden ayudar a prevenir una infección—las mujeres que acaban de dar a luz tienen un riesgo mayor de adquirir infecciones pélvicas que en cualquier otro momento en su vida.
* Se puede hacer una esterilización tubaria (ligadura).
* Se puede inyectar Depo-Provera (ya sea que usted esté o no dando pecho-amamantando)—si ya le bajó la leche.

¿En mi consulta postnatal entre 4–6 semanas después del parto?

* Si usted está dando pecho-amamantando, debería considerar seriamente usar un método secundario de anticoncepción o un método secundario de apoyo de anticoncepción y no debe pensar que puede utilizar el dar pecho-amamantar

como único método anticonceptivo, especialmente si usted está alimentando a su niño con otros alimentos además de la leche, si sus reglas ya volvieron a la normalidad o si usted está dando pecho de manera infrecuente.

- Puede comenzar a tomar pastillas anticonceptivas combinadas (si usted no está dando pecho). Si las pastillas combinadas son el único método que usted consideraría utilizar, debería esperar por lo menos hasta que su niño tenga 6 semanas para comenzar a tomarlas.
- Las pastillas de Progestina sola pueden ser comenzadas inmediatamente (ya sea que esté o no dando pecho-amamantando).
- Los implantes de Norplant pueden ser insertados (esté o no dando pecho-amamantando).
- Un dispositivo intrauterino puede ser insertado (esté o no dando pecho).
- Los preservativos pueden ser usados como un método primario o como un método secundario o de apoyo; pueden ayudar a prevenir las infecciones.
- Se puede hacer una esterilización tubaria (o una vasectomía).
- Se puede administrar una inyección de Depo-Provera (esté o no dando pecho si la leche ya le bajó).
- Se puede aplicar un diafragma siempre que no le cause dolor adeutro o alrededor de la vagina (espere si todavía está cicatrizando de una episiotomía o de un desgarro).
- Usted puede tomar anticoncepción de emergencia si la necesita; aúnque esté dando pecho-amamantando.

"¡La regla no me ha venido y la prueba de embarazo es positiva!"

Es un momento lleno de emoción cuando a una mujer no le ha venido la regla y se da cuenta de que puede estar embarazada. Puede ser que haya estado esperando quedar embarazada durante meses o años. Puede ser también que no desee estar embarazada en este momento. Usualmente el saber que está embarazada es algo que la mujer comparte con su compañero, cuyas reacciones pueden ser tan variadas como las que ella misma tenga.

En los Estados Unidos, casi más de la mitad de las mujeres que quedan embarazadas tienen un parto. De estas, algunas de ellas eligen criar a su niño ellas mismas, con la ayuda de su pareja, o con ayuda de su familia o amigos. Algunas mujeres hacen planes para dar en adopción al niño. Entre un 10 a 20 % de mujeres que quedan embarazadas tienen un aborto espontáneo después que se hace el diagnostico del embarazo. Y, finalmente, algunas mujeres eligen terminar el embarazo con un procedimiento llamado aborto electivo. Algunas mujeres quieren hablar de sus opciones con su pareja, miembros de la familia, líderes religiosos o médicos. Al final, es ella quién debe tomar una decisión.

CAPÍTULO 11

Opciones del Embarazo

Puede ocurrir que en algún momento es su vida usted quiera y planee tener hijos. Esperamos que usted pueda hacer que esta sea precisamente eso, una decisión. Cuando usted haya llegado a este punto, lea la información en el Capítulo 8, Planificando para el Embarazo, o puede usar las técnicas de identificación de fertilidad que se presentan en el Capítulo 17 para ayudarle a quedar embarazada. Sin embargo muchas mujeres y hombres se encuentran teniendo un embarazo no planeado. En los Estados Unidos la mitad de todos los embarazos son no buscados. Este capítulo está diseñado para ayudarle a pensar detenidamente en las decisiones que va a tener que tomar en caso de que usted tenga un embarazo no planificado o no deseado.

Si usted queda embaraza da sin planearlo, tiene una decisión muy importante que tomar. Puede que sea una decisión difícil. Hable con su médico o con el personal de la clínica de Planificación Familiar acerca de sus preocupaciones. Si usted decide continuar con su embarazo deje de tomar alcohol y de usar drogas inmediatamente y comience a ver al médico o la enfermera obstétrica. Usted puede elegir tener el niño y educarlo usted misma (o con la ayuda de su compañero o de miembros de su familia), o usted puede escoger dar el niño en adopción. Si usted escoge tener un aborto hable con su médico acerca de dónde se lo pueden hacer de manera segura. Mientras más temprano se haga el aborto es menos peligroso y menos caro. Usted debe decidir lo que usted personalmente siente que es lo mejor. A lo mejor usted desea hablar de esta decisión con su compañero, con su consejero, un amigo, un líder religioso o un miembro de su familia. O puede ser que usted quiera tomar esa decisión usted sola. La mejor decisión es la que usted toma por sí misma.

SIGNOS DEL EMBARAZO

Es importante familiarizarse con los signos del embarazo. Lamentablemente estos síntomas también pueden existir aúnque no haya embarazo. Es mejor ver al médico para que le haga una prueba de embarazo. Lea el Capítulo 9 para más información sobre las pruebas de embarazo.

Algunos signos del embarazo son:

- Que no le venga la regla.
- Sensibilidad de los pechos y de los pezones.
- Fatiga.
- Náuseas.

- Vómitos.
- Frecuencia urinaria.
- Apetito aumentado.
- Sangramiento anormal o manchas.
- Dolor abdominal.
- Aumento de peso.

EMBARAZO ECTÓPICO

El embarazo usualmente se refiere a un feto que se desarrolla adentro del útero de la mujer; la gran mayoría de la gente no conoce otro tipo de embarazo que se puede desarrollar afuera del útero, llamado embarazo ectópico, el cual ocurre en uno de cada 80 embarazos en los Estados Unidos. Si un embarazo ectópico no se detecta a tiempo la mujer tiene riesgo de un problema severo de salud, incluyendo la muerte.

Se llama embarazo ectópico cuando el embrión se implanta fuera del útero, usualmente en las trompas de Falopio. Mujeres que han tenido una enfermedad pélvica inflamatoria tienen un riesgo mayor de embarazo ectópico debido al tejido cicatricial que resulta de la enfermedad pélvica inflamatoria (EPI). Sin embargo, todas las mujeres tienen algún riesgo de embarazo ectópico. Un dolor intenso repentino o con contracciones en el abdomen inferior (usualmente en uno u otro lado), sangramiento anormal o manchas, dolor abdominal cuando ha atrasado su regla o después de una regla anormalmente ligera, y mareos o desmayos que duran más que unos pocos segundos, son todos signos de peligro de un posible embarazo ectópico.

Si usted está teniendo relaciones y presenta cualquiera de estos síntomas vea a una enfermera o a un doctor inmediatamente. Lo más pronto que un embarazo ectópico se detecta, mejores son las probabilidades que usted tiene de evitar una emergencia que pueda afectar su vida y mayores las probabilidades de salvar su trompa de Falopio.

Llevando el embarazo a término.

Si usted selecciona llevar el embarazo a término hay algunas cosas que necesita saber y hacer para ayudarle a tener un embarazo seguro y un niño saludable.

- *Deje de tomar bebidas alcohólicas.* Aún pequeñas cantidades son peligrosas para su niño. Evite el alcohol durante todo el embarazo. El síndrome alcohólico-fetal es la causa más común conocida de retardo mental. Un sólo trago cada día aumenta el riesgo de que su niño desarrolle un número de problemas. Si usted está utilizando drogas, pare o trate de limitar la cantidad que usa.
- *Tome ácido fólico.* Vaya a su farmacia a la brevedad y busque vitaminas prenatales con por lo menos 0.4 mg de ácido fólico. El ácido fólico ayuda a prevenir algunos tipos de defectos congénitos severos como la espina bífida y los defectos cardíacos. Y si aún usted no está embarazada pero está considerando quedar embarazada en el futuro, comience a tomar ácido fólico desde ya. Esta es una

vitamina importante, y está presente en los vegetales de hojas verdes oscuras y en las habichuelas.

- **Busque un doctor o una enfermera obstétrica o una clínica en quién usted tenga confianza y haga una cita lo más pronto posible.** Dígale al médico todas las medicinas y las drogas que esté tomando.
- **Deje de fumar.** Esta sustancia adictiva es extremadamente peligrosa para usted y para su niño. No deje que otros fumen a su alrededor. Si no puede parar por completo, reduzca lo más que pueda.
- **Aumento de peso.** El aumento de peso de 25 a 35 libras durante el embarazo produce los niños más saludables. Ahora no es el momento de perder peso. Un aumento lento y constante de peso es lo mejor. Si usted empieza a ganar más de 2 libras por semana, revíselo con su médico o enfermera.
- **Mantenga una dieta balanceada.** Coma una variedad de alimentos de cada grupo alimenticio, que incluya abundante fruta fresca y verduras. Sus huesos y sus dientes van a perder calcio si usted no consume lo suficiente en su dieta. Cuatro tazas de leche al día o 5 TUMS son suficientes. Si usted necesita ayuda hable con un nutricionista capacitado. Limite la cantidad de cafeína que toma.
- **Use preservativos, si hay algún riesgo de VIH/SIDA) u otra infección de transmission sexual durante este embarazo.** No deje que una infección arruine su salud o la de su niño.
- **Haga ejercicio moderado.** Hable con su médico acerca de cuando y como comenzar un régimen apropiado de ejercicio durante el embarazo, si es que todavía no lo está haciendo.

Que tenga buena suerte con este embarazo. ¡Cuídese mucho usted y su niño! Puede obtener información más completa de su medico de como tener un niño lo más saludable posible. Tenga cuidado con el uso de cualquier medicina y hable de ello lo más pronto posible. Empiece a pensar desde ahora en darle pecho a su niño.

ADOPCIÓN

Entregar a niño en adopción puede ser una decisión difícil; es una decisión que requiere valor y amor. Es una decisión definitiva. Hay consejeros que están entrenados para ayudarle a evaluar todas sus opciones, a decidir si la adopción es adecuada en su caso, para ayudarle durante todo el proceso de adopción.

Hay dos tipos de adopción: la confidencial y la abierta.

Confidencial: los padres naturales y los padres adoptivos nunca llegan a conocerse. A los padres adoptivos se les dará información acerca de usted y acerca del padre biológico para que les será útil para el cuidado del niño (por ejemplo: información médica).

Abierta: los padres naturales y los padres adoptivos conocen algo los unos de los otros. Hay diferentes niveles de apertura. En la adopción menos abierta, usted será capaz de leer acerca de algunas posibles familias para la adopción y seleccionar la que le parezca mejor para su niño. Usted nunca va a saber el nombre de la familia y ellos no van a saber el suyo. En una adopción más abierta, usted y la posible familia adoptiva van a tener la posibilidad de hablar por teléfono y conocerse por el primer nombre. En una adopción aún más abierta usted podría reunirse con la posible familia adoptiva en una reunión organizada por la agencia de adopción o un abogado. Finalmente en la adopción completamente abierta, usted y los padres adoptivos tendrían la posibilidad de intercambiar sus nombres completos e información para cualquier contacto. Usted se mantiene en contacto con la familia y con su niño, ya sea visitándolos, llamándolos o escribiéndoles.

Es importante que hable con su consejero acerca de cuál es el tipo de adopción que es la mejor para usted.

Para obtener mayor información sobre adopción o sobre otros tipos contacte la National Adoption Information Clearinghouse (NAIC) al teléfono (301) 231-6512. Usted también puede visitar el sitio web del AdoptionNetwork: *www.adoption.org.*

ABORTO: QUIRÚRGICO

Aborto es la terminación de un embarazo después de la implantación. La mayor parte de los abortos (97%) requieren colocar un instrumento del tamaño de un lápiz en la cavidad uterina (el espacio adentro de la matriz) y aplicar succión. Este procedimiento se llama aspiración al vacío. Se da anestesia y usualmente es local (anestesia del área) en vez de anestesia general (cuando lo duermen). Usualmente la cavidad uterina es explorada con un instrumento especial para confirmar que el aborto fue completo. A usted le van a pedir que permanezca en la oficina por un período corto de tiempo antes de irse a su casa.

Más del 99 % de los abortos quirúrgicos son efectivos en embarazos en el útero (intrauterinos). El costo de un aborto quirúrgico depende de qué tan adelantado esté el embarazo. Antes de las 12 semanas, un aborto puede costar entre $130 y $300 en una clínica pública y usualmente es más caro en una clínica privada. Entre las 12 y 26 semanas, es mucho más caro, entre $1800 y $2000 en una clínica pública.

Riesgos del Aborto

Infección	3%
Aborto Incompleto	0.5 a 1%
Sangramiento	.03 al 1%
Coágulos en el útero	< 1%
Aborto fallido	0.1 al 0.5%
Muerte	< de una por 100,000 abortos

El aborto puede ser más seguro que llevar el embarazo a término: si el aborto se hace en el primer trimestre hay menos de una muerte materna por cada 100,000 abortos, comparado con aproximadamente 9 muertes maternas por cada 100,000 partos. No hay un aumento del riesgo de infertilidad, problemas cervicales, parto prematuro, defectos congénitos o cáncer del seno después de un aborto en el primer trimestre.

Aborto: Médico

Cuando se usa el methotrexate para inducir un aborto no quirúrgico (también llamado un aborto médico) a usted le van a administrar una inyección de methotrexate, la cual bloquea la hormona que le ayuda al embrión a crecer. Esto termina con el embarazo. Los abortos médicos se pueden llevar a cabo muy temprano en el embarazo (desde las 7 hasta las 9 semanas) Después de la primera visita usted debe regresar a la clínica en 5 a 7 días para la inserción vaginal ya sea de tabletas o de un supositorio de otra medicina llamada misoprostol. En las siguientes 12 horas del misoprostol va a tener contracciones uterinas las que van a expulsar el embrión. El embarazo usualmente es expulsado en 24 a 36 horas. Le van a pedir que permanezca en la clínica por un período corto de tiempo antes de irse a la casa.

Este procedimiento es seguro y efectivo. El procedimiento es exitoso en aproximadamente 95% de estos abortos. En el restante 5% se requieren procedimientos quirúrgicos adicionales para completar el aborto. Aunque no está formalmente aprobado como una droga para inducir el aborto, el methotrexate es fácil de obtener en los Estados Unidos en donde es legal y ético que un médico use una droga aprobada en otra indicación.

Usted puede sentir retorcijones, dolor, sangramiento, náusea, vómito o diarrea. El sangramiento y el proceso del aborto pueden durar hasta varias semanas en algunas mujeres. En casos raros la mujer puede tener pérdida del cabello o una baja de glóbulos blancos. Es necesario el seguimiento para asegurarse de que el aborto ha sido completo.

Aborto: RU-486

La RU-486 (mifepristone) en una pastilla anti progestínica que causa un aborto médico. Algunas veces llamada "la pastilla francesa para el aborto"; bloquea el efecto de la progesterona sobre el tejido que cubre el útero. Después de usarla aproximadamente 48 horas más tarde se administra otra prostaglandina llamada misoprostol,. Poco tiempo después, el 95% de las mujeres tienen el aborto. En el año 2000 la FDA aprobó el mifepristone para usarlo en combinación con misoprostol como una opción temprana para un aborto no quirúrgico. Va a ser vendida bajo el nombre Mifeprex (mifepristone) aunque todavía no está fácilmente disponible en las clínicas en los Estados Unidos. Usted puede llamar al National Abortion Federation (NAF) a su línea telefónica gratis 1-800-772-9100, en donde le darán una lista de los proveedores de salud que ofrecen Mifeprex o vaya al sitio web de la National Abortion Federation's para buscar opciones tempranas en *www.earlyoptions.org.* Usted puede también contactar a la oficina de Planificación Familiar local para averiguar si ellos ofrcen Mifeprex para la terminación temprana del embarazo. Muchas de las oficinas de Planificación Familiar van a ofrecer Mifeprex desde Enero de 2001. Para averiguar si una clínica de planificación familiar local ofrece el Mifeprex llame al 1-800-230-PLAN o visite el website de la PPFA's en *www.plannedparenthood.org.*

CAPÍTULO 12

Coordinación de los Métodos Anticonceptivos

"Descanse de tomar las pastillas" es precisamente un ejemplo de consejo anticonceptivo que es usualmente innecesario e incorrecto. Existen muchos consejos acerca de la coordinación de los métodos anticonceptivos (cuándo comenzar, cuándo parar), que son muy estrictos y pueden causar confusión en la gente que usa los métodos consistente y correctamente. La tabla en la próxima página presenta algunos de los consejos tradicionales acerca de la coordinación de ciertos métodos, las razones para ello y los problemas que pueden ocurrir si este consejo se aplica. También provee lo que consideramos son mejores consejos para ayudarle a usted y a su profesional de la salud a que no sean tan estrictos en sus pensamientos en relación a la coordinación temporal de la anticoncepción.

RECUERDE: Las pastillas anticonceptivas pueden usarse como anticoncepción de emergencia. Cuando se trata de utilizar las pastillas como anticonceptivos de emergencia, mientras más pronto se utilicen después de haber tenido relaciones sin protección, más efectivo sera el método. Cada 12 horas de retraso en comenzar la pastilla de anticoncepción de emergencia después de una relación sin protección, se disminuye la efectividad de la anticoncepción. Toda mujer que se expone a un embarazo no deseado debería tener las pastillas de emergencia al alcance en caso de que las necesite y debería saber como utilizarlas. (vea el Capítulo 24 para más información sobre anticoncepción de emergencia)

Vea la tabla de coordinación temporal en la siguiente página.

El momento correcto para comenzar o reanudar la anticoncepción es cuando el no hacerlo puede tener consecuencias que pueden afectar negativamente su vida. ¡Si usted está teniendo relaciones sexuales y desea evitar un embarazo no deseado, el momento es AHORA!

Método	Consejo Tradicional	Bases para el Consejo	Problema con el Consejo	El Mejor Consejo
Pastillas anticonceptivas orales	Comience las pastillas el domingo después que haya comenzado su última regla.	Conveniencia: • Todos los pacientes hacen lo mismo. • No viene la regla en los fines de semana. • La regla es una buena señal de que no hay embarazo.	• Las pastillas son más efectivas si se comienza a tomar en el primer día de la regla. • Si no hay embarazo las pastillas se pueden comenzar en cualquier momento durante el ciclo.	Comience el primer día de la próxima regla o comiéncelo hoy (si no está embarazada). Siempre es mejor comenzar cualquier anticonceptivo el día en que usted ve a su profesional de la salud ya que entonces tiene protección desde ese momento.
	Después de algunos años de usar las pastillas, descanse un tiempo.	Hace algunos años los profesionales de la salud pensaban que no sabían lo suficiente acerca del efecto y del uso a largo plazo de las pastillas anticonceptivas.	• Embarazo debido a no tomarlas. • Pueden haber menstruaciones irregulares o no venir la regla. • Se pierden los beneficios no anticonceptivos.	No hay límite para tomar las pastillas. Dígale a su profesional de la salud si usted experimenta algún cambio o problema.
	Espere 3 meses después de dejar de tomar las pastillas para quedar embarazada.	Aumenta la certeza de la fecha del embarazo	• El ultrasonido puede ser usado para determinar la fecha del embarazo. • Un período menstrual es suficiente.	Comience o intentar quedar embarazada después de la primera menstruación normal.
Depo-Provera	Si está dando pecho espere hasta 6 semanas después del parto para que iniciar la Depo-Provera.	Posibles preocupaciones: • Efecto en el niño. • Efecto en la calidad o cantidad de la leche	• El retraso puede causar confusión. • El no ponerse la primera inyección puede llevar a un embarazo.	Es posible ponerse la Depo-Provera antes de salir del hospital; planee dar pecho si ya le bajó la leche.
	La Depo-Provera debe iniciarse durante la regla	La menstruación significa que la mujer no está embarazada.	• Demasiado restrictivo. • El sangramiento vaginal no excluye definitivamente el embarazo.	Usted puede comenzar la Depo-Provera en cualquier momento en su ciclo si su médico está seguro de que no está embarazada. Use un método secundario durante 7 días si no ha tenido su regla.
DIU	El profesional de la salud debe de insertar el DIU durante la menstruación.	La menstruación significa que la mujer no está embarazada.	• Demasiado restrictivo. • El sangramiento vaginal no significa definitivamente que no está embarazada. • Es más probable que el dispositivo sea expulsado si se pone durante la menstruación. • Es más raro que las mujeres o quiénes se le pone el DIU en la mitad de sus ciclos pidan que se lo retiren.	El dispositivo puede ser insertado si su médico está seguro que se no está embarazada. Siempre es mejor comenzar cualquier anticonceptivo el día en que usted ve a su profesional de la salud y que pide ese anticonceptivo.
	Retire el dispositivo Copper T 380-A después de 4, 6, 8 o 10 años.	De acuerdo con la recomendación de la FDA se retira después de 10 años	Desde que fue aprobada la recomendación ha sido el de removerlo a los 4, 6, 8 y por última a los 10 años.	El consejo actual: es efectivo por lo menos durante 10 años y puede que sea efectivo aún por más tiempo.
Preservativo Masculino	Ponga el preservativo en el pene erecto.	• Es más fácil de poner. • La erección ocurre antes de las relaciones	• Las parejas podrían no ponerse el preservativo una vez que el pene está erecto. • Las caricias pueden aumentar el riesgo de infección.	Póngase el preservativo en cualquier momento antes de la inserción del pene en la vagina, el ano o en la boca. Su pareja puede estimular el pene para que tenga una erección aún con el preservativo puesto.

CAPÍTULO 13

Seleccionando entre los Anticonceptivos Disponibles

- Por lo general usted debería poder utilizar el método de su preferencia. Dígale al profesional de la salud que es lo que usted quiere usar.
- La efectividad y la seguridad de cada método son características importantes (vea página 35).
- Es necesario considerar la protección contra las infecciones sexualmente transmitidas y el VIH/SIDA.
- La conveniencia del método y la capacidad para usarlo correctamente son importantes.
- La comunicación con su pareja puede ser importante.
- El efecto del método en usted o en las reglas de su compañera puede ser muy importante.
- El mejor método es usualmente el que usted va a usar consistente y correctamente.
- Otras influencias (religión, privacidad, experiencias pasadas) pueden afectar su selección.

Los datos sobre efectividad y falla se presentan de 2 maneras:

Índice de falla con uso perfecto en el primer año: es el porcentaje a quienes les ocurre un embarazo accidental durante el primer año, en usuarios que comienzan usar un método (no necesariamente por primera vez) y que lo usan perfectamente (tanto consistente como correctamente).

Índice de falla en el primer año con uso típico: es el porcentaje de embarazos accidentales en el primer año en usuarios típicos que comienzan a utilizar un método (no necesariamente por primera vez). La población de usuarios típicos incluye gente que ha usado el método perfectamente y gente que ha usado el método incorrecta e inconsistentemente (por ejemplo: se les olvida tomar pastillas o no usan los preservativos todo el tiempo).

Una pregunta clave que hay que hacerse a sí misma y a su compañero: ¿qué haríamos si yo tuviera un embarazo no planificado? Su respuesta a esta pregunta—ya sea hacerse un aborto, tener el niño, darlo en adopción—puede ayudarle a seleccionar el método mas apropiado. Por ejemplo, si usted está absolutamente segura de que no desea un aborto si sale embarazada, probablemente deba usar un método que sea lo más cercano a un 100% de efectividad. Es también útil recordar algunos datos, como cuál es la probabilidad de que usted queda embarazada cada vez que tenga relaciones sexuales, el riesgo de infertilidad después de uno o más episodios de enfermedad pélvica inflamatoria (EPI) o el riesgo de infección por gonorrea o por clamidia por cada acto de relaciones y la posibilidad que una de estas infecciones pueda causar una enfermedad pélvica inflamatoria (ver tabla).

Un vistazo a los Riesgos de la Relación sin Protección y las Infecciones.

Riesgo de embarazo no buscado por cada relación sexual	Riesgo de EPI por mujeres infectadas por gonorrea
Del 17%–30%, si la mujer está a medio ciclo Menos del 1%, durante la menstruación	40% si no hay tratamiento No hay riesgo de EPI si se trata rápida y adecuadamente
Riesgo de infección por gonorrea por acto de relaciones	**Riesgo de infertilidad tubaria por episodio de EPI**
50%, si el hombre está infectado, y la mujer no 25%, si la mujer está infectada, y el hombre no	8%, después de la primera EPI 20%, después de la segunda EPI 40%, o más después de la tercera EPI

Cates W., Jr. Reproductive tract infections. In: Hatcher R. A., et al. Contraceptive Technology 17th ed. New York: Ardent Media, 1998:181

Pastillas anticonceptivas de emergencia: si se comienza el tratamiento dentro de las primeras 72 horas después de una relación sin protección, se reduce el riesgo de embarazo por lo menos en un 75%.

Porcentaje de mujeres en los Estados Unidos que tienen un embarazo no buscado en el primer año de uso típico o de uso perfecto, y el porcentaje que continúa el uso al final del primer año*:

Método	% de mujeres que experimentan un embarazo no buscado en el primer año de uso		% de mujeres o parejas que todavía están usando el mismo método después de un año de haberlo comenzado[3]
	Uso Típico[1]	Uso perfecto[2]	
Sin anticoncepción	85	85	0
Espermicidas	26	6	40
Abstinencia Periódica	25	0	63
Calendario	0	9	0
Método de Ovulación	0	3	0
Simptotérmico	0	2	0
Post-Ovulación	0	1	0
Prentif Cap con espermicida			
Mujeres que han tenido un niño	40	26	42
Mujeres que no han tenido niños	20	9	56
Esponja			
Mujeres que han tenido un parto	40	20	42
Mujeres que no han tenido parto	20	9	56
Diafragma con Espermicida	20	6	56
Retiros (coitos interruptus)	19	4	0
Condón sin espermicida			
Femenino (Reality)	21	5	56
Masculino (Latex)	14	3	61
Pastillas			
Sólo progestina	5	0.5	0
Combinación	5	0.1	0
DIU			
Progesterona T	2.0	1.5	81
T de cobre 380 A	0.8	0.6	78
Levonorgestrel	0.1	0.1	81
Inyección de Depo-Povera	0.3	0.3	42
Norplant y Norplant-2	0.05	0.05	88
Esterilización femenina	0.5	0.5	100
Esterilización masculina	0.15	0.15	100

[1] Entre las parejas típicas que comienzan utilizando un método (no necesariamente por primera vez) el porcentaje que experimenta un embarazo accidental durante el primer año, si no dejan de usarlo por otra razón.

[2] Entre parejas que comienzan utilizando un método (no necesariamente por primera vez), y que lo usan perfectamente (tanto consistente como correctamente) el porcentaje que experimentan un embarazo accidental, si no dejan de usarlo por cualquier otra razón.

NOTA: Para otras notas sobre esta tabla vea Contraceptive Technology, A Pocket Guide to Managing Contraception, o la información que acompaña los paquetes de la mayor parte de las pastillas anticonceptivas.

*Trussell J, Kowal D. The essentials of contraception. In: Hatcher RA, el al. Contraceptive Technology 18th ed. New York: Ardent Media, 2002:216–7. Adaptaciones de la tabla CT.

Los métodos anticonceptivos más usados, sus peligros, efectos secundarios y beneficios no anticonceptivos

Método	Peligros	Efectos Secundarios	Beneficios No Anticonceptivos*
Pastillas	Complicaciones cardiovasculares (derrames, ataques cardíacos coágulos sanguíneos, presión alta), depresión, tumores hepáticos, posible riesgo aumentado de cáncer del seno y cervical	Náusea, dolor de cabeza, Mareos, manchas, aumento de peso, sensibilidad mamaria, Cloasma (manchas del embarazo)	Disminuye el dolor menstrual, SPM, y el sangramiento. Protege contra EPI sintomática, algunos cánceres (ovario, endometrio), algunos tumores benignos (fibromas, tumores de los senos), embarazo ectópico y quistes de ovario; reduce el acné.
DIU	EPI después de la inserción, perforación uterina, anemia	Calambres menstruales, sangramiento aumentado, manchas	La T de cobre y el LNg previenen los embarazos ectópicos, los DIU que liberan progestina disminuyen la regla y el dolor asociado con la menstruación
Preservativo Masculino	Reacción anafiláctica al látex (reacción alérgica severa)	Sensación disminuida, irritación, genital debido a alergia al látex, pérdida de espontaneidad, ruidos	Ayudan a proteger contra las ITS, incluyendo el VIH; pueden retardar la eyaculación precoz
Preservativo Femenino	Ninguno conocido	Incómodo para algunas usuarias	Ayuda a proteger contra ITS
Implante	Infección en el sitio del implante, extracción complicada, depresión	Sensibilidad en el sitio del implante, cambios menstruales, pérdida de pelo, aumento de peso, dolores de cabeza	No altera la lactancia; reduce los calambres menstruales, el dolor y el sangramiento menstrual
Inyectable (Progestina sola)	Depresión, reacciones alérgicas, aumento excesiva de peso, posible pérdida ósea	Cambios menstruales, aumento de peso, Dolores de cabeza, efectos adversos sobre los niveles de colesterol	No altera la lactancia, reduce el riesgo de convulsiones, puede tener efectos protectores contra la EPI y el cáncer de endometrio y ovario
Esterilización	Infección, complicaciones anestésicas, sangramiento interno si ocurre un embarazo después de la esterilización, riesgo elevado de que sea embarazo ectópico	Dolor en la operación, reacciones sicológicas, arrepentimiento por habérsela hecho	La esterilización tubaria puede disminuir el riesgo de cáncer de ovario y puede proteger contra EPI
Abstinencia	Ninguno conocido	La negociación con la pareja puede ser difícil	Previene las infecciones, incluyendo el VIH
Barreras: Diafragma, Capuchón,	Infecciones vaginales y del tracto urinario, síndrome de shock tóxico	Presión pélvica, irritación vaginal, flujo vaginal si se deja insertado por mucho tiempo, alergias	Da una modesta protección contra algunas ITS
Esponja, Espermicidas	Infecciones vaginales y del tracto urinario	Irritación vaginal, alergia	Da una modesta protección contra algunas ITS
MELA	Riesgo de transmisión del VIH al niño si la madre es VIH positiva	Un 5% de las mujeres que lactan desarrollan Mastitis (infección de los pechos)	Da excelente nutrición a los infantes y está recomendada por la Acamedia Americana de Pediatras. Ayuda a que el útero vuelva a su tamaño normal

*Trussell J, Kowal D. *The essentials of contraception*. In Hatcher RA, et al. *Contraceptive Technology*. 18th ed. New York; Ardent Media, 2002:235. Ligeras adaptaciones del original.

10 Sugerencias para Permanecer Comprometido con la Abstinencia

1. Hable abiertamente con su pareja acerca de su decisión de abstenerse desde el principio de su relación.

2. Decida de que actividades se va a abstener usted y por qué.

3. Identifique actividades alternas que le permitan expresar intimidad.

4. Sepa que usted puede permanecer abstinente y aún ser erótico y sensual.

5. Identifique obstáculos posibles para la abstinencia y estrategias para superarlos.

6. Trabaje junto con su pareja para establecer límites sexuales y como comunicarlos durante la actividad sexual.

7. Mantenga abierta la conversación con su pareja acerca de su compromiso hacia la abstinencia durante toda su relación.

8. Obtenga información y tenga métodos de anticoncepción y de protección de infecciones a la mano para el momento cuando usted decida ya no abstenerse.

9. Recuerde que las pastillas anticonceptivas de emergencia están disponibles si usted no puede o decide no abstenerse.

10. Siéntase orgulloso de su compromiso – ya sea que se base en sus propios valores o en el deseo de prevenir un embarazo no buscado o una infección.

CAPÍTULO 14

Abstinencia

¿Decir que no . . . a qué?

Hay muchas respuestas a la pregunta "¿qué es la abstinencia?" En La Planificación Familiar, abstinencia es el no ejecutar la actividad que causa los embarazos, o sea la introducción del pene en la vagina. Pero si se habla de protegerse uno de infecciones, abstinencia significa el no intercambiar líquidos corporales como el semen, líquido vaginal, la sangre o la leche materna, con otra persona. Esto incluye la abstención de las relaciones vaginales, anales y orales, y de cualquier otra actividad que lo pueda poner en contacto con los líquidos corporales.

Hay dos tipos de abstinencia:

Abstinencia primaria: nunca haber tenido una experiencia sexual con otra persona.
Abstinencia secundaria: ha habido actividad sexual previa pero ahora se abstiene por completo.

¿Qué tan efectiva es la abstinencia?

El índice de falla durante el primer año con uso perfecto: **0%**
El índice de falla durante el primer año con uso típico: no se ha estudiado

¿Cómo funciona la abstinencia?

- Previene que un espermatozoide se una con un óvulo; esto se logra con la no introducción del pene o del semen en la vagina.

¿Cuánto cuesta la abstinencia?

¡Nada, es gratis!

¿Cuáles son las ventajas de la abstinencia?

- Puede aumentar su autoestima y su auto imagen positiva si esta práctica es lo mejor para usted en cierto momento en su vida.
- Puede aumentar la creatividad en las maneras de expresar la intimidad.
- Protege contra las infecciones (es la mejor protección si no hay relaciones vaginales, anales u orales).
- No tiene efectos secundarios médicos.
- Muchas religiones aprueban la abstinencia en diferentes ocasiones durante la vida de los seres humanos.
- Puede iniciarse en cualquier momento.
- No hay nada que comprar.

¿Cuáles son las desventajas de la abstinencia?

- Puede haber dudas o puede hacerle sentir como que se está perdiendo de algo.
- Si únicamente se abstiene de las relaciones que requieren la introducción del pene en la vagina, esto no protege contra las infecciones que se trasmiten a través de otro tipo de actividades como son las relaciones orales y anales, lo que incluye el Herpes, las verrugas genitales, la gonorrea y el VIH/SIDA.
- Requiere un compromiso personal y autocontrol.
- Las parejas pueden no estar bien preparadas para protegerse de un embarazo o del SIDA cuando dejan de utilizar la abstinencia.
- Las parejas que cambian de forma de pensar pueden tener poca información acerca de anticoncepción.
- Un miembro de la pareja puede presionar al otro para tener relaciones sexuales.

¿Cuáles son los riesgos de la abstinencia?

- No se conocen riesgos médicos.
- Usted puede estar en una situación en la que le gustaría abstenerse pero su pareja no está de acuerdo. Esto podría causar un conflicto en la relación y puede ser sicológicamente difícil para el individuo o para la pareja.

¿Quiénes pueden usar la abstinencia?

- Los individuos o las parejas que sienten que ellos pueden tomar control de una situación sexual.

¿Y en relación a los adolescentes?

La abstinencia es un método excelente para los adolescentes. Ellos necesitan tener ciertas habilidades e información para saber como manejar la presión de sus amigos. También necesitan conocimientos anticonceptivos y probablemente tener algún método anticonceptivo disponible en caso de que no seleccionen la abstinencia o ésta no sea posible.

¿Cómo comenzar a usar la abstinencia?

- Las personas necesitan comprometerse a utilizar la abstinencia y analizarlo desde antes con sus compañeros sexuales, ¡No piense que es simplemente abstenerse!; es bastante más que "simplemente decir no."
- Es posible que usted vuelva a la abstinencia después de haber tenido relaciones sexuales o después de tener un niño.

¿Qué guías debo de seguir?

- Establezca las reglas del juego por adelantado para usted y para su compañero.
- Prepárese por adelantado para el momento cuando vaya a surgir la necesidad de dejar la abstinencia.
- Tanto las drogas como el alcohol pueden hacerlo cambiar y alejarlos de la abstinencia. Estar endrogado o ebrio hace que cualquiera de los compañeros sexuales decidan más fácilmente no usar la abstinencia.

- Hay que tener a mano preservativos o pastillas anticonceptivas de emergencia en caso de necesidad.

Qué pasa si:

Mi compañero no quiere usar la abstinencia?
Usted tiene que hablar abiertamente con él o con ella. Hablar con un profesional de la salud puede ser de ayuda. Pero es también muy importante tener un método anticonceptivo de apoyo.

¿Qué pasa si quiero quedar embarazada después de usar la abstinencia?

- La abstinencia protege su fertilidad futura, ya que puede reducir grandemente el riesgo de tener una infección que pueda causar infertilidad.

CAPÍTULO 15

Dar Pecho / Método Lactancia Amenorrea (MELA)

¿Cómo puede dar pecho ser un método anticonceptivo?

El dar pecho-amamantar—puede ser un método temporal de anticoncepción cuando la dieta del niño es del 90% al 100% de leche materna, cuando aún no ha vuelto la menstruación (las manchas que ocurren en los primeros 56 días después del parto no se consideran reglas), y el recién nacido es de menos de 6 meses de edad. Las mujeres que no dan pecho todo el tiempo, aquellas a quiénes ya les vino la regla y aquellas que tienen niños mayores de 6 meses necesitan un método adicional para protegerse contra un embarazo.

¿Qué tan efectivo es dar pecho como anticonceptivo?

Índice de falla con uso perfecto en los primeros 6 meses: **0.5%**
Índice de falla con uso típico en los primeros 6 meses: **2.0%**

Si la madre que está dando pecho o su médico están preocupados de que ella pueda tener riesgo de embarazo, se puede usar en cualquier momento la anticoncepción de emergencia (ADE).

¿Cómo el dar pecho funciona cómo anticonceptivo?

Al succionar el niño el pezón de la madre hay una producción aumentada de la hormona prolactina en la sangre materna, lo cual para la ovulación.

¿Cuánto vale dar pecho?

Nada, ¡es gratis!

¿Cúales son las ventajas de dar pecho cómo anticoncepción?

El útero retorna a su tamaño normal más rápidamente y suprime la regla. El dar pecho generalmente no interfiere con las relaciones sexuales y puede ser agradable para algunas mujeres. Existe una ligera protección en la madre contra el cáncer de ovario y el cáncer premenstrual del seno.

- Se puede empezar inmediatamente después del parto.
- Provee del alimento más saludable para el niño.
- Ayuda a proteger al niño contra el asma y las diarreas, ya que la inmunidad materna se pasa a través de la leche materna.

- Puede ayudar a que el niño y la madre se acerquen emocionalmente.
- Puede ayudar a que la madre pierda peso después del parto.

¿Cúales son las desventajas de dar pecho como anticonceptivo?

- El retorno de la fertilidad es impredecible (ver figura).
- Les puede dar pena a algunas mujeres cuando dan pecho por primera vez.
- La efectividad después de los 6 meses se reduce grandemente. No se recomienda después de los 6 meses y se debe utilizar otro método.
- El dar pecho frecuentemente puede ser inconveniente.
- Si la madre es VIH positiva, hay un 14%–29% de posibilidad que el virus pueda llegar al niño. No es recomendado para madres VIH positivas que tienen acceso a otro tipo de alimentos sanos y saludables para sus niños.
- Un pequeño porcentaje de mujeres puede tener una producción de leche inadecuada.
- Existe el riesgo de lastimadura a los pezones y de los pechos, especialmente con un posicionamiento inadecuado de los niños; existe el riesgo de mastitis (una infección del pecho).
- No hay protección contra las infecciones del VIH / SIDA: usted debe usar preservativos.

¿Cúales son los riesgos de dar pecho?

- 5% de mujeres que dan pecho les da mastitis (una infección del pecho)
- Sensibilidad del pezón.

¿Es dar pecho el método anticonceptivo correcto para mí?

Si usted contesta que no a todas las preguntas el dar pecho es una forma efectiva de anticoncepción para usted.

1. *¿Es su niño de 6 meses de edad o mayor?*
   - ❏ **NO**   Usted no debe usar el dar pecho como el único método anticonceptivo.
   - ❏ **SÍ**   Usted necesita seleccionar otro método que le sirva de método de apoyo.

2. *¿Ya le volvieron sus reglas normales? (el sangramiento en las primeras 8 semanas después del parto no se considera regla normal)*
   - ❏ **NO**   Después de las 8 semanas del post parto, si usted ha tenido 2 días seguidos de sangramiento menstrual o su período menstrual le ha vuelto, el dar pecho como método anticonceptivo va a ser menos efectivo.
   - ❏ **SÍ**   Necesita seleccionar otro método.

3. *¿Ha comenzado usted a dar pecho menos frecuentemente? ¿Le da regularmente a su niño otro tipo de alimento o de líquidos?*
   - ❏ **NO**   Si el patrón alimentación del niño ha cambiado recientemente, usted tiene que darle sólo pecho por completo o casi por completo sólo

pecho para protegerse de un embarazo. El dar pecho frecuentemente, día y noche, y casi toda la alimentación de su niño (90 % o más) debe de ser del pecho. Si usted no está utilizando casi por completo o por completo el pecho como alimentación para su niño, no va a ser efectivo como método de anticoncepción.

❑ **SÍ** Usted necesita seleccionar otro método.

4. ¿Le ha dicho su profesional de la salud que no debe darle pecho a su niño?

❑ **NO** Si usted no está casi completamente o únicamente dando pecho, no puede usar dar pecho como método anticonceptivo.

❑ **SÍ** Usted necesita seleccionar otro método. Usted no debe dar pecho si está tomando medicamentos que alteran su caracter; es mejor que consulte a su médico quién le dirá si esta bien o no que tome las medicinas, o si su niño tiene un desorden infantil metabólico específico, si usted posiblemente es VIH positivo o puede tener hepatitis viral. Todas las demás personas deben considerar el dar pecho, por los beneficios de salud que ofrece. Pregúntele a su profesional de la salud si usted no está segura.

5. ¿Tiene usted VIH/SIDA? ¿Está usted infectada con el VIH, el virus que causa el SIDA?

❑ **NO**

❑ **SÍ** En los Estados Unidos, en donde hay alternativas seguras a dar pecho, es posible que le digan que no lo haga si usted es VIH positiva, ya que la leche materna puede transmitir el virus del SIDA a su niño. En países donde las enfermedades infecciosas causan la muerte de muchos niños, puede ser aconsejable, para madres infectadas con el virus, del SIDA que den pecho, ya que la leche materna ayuda a mejorar el sistema inmunológico del niño. (Algunas infecciones como la hepatitis viral también se pueden transmitir al dar pecho).

¿Quiénes pueden usar el dar pecho como método anticonceptivo?

- Una mujer que está dando pecho todo el tiempo (al menos el 90 % de la nutrición del niño proviene de la leche materna)
- Una mujer cuyo niño tiene menos de 6 meses de edad.
- Una mujer a quién no le ha vuelto su regla.

¿Qué hay de las adolescentes?

Este método puede ser usado por adolescentes que han decidido dar pecho y no dar a sus niños otro tipo de alimentos durante los primeros 6 meses.

¿Qué guías debo de seguir?

- Hay que dar pecho de manera consistente sin darle a su niño otro tipo de alimentos para obtener la máxima efectividad.
- La leche materna debe ser por lo menos el 90 % del alimento que recibe el niño.

¿Cómo comienzo el método?

- Comience a dar pecho inmediatamente después del parto y asegúrese que todo el alimento o por lo menos el 90 % del alimento que recibe su niño sea de la leche de sus pechos.
- *Si comienza después de 6 semanas de haber tenido el niño es una buena idea usar otro método de anticoncepción como método de apoyo.*

Qué pasa si:

¿No tengo suficiente leche?
- Inmediatamente después del parto debe usted dar pecho cada 1 o 2 horas.
- De pecho frecuentemente (de 8 a 12 veces por día), descanse un poco y tome abundantes líquidos.
- Es posible que no tenga suficiente leche si usted no da pecho con la frecuencia necesaria o si usa un pezón artificial o si está fatigada o estresada.

¿Yo tengo pezones dolorosos o sensibles?
- Esto es comúnmente causado por poner al niño en una posición incorrecta al darle pecho.
- Asegúrese de que está utilizando métodos correctos para acercar al niño y para la succión.
- Todo esto se mejora con la practica.
- Usted puede aplicarse un poco de la leche de su pecho a los pezones, lo cual podría ayudarle.

¿Tengo pechos muy sensibles?
- Aplique calor a las areas sensibles.
- Dé pecho frecuentemente o use un extractor para extraer el exceso de leche del pecho que está sensible.
- Trate de descansar más.
- Si usted tiene fiebre, vea a su profesional de la salud.

Otros:
- Estrés, miedo, falta de confianza, falta de apoyo social o comunitario, una nutrición extremadamente pobre, pueden causar problemas, lo mismo que la falta de adecuada ingestión de líquidos.(Pregúntele a su profesional de la salud si usted no está segura o si tiene algún problema).

¿Qué pasa si yo quiero quedar embarazada después de usar el pecho cómo método anticonceptivo?

- El dar pecho no tiene efecto sobre la fertilidad futura; la fertilidad vuelve a lo normal después de dar el pecho.

¿Puedo usar el dar pecho como método anticonceptivo?

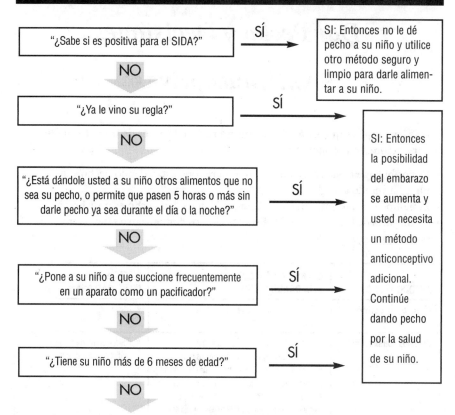

"¿Sabe si es positiva para el SIDA?" **SÍ** → SI: Entonces no le dé pecho a su niño y utilice otro método seguro y limpio para darle alimentar a su niño.

NO

"¿Ya le vino su regla?" **SÍ** →

NO

"¿Está dándole usted a su niño otros alimentos que no sea su pecho, o permite que pasen 5 horas o más sin darle pecho ya sea durante el día o la noche?" **SÍ** →

NO

"¿Pone a su niño a que succione frecuentemente en un aparato como un pacificador?" **SÍ** →

NO

"¿Tiene su niño más de 6 meses de edad?" **SÍ** →

NO

SI: Entonces la posibilidad del embarazo se aumenta y usted necesita un método anticonceptivo adicional. Continúe dando pecho por la salud de su niño.

Entonces el dar pecho va a ser un método efectivo de anticoncepción (sólo hay de un 1% a 2% de probabilidades de embarazo) hasta que su niño tenga 6 meses de edad.

*Las manchas que ocurren en los primeros 56 días después del parto no se consideran menstruación.

Fuente: Adaptado de manera importante de Labbok M et al, 1994. Institute of Reproductive Health, Georgetown University, Washington, DC. El dar pecho definitivamente puede transmitir el virus del VIH de la madre al niño. Si existe una alternativa a dar pecho que sea segura y limpia, no debe darse pecho. La pregunta acerca del VIH no está incluida en el flujograma del Labbok/Institute of Reproductive Health. Ni tampoco está la pregunta acerca del uso extenso de un pacificador.

NOTA: En los Estados Unidos la costumbre es dar pecho durante tres meses. Las mujeres que están dando pecho no saben cuando les va a venir la regla, cuando van a comenzar a darle alimentos sólidos a su niño, o cuando exactamente van a dejar de dar pecho. Tampoco saben si va a ocurrir la primera ovulación antes o después de la primera regla. Es importante tener un método de anticoncepción que esté dispuesta a usar cuando la respuesta a una de las preguntas arriba se vuelva "SÍ" y hay que tener un método anticonceptivo de apoyo aún cuando esté dando pecho efectivamente.

CAPÍTULO 16

Dar Pecho y Decisiones Anticonceptivas

Todas las mujeres que están dando pecho recién después de un parto deben tener opciones anticonceptivas porque:

- Es posible que haya ovulación en las mujeres que están dando pecho y que aún no le ha venido la regla.
- El tiempo que las mujeres en los Estados Unidos dan pecho es muy breve.
- La mayoría de las parejas en los Estados Unidos comienzan a tener relaciones poco después del parto.

MÉTODO	CUANDO COMENZAR SI ESTÁ DANDO PECHO	EFECTO SOBRE LA LECHE MATERNA
Métodos de barrera	• Inmediatamente si se desea una máxima protección*	• Ninguno
Pastillas combinadas	• Tan pronto como la madre empieza a quitar el pecho. Pero hay desacuerdo entre los expertos • Cuando empiece a darle otro tipo de alimento a su niño. Pero hay desacuerdo entre los expertos • Cuando la mujer está casi exclusivamente o sólo dando pecho. Pero hay mucho desacuerdo entre los expertos.	• Pueden ocurrir cambios en la cantidad y calidad de la leche
Métodos de Progestina sola • Depo Provera • Pastillas de progestina sola • Norplant	• La Planned Parenthood Federation of America considera apropiado iniciar los métodos de progestina sola inmediatamente post-parto • La World Health Organization e International Parenthood recomiendan esperar seis semanas después del parto para comenzar los métodos de progestina sola, si está dando pecho.	• Las progestinas pueden aumentar el flujo de leche
DIU	• Se puede insertar el DIU immediatamente después del parto, o hasta 48 después del parto • Evite la inserción entre las 48 hrs. a las 4 semanas después del parto • Se puede insertar cuidadosamente el DIU después de 4 semanas posterior del parto y aún más tarde.	• Ninguno
Esterilización Tubaria	• En cualquier momento después del parto; es más fácil de 1–2 días después del parto(esta operacion está cubierta aunque no tenga seguro de salud)	• Ninguno

*Excepto por el diafragma y el capuchón cervical, que deben ser ajustados hasta que el cervix retorna a la normalidad. Los condones y espermicidas pueden ser usados tan pronto como el tener relaciones es posible. La esponja puede ser usada después que el sangramiento uterino ha parado.

CAPÍTULO 17

Métodos de La Planificación Familiar Natural y el Método para Identificar el Período Fértil

¿Qué es el método de la planificación familiar natural o método del ritmo?

La planificación familiar natural utiliza los signos físicos, los síntomas y las fechas del ciclo menstrual para determinar cuando ocurre la ovulación. Durante el período del mes cuando es más probable que la mujer quede embarazada, la pareja se abstiene de tener relaciones sexuales o usa métodos de barrera como preservativos o diafragmas. Este método de la planificación familiar requiere un gran compromiso y una atención cuidadosa para observar los cambios del ciclo de la mujer. Es más efectivo cuando hay un excelente apoyo y educación. Las técnicas que se utilizan para determinar los días de riesgo elevado para quedar embarazada incluyen:

1. *Método del calendario.*
   - Antes de comenzar anote las fechas de su menstruación durante 6 meses.
   - Recuerde que el espermatozoide sobrevive hasta 3 días y la ovulación ocurre 14 días antes del primer día de sangramiento.
   - El día inicial del período fértil es igual al número de días del ciclo menstrual más corto, menos 18.
   - El último día del período fértil es igual al número de días del ciclo más largo, menos 11.

2. *Método de detección de la ovulación por el moco cervical.*
   - La mujer revisa la cantidad y el tipo del moco en la vulva o en la vagina con sus dedos o con klenex todos los días durante varios meses para conocer su ciclo.
     —Estos son algunos de los tipos de moco que se pueden observar:
     —Moco fértil post-menstrual: escaso o ausente.
     —Moco fértil pre-ovulatorio: espeso, amarillo o blanco y opaco, pegajoso.
     —Moco de ovulación: grueso, liso, claro.
     —Moco fértil post-ovulación: grueso, opaco, pegajoso.
     —Moco post-fértil, post-ovulación: escaso o ausente.
   - Cuando se usa este método durante el período pre-ovulatorio, usted debe

esperar 24 horas antes de las relaciones sexuales para asegurarse que la prueba del moco es adecuada.

- Utilice la abstinencia o un método de barrera durante el período de 4 días fértiles.
- Tenga relaciones sexuales sin restricción sólo durante los períodos infértiles post-ovulatorios.
- Si usted se hace duchas vaginales, tiene una infección vaginal o usa espermicidas vaginales, todo esto hace difícil interpretar el moco cervical.

3. *Método de la temperatura basal.*
- Use un termómetro digital para averiguar la temperatura de la mujer; presuma que la temperatura va a aumentar de manera evidente (0.4–0.8 F) con la ovulación; el período fértil se define como el día de la primera disminución o elevación después de 3 días consecutivos que la temperatura ha aumentado.
- La temperatura puede no ser correcta si la mujer está enferma o si tiene fiebre.

Cambios de la temperatura corporal basal durante el ciclo menstrual.

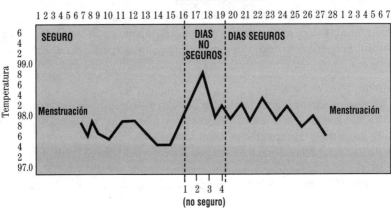

4. *Método post-ovulación.*
- Permite tener relaciones sin protección sólo después de que los signos de ovulación han desaparecido. Este es el método de la planificación familiar natural más efectivo.

5. *Método sintotérmico.*
- Combina por lo menos dos métodos—usualmente los cambios del moco cervical con la temperatura basal.
- Puede también incluir el observar el "mittelschmerz," (un dolor agudo en la parte inferior del abdomen que algunas mujeres sienten al momento de la ovulación), cambios en el deseo sexual y cambios en la textura cervical, en la posición y la dilatación del cuello del útero:

—En los períodos preovulatorio y ovulatorio el cuello de la matriz es más suave, más húmedo y ligeramente abierto.

—En el período postovulatorio el cuello de la matriz se inclina hacia abajo, se vuelve más firme y se cierra.

¿Qué tan efectiva es la planificación familiar natural?

Método	Índice de falla en el primer año (en 100 mujeres-año de uso)	
	Uso Típico	Uso Perfecto
Calendario	25%	9%
Método de ovulación	25	3
Sintotérmico	25	2
Post-Ovulación	21	1

Trussell Contraceptive Technology, 2002

¿Cómo funciona la planificación familiar natural?

Tanto la abstinencia como los métodos de barrera durante el período fértil no dejan que los espermatozoides entren en la vagina.

¿Cuánto vale el método de la planificación familiar?

Tanto el entrenamiento como el termómetro digital y los métodos de barrera cuestan algún dinero (la cantidad depende dónde se compren y dónde se obtenga el entrenamiento).

¿Cuales son las ventajas de la planificación familiar natural?

• Le ayuda a la mujer a aprender más acerca de su fisiología menstrual.
• No tiene efectos secundarios o complicaciones por hormonas.
• Las mujeres y los hombres pueden trabajar juntos al utilizar este método.
• Puede parecer el único método aceptable para ciertas parejas por razones culturales o religiosas.
• Cuando se practica al revés, le ayuda a las parejas a conseguir un embarazo.

¿Cuales son las desventajas de la planificación familiar natural?

• Funciona mejor en mujeres que tienen ciclos menstruales regulares y predecibles.
• Es más difícil de usar cerca de la menopausia o en mujeres que han tenido un niño recientemente, ya que los ciclos menstruales se vuelven irregulares o ausentes.
• Requiere por lo menos 6 meses de anotar los ciclos menstruales para saber como usar el método de la planificación familiar natural. Durante todo este tiempo usted no debe tener relaciones sexuales o usar un método de barrera.

- Si usted está usando el método de la temperatura basal y no hay ovulación, debe de no tener relaciones por completo.
- Requiere disciplina, buena comunicación y un compromiso completo de parte de la pareja.
- Requiere ya sea la abstinencia o un método de barrera en el momento de la ovulación, que es usualmente el tiempo en que aumenta más el deseo sexual.
- No protege contra las infecciones transmitidas sexualmente.
- No se puede usar durante períodos de estrés o de enfermedad ya que los ciclos pueden ser irregulares.
- El riesgo de embarazo es elevado si se utiliza incorrectamente.
- Tiene un índice de falla relativamente alto.

¿Cuáles son los riesgos de la planificación familiar natural?

Ninguno.

¿Quiénes pueden utilizar la planificación familiar natural?

- Usuarios altamente motivados que se comprometan a períodos de abstinencia o a utilizar métodos de barrera durante los períodos de alto riesgo.
- Aquellos que tienen prohibiciones de tipo religioso o cultural para el uso de otros métodos.

¿Es la planificación famliar natural el método anticonceptivo adecuado para mí?

Hágase las preguntas que encontrará más adelante. Si usted responde NO a todas la preguntas, puede utilizar el método de identificación de fertilidad que usted desee. Si usted contesta SI a cualquier pregunta, siga las instrucciones. No hay condiciones que restrinjan el uso de estos métodos, pero algunas situaciones pueden hacer que sea más difícil usarlos efectivamente.

1. *¿Tiene usted alguna condición médica que haría que un embarazo fuese especialmente peligroso?*
   ❑ NO
   ❑ SÍ   Si SÍ, usted debería utilizar un método más efectivo. Si no lo desea utilice los métodos basados en la evaluación de la fertilidad muy cuidadosamente para evitar los embarazos.

2. *¿Tiene ciclos menstruales irregulares? ¿Tiene sangramiento vaginal entre las menstruaciones? ¿Tiene un sangramiento menstrual prolongado o intenso? Para mujeres jóvenes: ¿Se han iniciado recientemente sus reglas? Para mujeres mayores: ¿Se han vuelto sus menstruaciones irregulares o han cesado?*
   ❑ NO
   ❑ SÍ   La predicción de su tiempo fértil únicamente utilizando el método del calendario puede ser difícil o imposible. Usted podría utilizar el método de la temperatura basal sólo o combinado con el del moco cervical o podría seleccionar otro método.

3. *¿Acaba de tener un niño o un aborto? ¿Está dando pecho? ¿Tiene usted otra condición que afecte los ovarios o el sangramiento menstrual, como un derrame, enfermedad hepática seria, enfermedad del tiroides o cáncer cervical?*

❑ **NO**

❑ **SÍ** Estas condiciones no restringen el uso de los métodos basado en la detección de la fertilidad pero pueden afectar los signos de la fertilidad, volviendo estos método más difíciles para ser usados. Por esta razón usted debería utilizar un método diferente. Si no, usted va a necesitar más entrenamiento para asegurarse que sabe como utilizar el método efectivamente.

4. *¿Tiene alguna infección o enfermedad que pueda cambiar el moco cervical o la temperatura basal o el sangramiento menstrual, como enfermedades de transmisión sexual o enfermedad pélvica inflamatoria en los últimos tres meses, o infecciones vaginales?*

❑ **NO**

❑ **SÍ** Estas condiciones pueden afectar los signos de la fertilidad, volviendo los métodos basados en la evaluación del período fértil más difíciles de usar. Una vez que la infección ha sido eliminada y que se ha evitado la reinfección, usted puede utilizar más fácilmente los métodos basados en la evaluación de la fertilidad.

5. *¿Está tomando alguna droga que puede afectar su ciclo menstrual o el moco cervical, como drogas que alteran las emociones, el litio, los antidepresivos tricíclicos o tratamientos contra la ansiedad?*

❑ **NO**

❑ **SÍ** Predecir su período fértil correctamente puede ser difícil o imposible si utiliza sólo el método del moco cervical o el método del calendario. Usted debería utilizar otro método.

6. *¿Ha dejado recientemente de utilizar Depo-Provera? ¿Se han vuelto sus menstruaciones regulares de nuevo?*

❑ **NO**

❑ **SÍ** Si sus ciclos no son aún regulares, debe utilizar otro método hasta que se vuelvan regulares.

¿Como comienzo la planificación familiar natural?

- Requiere varios meses de recolección de información y análisis.
- Es necesario que los individuos interesados en estos métodos obtengan consejería y educación formal. Las fuentes para estos métodos se mencionan más adelante:

California Family Health Council
3600 Wilshire Boulevard, Suite 20
Los Angeles CA, 90010
Tel: 626-931-1400
www.cfhc.org

The Couple to Couple League Foundation
P.O. Box 11184
Cincinnati, Ohio 45211
Tel.513-471-2000

¿Que guías debo de seguir?

- Requiere disciplina, comunicación, capacidad de escuchar y un compromiso completo de la pareja.
- Requiere abstenerse de tener relaciones o usar métodos de barrera en los días fértiles.
- La efectividad del método de la planificación familiar natural se reduce grandemente por el uso de drogas o alcohol.

¿Qué pasa si:

He tenido relaciones durante un tiempo "no seguro" en mi ciclo?
Usted debe utilizar pastillas anticonceptivas de emergencia si está preocupada que pueda quedar embarazada.

Y si quiero quedar embarazada después de usar el método de la planificación familiar natural?
Estos métodos no tienen efecto sobre la futura fertilidad. Algunas parejas que quieren obtener un embarazo, utilizan los métodos de evaluación de la fertilidad para aumentar las posibilidades de embarazo.

CAPÍTULO 18

Preservativos para Hombres

¿Qué son los preservativos masculinos?

Los preservativos o condones, son cubiertas hechas de latex, poliuretano (plástico), o membranas naturales (de los intestinos de las ovejas). Los preservativos de poliuretano (plástico) pueden utilizarse por parejas en las que uno de ellos es alérgico al látex. Utilizados correctamente, los preservativos son efectivos en la prevención tanto de los embarazos como de las infecciones transmitidas sexualmente.

¿Qué tan efectivos son los preservativos masculinos de latex?

Índice de falla durante el primer año con uso perfecto: **3%**
Índice de falla durante el primer año con uso típico: **14%**
Tasa de continuación en un año: **61%**

- La mayor parte de los estudios reportan tasas de ruptura de menos del 2 %. Se ha reportado que en los usuarios expertos ocurre menos de una ruptura por cada 100 relaciones.
- Ha sido demostrado en varios estudios de preservativos, que durante su uso es más posible que se zafen o se deslicen a que se rompan.
- Númerosos estudios han demostrado que los preservativos son altamente efectivos para proteger contra el VIH/SIDA u otras infecciones. Parece haber poca duda de que los preservativos realmente funcionan si se usan correctamente. No son perfectos pero funcionan.

¿Como funcionan los preservativos?

Los preservativos funcionan como una barrera mecánica; previenen el embarazo al impedir que los espermatozoides entren a la vagina. En investigaciones, el efecto de los espermicidas que se agregan a los preservativos aún no ha sido determinado.

¿Cuánto valen los preservativos?

El valor varía desde nada (gratis) en algunas clínicas para enfermedades sexualmente transmitidas y en programas del VIH/SIDA, hasta varios dólares por preservativos especiales. El precio promedio de venta al por menor de un preservativo es de $ 0.50 dólares, y el preservativo de poliuretano Avanti es $2.00. También hay un nuevo condón o preservativo de poliuretano que se llama Trojan Supra. Una caja de preservativos naturales vale aproximadamente $20.00.

¿Cuáles son las ventajas de los preservativos?

- Son seguros, sin efectos secundarios hormonales.
- Las relaciones sexuales pueden ser más placenteras, ya que hay menos temor de infecciones transmitidas sexualmente VIH (SIDA) y embarazo.
- Hay mayor participación del hombre.
- La eyaculación en el hombre se retrasa cuando usan preservativos, lo cual puede volver más placenteras las relaciones sexuales.
- Vienen en diferentes tamaños, sabores, colores, formas y empaques; la variedad puede ser interesante.
- Si la mujer le pone el preservativo al hombre puede ser divertido o agradable para ambos.
- Ya que se disminuye el riesgo de infección, también se disminuye el riesgo de infertilidad.
- Puede reducir el riesgo de cáncer del cuello del útero ya que hay menos riesgo de infección por el virus del papiloma humano.
- Vuelve las relaciones sexuales más limpias, ya que la eyaculación queda adentro del preservativo.
- No se necesita consulta médica para obtenerlos.
- Es al menos tan efectivo para la prevención tanto del embarazo como de las infecciones.
- Es bastante fácil de usarlos; usualmente no son muy caros.
- Es una buena opción como método de apoyo durante la lactancia.

¿Cuáles son las desventajas de los preservativos?

- No ofrecen ninguna de las ventajas de los anticonceptivos hormonales.
- Aprender como usarlos requiere algo de practica.
- Ambas personas deben sentirse cómodos con poner el condón en el pene.
- En algunas personas el comprarlos, discutir su uso, ponérselos y quitárselos, puede causar vergüenza. A menos que sean puestos por un miembro de la pareja como parte del antejuego sexual, podría interrumpir las relaciones.
- Es posible que disminuyan la sensación en las relaciones sexuales para alguno de los miembros de la pareja.
- Algunos hombres no pueden mantener la erección cuando se ponen el preservativo.
- Algunas personas son alérgicas al latex; ellos deben usar preservativos hechos de poliuretano (Avanti o Trojan Supra).
- Los lubricantes a base de aceites y los productos vaginales de base aceitosa pueden provocar agujeros en los preservativos (vea la lista).
- Debe tenerse cuidado al ponerse el preservativo para que no se rompa.
- El preservativo se puede romper o se puede deslizar.
- Puede que no estén disponibles en el momento que se necesitan.
- Abrir el paquete del condón en el momento de la excitación puede ser difícil.

¿Cuáles son los riesgos de los preservativos masculinos?

- Reacciones alérgicas al latex (son raras pero pueden ser serias ya sea para el hombre o para la mujer).

NO USE ESTOS LUBRICANTES Y PRODUCTOS VAGINALES CON LOS PRESERVATIVOS O PRESERVATIVOS DE LATEX
(La mayor parte en esta lista tienen base de aceite)*

Aceite para niño
Cold creams
Aceites comestibles (de oliva, cacahuate, maíz, girasol)
Lociones para la cabeza y el cuerpo
Aceites para masajes
Aceite mineral
Jalea de petróleo (vaselina)
Alcohol de frotar
Manteca
Lociones y aceites para broncearse
Crema batida

Aceite vegetal o aceite para cocinar
Medicinas para infecciones vaginales por hongos en cremas o supositorios:
- Clindamicina 2% en crema vaginal
- Crema de Butoconazol
- Crema de Clotrimazol
- Tableta vaginal de Clotrimazol
- Supositorios vaginales de Miconazol
- Ungüento de Terconazol
- Crema o supositorio vaginal de Terconazol

Estos productos lubricantes vaginales pueden ser usados con preservativos de poliuretano.

USE ESTOS LUBRICANTES CON PRESERVATIVOS DE LATEX!
(Lubricantes que no tienen base de aceite)*

Agua y saliva
Glicerina
Espermicida
Aloe-9
Seda líquida
Jalea lubricante H-R
Jalea lubricante K-Y
Prepair
Probe
Clara de huevo (sin cocinar)

AquaLube
Astroglide
ForPlay
Gynol II
Wet
Espermicida Personal Ramses
Lubricante Personal Touch
Loción Cornhuskers
Lubricante de silicón
DeLube

- Pueden causar una infección si se deja el preservativo en la vagina por un tiempo muy largo (perdido u olvidado).

¿Son los preservativos masculinos el método correcto para mí?

1. *¿Es usted o su pareja alérgico al latex?*
   ❏ NO
   ❏ SÍ   Si la respuesta es SI, no use los preservativos de latex. Usted puede usar los preservativos masculinos de poliuretano marca Avanti o Trojan Supra, los preservativos femeninos de poliuretano Reality, o preservativos de piel natural con o sin otros preservativos.

2. *¿Al usar preservativos, es usted o su pareja incapaz de mantener la erección?*
   ❏ NO
   ❏ SÍ   Si la respuesta es SI, es mejor que usted considere otro método, ya que esto reduce grandemente la efectividad e interfiere con la actividad sexual.

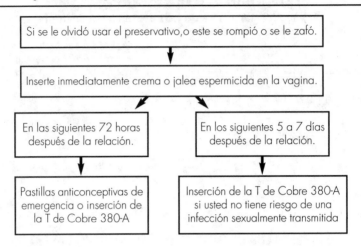

ROTURA DEL PRESERVATIVO O DESLIZAMIENTO
¡La anticoncepción de emergencia le puede ayudar!

Si se le olvidó usar el preservativo, o este se rompió o se le zafó.

↓

Inserte inmediatamente crema o jalea espermicida en la vagina.

En las siguientes 72 horas después de la relación.

En los siguientes 5 a 7 días después de la relación.

Pastillas anticonceptivas de emergencia o inserción de la T de Cobre 380-A

Inserción de la T de Cobre 380-A si usted no tiene riesgo de una infección sexualmente transmitida

¿Quiénes pueden usar los preservativos?

- Los individuos que desean protección contra el embarazo y las infecciones.
- Los individuos que están dispuestos a utilizar un sólo método cuando la posibilidad de infección es una preocupación.
- Individuos que desean retrasar el orgasmo.
- Individuos que tienen relaciones en las primeras semanas después del parto cuando la posibilidad de infección pélvica es de preocupación.
- Mujeres embarazadas que tienen riesgo de infección de cualquier tipo.
- Mujeres y hombres con verrugas genitales o Herpes (con y sin signos de infección).
- Individuos con un record excelente de uso de preservativos en cualquier momento.

¿Y con los adolescentes?

Es una excelente opción para adolescentes que han sido entrenados y que están motivados. Para los adolescentes es mejor usar los preservativos junto con otro método anticonceptivo (como las pastillas, Depo-Provera, o Norplant).

¿Como comienzo a usar los preservativos?

Los usuarios necesitan comprometerse con sí mismos por adelantado a usar los preservativos todas las veces. Usted los puede llevar en su cartera o en su bolso pero por no más de un mes. También debe mantenerlos alejados del calor (incluyendo del calor de su cuerpo) y de la luz solar. Pregúnte por adelantado a su profesional de salud como conseguir anticonceptivos de emergencia en caso que los necesite.

COMO USAR UN PRESERVATIVO DE LATEX
(. . . O condón, profiláctico)

Hable o piense acerca del uso del preservativo con su pareja. Hágase el compromiso firme y por adelantado de usar preservativos sin excepción en cualquier y en cada acto sexual (vaginal, oral o anal).

Mantenga los preservativos a mano . . . Guárdelos en un lugar fresco, seco y lejos de la luz solar y revise la fecha de vencimiento antes de usarlos.

Use un preservativo nuevo con cada contacto sexual.

USE LOS PRESERVATIVOS CORRECTAMENTE

Antes de ponerse el preservativo revise en que dirección se desenrolla el preservativo. Saque el aire que está en la punta del preservativo. (Si no tiene circuncisión, tire del prepucio hacia atrás antes de ponerse el preservativo).

Coloque el preservativo completamente hasta la base del pene (hasta donde está el vello púbico).

NOTA: Un condón puede ser colocado en un pene que no está completamente erecto. Saque todas las burbujas de aire. Asegúrese que el preservativo le quede bien (los preservativos vienen en varios tamaños).

ÚSELOS CON EL PRESERVATIVO

Agua y saliva
Glicerina
Espermicida
Aloe - 9
Jalea lubricante H-R
Jalea K-Y
Prepair
Probe
AquaLube
Astroglide
ForPlay
Gynol II
Wet
Espermicida personal Ramses
Lubricante personal Touch
Loción Cornhuskers
Lubricante de Silicón deLube

Si lo desea agregue un lubricante a base de agua a la parte de afuera del preservativo.

Los preservativos deben ser utilizados durante toda la relación sexual. Después revise si ha habido rotura o deslizamiento.

Después de las relaciones: Apriete firmemente el borde del preservativo contra el pene y retire cuidadosamente el pene antes que desaparezca la erección.

Tranquilícese. Revise si ha habido rotura; bote el preservativo (si el preservativo se rompe, se desliza, se cae o si no se utiliza, use anticoncepción de emergencia. Si no lo tiene al alcance, llame al 888-NOT-2-LATE y pida anticoncepción de emergencia). Lave las áreas que han sido expuestas a los fluidos corporales (pene, vagina, etc.) con agua y jabón.

NO LOS USE CON PRESERVATIVOS DE LATEX*

Aceite para niños.
Crema hidratante.
Aceites comestibles (oliva, cacahuetes, maíz, girasol).
Lociones para la cabeza y el cuerpo.
Aceite para masajes.
Aceite mineral.
Vaselina
Alcohol de frotar.
Manteca.
Lociones y aceites bronceadores.
Crema batida.
Aceites vegetales y para cocinar.
Medicamentos en crema o supositorio para infecciones vaginales por hongos.
- Clindamicina 2%crema vaginal.
- Crema Butoconazol
- Crema de Clotrimazol
- Tableta vaginal de Clotrimazol.
- Supositorio vaginal de Miconazol
- Ungüento de Terconazol
- Crema o supositorio vaginal de Terconazol.

*Estos productos vaginales y lubricantes pueden ser utilizados con preservativos de poliuretano.

RECUERDE: el uso correcto y consistente de los preservativos másculinos se reduce grandemente cuando se utilizan drogas o alcohol. El estar ebrio o drogado hace que cometa más errores o que no use el preservativo para nada.

Pregúntese a sí mismo:

A continuación hay preguntas importantes que le ayudaran a evaluar el uso de preservativos en su caso. Si usted contesta Si a cualquier pregunta, hable con su profesional de salud para encontrar la mejor solución.

- ¿He tenido yo o mi pareja alguna erupción o molestia?
- ¿He tenido relaciones, aúnque sea una vez, sin usar preservativo?
- ¿Durante las relaciones, he notado que el preservativo se rompió o se deslizó?
- ¿Quiero tener disponibles anticonceptivos de emergencia?

Que pasa si:

¿Tengo una reacción alérgica?
- Trate de utilizar el preservativo masculino Avanti que es de poliuretano; o use el preservativo femenino Reality que también es de poliuretano; o use tanto un preservativo de membrana natural como uno de latex. Si el hombre es alérgico al latex, el preservativo de membrana natural se pone primero y después el preservativo de latex. Si la pareja del varón es alérgica al latex, el preservativo de latex se pone primero y después el preservativo de membrana natural.

¿El preservativo se rompe o se desliza?
- Si ocurre con frecuencia que el preservativo que se usa se rompe o desliza, considere utilizar una marca diferente, usar el preservativo de una forma diferente o utilizar otro tipo de anticoncepción. Si ocurre un error y el preservativo se rompe, se zafa o se cae, o si no es usado, vea la figura y vaya al Capítulo 25 sobre anticoncepción de emergencia.

¿Y si quiero quedar embarazada después de usar los preservativos?

- Hay una excelente protección ya que los preservativos ayudan a prevenir las infecciones que causan infertilidad.

Preservativos 101

Usted probablemente ha escuchado mucho acerca de responsabilidad, madurez y disciplina cuando se habla de usar preservativos. Bueno, hay algo más que usted necesita saber . . . ¡los preservativos pueden ser divertidos también!

Los preservativos vienen en diferentes colores, formas, tamaños y sabores—azules, verdes, amarillos, que brillan en la oscuridad, medianos, extra sensitivos, súper extra largos, acostillados, lubricados, sin lubricación, de menta, naranja, banana, piña colada y uva. ¡Las posibilidades no tienen fin!

Usted puede tratar de usar un tipo diferente de preservativo cada vez que usted tenga relaciones. O podría usar un preservativo de sabores durante el sexo oral. Si a usted le preocupa que el ponerse el preservativo podría "arruinar el momento" trate de ponérselo como parte del antejuego sexual. Puede ser que sorprenda de manera agradable. . . .

Finalmente, recuerde que la experiencia de utilizar preservativos, como todos los métodos anticonceptivos, puede ser compartida entre hombres y mujeres. Se requieren 2 en la pareja que estén comprometidos a tener relaciones que sean seguras y agradables.

CAPÍTULO 19

Preservativos para Mujeres

¿Qué es el preservativo femenino?

Es un aparato de plástico de poliuretano que se coloca
en la vagina. Viene en un sólo tamaño: 15cm de
longitud y 7cm de ancho. Es flexible y se puede
remover, tiene un anillo interno en el extremo cerrado
y se inserta en la vagina tan adentro como sea posible;
el anillo interno puede ser removido o se puede dejar
en su lugar en la vagina; el anillo grande externo permanece fuera de la vagina. La
duración promedio del producto es de 3 a 5 años.

¿Qué tan efectivos son los preservativos femeninos?

Índice de falla durante el primer año con uso perfecto: **5%**
Índice de falla durante el primer año con uso típico: **21%**

Trussell J, Contraceptive Technology, 2002

¿Como funciona el preservativo femenino?

• El preservativo femenino funciona como una barrera que impide que los
espermatozoides entren en la vagina.

¿Cuánto valen los preservativos femeninos?

	Sistemas prepagados	Sistemas Públicos
Preservativos femeninos	$3.66	$1.25

En las tiendas usualmente valen de $2–$3 por preservativo.

¿Cuales son las ventajas de los preservativos femeninos?

• No es un método hormonal.
• Las relaciones sexuales pueden ser más agradables ya que se ha disminuido el
temor de infecciones de transmisión sexual o de embarazo.
• El riesgo de transmisión de la infección por tricomonas se reduce, lo mismo que
el riesgo de otras infecciones.
• Le da control a la mujer; le provee de una opción a una mujer que no puede
hacer que el hombre use un preservativo.
• Si la mujer se lo inserta ella misma, puede estar segura de que está bastante
protegida (no hay oportunidad de ser engañada).

- Se puede insertar hasta 8 horas antes de las relaciones; permite la espontaneidad.
- Hace las relaciones más limpias ya que retiene el semen.
- Puede utilizarse cuando el hombre no puede mantener la erección si utiliza un preservativo.
- Se puede usar en el ano para las relaciones anales, si se le quita el anillo interno.
- Es posible que disminuya la trasmisión del virus del papiloma humano y así puede reducir el riesgo de cáncer cervical.
- En teoría puede dar mayor protección contra las infecciones de transmisión sexual (especialmente el herpes y el virus de papiloma humano) ya que cubre un area mas grande de los genitales externos.
- Da una protección inmediata en el momento que se necesita.
- La ruptura es rara.
- Se compra sin receta médica por lo que no se requiere visitar al médico.
- No hay reacciones alérgicas al latex.
- Todos los lubricanes son seguros (a diferencia del preservativo masculino).
- El poliuretano aparentemente no se daña con el calor.
- Es una buena opción durante la lactancia.
- Puede prevenir tanto el embarazo como las infecciones
- Si se utiliza consistente y correctamente puede reducir el riesgo de infecciones de transmisión sexual incluyendo el VIH/ SIDA.
- Puede ser lavado y utilizado más de una vez.

¿Cuáles son las desventajas de los preservativos femeninos?

- No ofrece ninguno de los beneficios potenciales de los anticonceptivos hormonales.
- A algunas mujeres no les gusta la idea de introducir los dedos o un objeto extraño en la vagina.
- A menos que sea puesto por adelantado, puede interrumpir las relaciones sexuales.
- Es difícil para algunas personas usarlo adecuadamente:
- Como es grande, colocarlo en la vagina puede ser dificultoso para algunas mujeres.
- El pene debe ser dirigido hacia adentro del preservativo. El hombre puede, sin intención, colocar el pene fuera del preservativo femenino.
- El hombre debe prestarle atención a la posible fricción entre el preservativo y el pene (y parar si se desarrolla esta fricción)
- Es discutible si un miembro de la pareja debe de sujetar el anillo externo del preservativo durante las relaciones para que se pueda considerar uso perfecto.
- Disminuye el gozo del sexo ya que disminuye la sensación para ambos compañeros sexuales.
- Si se inserta previamente puede causar ruido al caminar, o durante las relaciones sexuales.
- El anillo interno puede causar incomodidad; si la causa, retírelo.
- Claramente es menos efectivo que los preservativos masculinos de látex, tanto para prevenir el embarazo como las infecciones de transmisión sexual.

- Puede necesitar lavarse las manos antes de su uso; las manos deben estar limpias para poner el preservativo en la vagina.
- Comprarlo, ponérselo y retirarlo puede causar verguenza.
- Es caro: hasta 3 dólares o más por cada preservativo.

¿Cuáles son los riesgos de los preservativos femeninos?

- Si se dejan mucho tiempo en la vagina pueden causar infecciones; pueden aumentar las infecciones del tracto urinario.
- El balance de las bacterias vaginales normales puede cambiar.
- El uso de drogas o alcohol puede ser una barrera importante para el uso correcto y consistente del condón femenino.

¿Quién puede usar los preservativos femeninos?

- Las personas que están de acuerdo en aceptar índices de falla relativamente altos.
- Parejas que necesitan un método de protección que sea controlado por la mujer.
- Los individuos que únicamente desean usar un método si existe el peligro de infección.
- Aquellos que pueden usar preservativos de manera consistente y correcta.
- Las personas que tienen relaciones en las primeras semanas después del parto, cuando la posibilidad de infección pélvica es de preocupación (sólo si la inserción no causa dolor)
- Las mujeres embarazadas con riesgo de cualquier tipo de infección.

¿Como comienzo a utilizar el preservativo femenino?

- Las parejas necesitan haber tomado un acuerdo previo para usar el preservativo cada vez que se tengan relaciones sexuales.
- La mujer debe practicar como ponerse el preservativo por adelantado.
- Pídale también por adelantado a su profesional de salud anticonceptivos de emergencia.
- Puede ser que también necesite apoyo posterior para continuar el uso de este método.

¿Qué guías debo de seguir?

- No abra el paquete del preservativo con tijeras; puede cortar el preservativo. Abra el paquete del preservativo cuidadosamente.
- Cuando esté poniéndose el preservativo en la vagina, trate de evitar que se rompa o de hacerle un agujero con las uñas, los anillos, dientes o cualquier cosa que tenga filo.
- Siga las instrucciones que vienen con el preservativo, las que describen como insertarlo adecuadamente.
- Retire el preservativo inmediatamente después de tener relaciones y antes de levantarse.
- Sólo sirve para un sólo uso; debe usarse un nuevo preservativo cada vez que se

tienen relaciones (hay estudios que están investigando si se puede volver a usar el preservativo femenino).

- Cuando no se usa el preservativo femenino o éste se rompe o si el pene se coloca por fuera del preservativo vaginal, hay que usar anticoncepción de emergencia. Llame al "1-888-NOT 2 LATE" para que le den los teléfonos de los 5 proveedores de salud más cercanos que le podrían dar anticoncepción de emergencia.
- Si la pareja desea protección adicional contra la mayor parte de las infecciones de transmisión sexual y contra el embarazo, debe ser utilizado un preservativo masculino Avanti o un espermicida vaginal como la espuma anticonceptiva.
- No use los preservativos de látex masculino y femenino al mismo tiempo; el lubricante del preservativo femenino Reality, que es a base aceitosa, puede causar ruptura del preservativo masculino, y también la fricción entre los dos puede causar que el preservativo se rompa.

Pregúntese a sí misma:

A continuación hay algunas preguntas importantes que le van a ayudar a evaluar si usted puede usar el preservativo femenino. Si usted contesta SI a cualquiera de estas preguntas, hable con su profesional de la salud para encontrar cual es la mejor solución para usted.

- ❏ ¿Puedo insertarme correctamente el preservativo femenino?
- ❏ ¿He sentido alguna incomodidad con este método?
- ❏ ¿Lo estoy utilizando cada vez que tengo relaciones sexuales?
- ❏ ¿Quiero o necesito anticoncepción de emergencia?

¿Qué pasa si:

Tengo dificultad para insertarlo?
Las parejas pueden aprender como usar este preservativo; requiere practica; hay que seguir las instrucciones.

Si el pene es insertado por fuera del anillo?
¡Sepa dónde está introducido el pene todo el tiempo! Encuentre una posición para la relación sexual que no permita que el pene entre en la vagina por fuera del borde del preservativo Reality.

¿Y si quiero quedar embarazada después de usar los preservativos femeninos?

Los preservativos femeninos pueden dar una protección excelente de la fertilidad futura, ya que pueden ayudar a prevenir las infecciones que causan esterilidad. Para el retorno de la fertilidad no se necesita un periodo de espera como con otros métodos.

CAPÍTULO 20

Capuchón Cervical

¿Qué es el capuchón cervical?

El tapón cervical Prentif Cavity Rim es como un dedal de látex con una ranura en la superficie interna, la cual crea succión para mantenerlo en posición en contra del cuello del útero. Viene en cuatro tamaños, con diámetros internos de 22,25,28,31 cm. Se necesita adaptárselo a la mujer. Se le agrega un poco de espermicida antes de que el capuchón se ponga sobre el cuello del útero.

¿Qué tan efectivo es el capuchón cervical?

(estos índices incluyen el uso de espermicidas—cremas o jaleas)

	Mujeres con hijos	Sin hijos
Índice de falla durante el primer año de uso perfecto	26%	9%
Índice de falla durante el primer año de uso típico	40%	20%

Trussell J, Contraceptive Technology, 2002

¿Como funciona el capuchón cervical?

Actúa como barrera mecánica que evita la migración de espermatozoides hacia el cuello del útero y los mata cuando se usa con espermicida.

¿Cuánto vale?

	Instituciones privadas	Instituciones Públicas
Capuchón Cervical	**$31.00**/3 años	**$19.00**/3 años
Visitas de oficina (1ra aplicación)	**$38.00**	**$15.59**
Jalea espermicida (36 aplicaciones)	**$12.00**	**$ 8.75**

¿Cuáles son las ventajas del capuchón cervical?

- No tiene efectos secundarios hormonales.
- Retiene el flujo menstrual durante las relaciones (el fabricante advierte no usarlo durante la regla por el peligro del shock tóxico).
- Es controlado por la mujer.
- Se puede insertar hasta 6 horas antes de la relación sexual.
- Puede dejarse puesto durante múltiples actos sexuales hasta por 48 horas.
- Puede permitir relaciones sexuales más espontáneas.
- Puede reducir el riesgo de infecciones cervicales.

¿Cuáles son las desventajas?

- No ofrece ninguno de los beneficios que podrían ofrecer los anticonceptivos hormonales.
- Requiere ponérselo antes del contacto genital, lo cual puede reducir la espontaneidad.
- A algunas mujeres no les gusta introducir los dedos u objetos extraños en la vagina.
- Si se deja el capuchón puesto por mucho tiempo, si no se limpia de manera apropiada o si se usa mientras hay una vaginosis bacteriana, se puede producir un mal olor.
- El fabricante requiere que se haga una citología 3 meses después del inicio del método, debido a que hay un aumento de los cambios cervicales en los primeros tres meses. No hay aumento del riesgo después de un año.
- El uso del espermicida puede desalentar el sexo oral.
- No ofrece protección contra algunas infecciones de transmisión sexual y VIH/SIDA. Necesita usar preservativos si cree que está en riesgo.
- Índice de falla relativamente alto.
- Requiere que se aplique profesionalmente y que haya entrenamiento formal (aúnque corto).
- No se les puede aplicar a un 20% de mujeres.
- Si aumenta o pierde 10 o más libras hay que revisar el tamaño que le queda bien.
- La obesidad severa puede hacer difícil el colocarlo correctamente.

¿Cuáles son los riesgos del capuchón cervical?

- Las infecciones urinarias pueden aumentar ya que la flora vaginal cambia.
- Es posible que ocurra erosión cervical causando sangramiento vaginal y/o incomodidades del cuello del útero. Algunas mujeres necesitan cambiar el tamaño de su capuchón durante su ciclo, ya que el cuello de su útero cambia de tamaño con el ciclo menstrual. Pueden necesitar dos capuchones de diferente tamaño.
- No ha habido casos reportados de SST, pero teóricamente la probabilidad aumenta especialmente si el capuchón permanece adentro por más de 48 hrs o si se usa durante la menstruación.

¿Quiénes pueden usar el capuchón cervical?

- Mujeres que están dispuestas a colocarse el aparato antes del coito y removerlo después.
- Mujeres con el cuello del útero liso al cual se le puede aplicar con éxito.
- Las mujeres con pobre tono muscular en el periné son mejores candidatas para el capuchón que para el diafragma.
- Mujeres que aceptan un índice relativamente más alto de embarazos no buscados.
- Mujeres y su pareja que no tienen alergias al latex o espermicidas.

Adolescentes:

Es una opción apropiada, pero puede ser que la medición y la inserción del capuchón sean difíciles. El mayor índice de falla puede ser de preocupación para los adolescentes.

¿Cómo comienzo el método?

- El capuchón cervical debe ser profesionalmente aplicado por un profesional de salud.
- Se necesita un exámen pélvico para evaluar el contorno y tamaño del cuello del útero, para evaluar la posibilidad de infección y para tomar una citología.
- Su profesional de salud le aplicará el capuchón más pequeño y asegurándose de que haya separación, le aplicara el que le quede mejor.
- La cúpula del capuchón deberá cubrir el cuello del útero completamente y los bordes deberán quedar ajustados comodamente en los fornices vaginales (donde la vagina se une al cuello del útero); pase sus dedos alrededor del cuello para asegurarse que esté bien cubierto.
- El capuchón no se debe mover del cuello del útero durante su uso.
- Si encuentra un espacio, vea si el capuchón se puede desplazar con presión directa; si esto ocurre probablemente el capuchón es muy grande y hay que usar uno más pequeño.
- Después que el capuchón esté en su lugar durante un minuto, revise la succión comprimiendo la punta de la cúpula entre dos dedos y tirando suavemente hacia fuera.
- La cúpula debería ovalarse, pero no despegarse.
- No debería ser posible desplazar el capuchón con la tracción suave con uno o dos dedos y desde varios ángulos.
- Después de una aplicación exitosa, el capuchón puede ser removido posteriormente separando el borde del cuello del útero, utilizando uno o dos dedos para romper la succión, y saque el capuchón de la vagina.
- Es una buena idea que usted se coloque el capuchón y se lo retire enfrente de su profesional de salud, para asegurarse que se sienta comoda haciéndolo.
- Es posible que usted pueda obtener anticoncepción de emergencia por adelantado. Pregúntele a su profesional de salud.

CAPÍTULO 21

El Diafragma

¿Qué es el diafragma?

Es una pequeña cúpula de caucho (goma) que se llena con espermicida y que cubre el cuello del útero. Existen cuatro tipos de diafragmas disponibles y debe ser medido y enseñada su aplicación por un profesional de la salud.

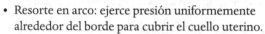
Resorte en arco diafragma

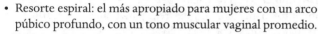
Resorte espiral diafragma

Resorte de sello ancho diafragma

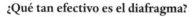
Resorte plano diafragma

- Resorte en arco: ejerce presión uniformemente alrededor del borde para cubrir el cuello uterino.
- Resorte espiral: el más apropiado para mujeres con un arco púbico profundo, con un tono muscular vaginal promedio.
- Resorte plano: el más apropiado para mujeres con un tono muscular fuerte o con un arco púbico poco profundo.
- Resorte de sello ancho: se extiende del aro hacia afuera para retener el espermicida.

¿Qué tan efectivo es el diafragma?

Índice de falla durante el primer año de uso perfecto: **6%**
Índice de fallo durante el primer año de uso típico: **20%**

¿Cómo funciona?

Evita el paso de los espermatozoides hacia el cervix y el espermicida mata los espermatozoides.

¿Cuánto vale?

	Instituciones privadas	Instituciones públicas
Diafragma	**$18.00**/3 años	**$15.00**/3 años
Visita de oficina (1ra visita)	**$38.00**	**$15.59**
Jalea espermicida (12 aplicaciones)	**$12.00**	**$ 8.75**

¿Cuáles son las ventajas?

- No tiene efectos hormonales secundarios.
- Está controlado por la mujer.
- Puede ser insertado hasta 6 horas antes de la relación sexual.
- Puede permitir ser más espontáneo durante las relaciones.

- Reduce el riesgo de infecciones cervicales, incluyendo gonorrea, clamidia, virus del papiloma humano y enfermedad pélvica inflamatoria (EPI).
- Son usados solamente durante las relaciones sexuales.
- Pueden ser usados durante la lactancia después de que la vagina y el cuello del útero hayan vuelto a su tamaño normal sin embarazo.

¿Cuáles son las desventajas?

- No ofrece ninguno de los posibles beneficios de los anticonceptivos hormonales.
- Requiere su colocación antes del contacto genital, lo cual puede reducir la espontaneidad.
- El sabor de los espermicidas puede desalentar el sexo oral.
- A algunas mujeres no les gusta introducirse los dedos o cuerpos extraños en la vagina.
- Requiere una aplicación profesional. La obesidad severa puede hacer difícil la aplicación.
- Puede que no sirva para mujeres con relajación pélvica.
- Requiere de entrenamiento formal (corto) y destreza para ponerlo y sacarlo.
- Se pueden desarrollar malos olores si no es lavado adecuadamente.

¿Cuáles son los riesgos?

- Las infecciones urinarias pueden aumentar debido al aumento de cierto tipo de bacterias en la vagina.
- Puede aumentar el riesgo de choque (shock) tóxico, especialmente si el diafragma permanence en la vagina por mucho tiempo, o si se usa durante la menstruación.
- Los diafragmas grandes o pobremente aplicados pueden causar irritaciones vaginales.
- Puede volverse engorroso con múltiples relaciones sexuales.

¿Quiénes pueden usar el diafragma?

- Mujeres que pueden predecir cuando van a tener relaciones sexuales.
- Mujeres altamente motivadas que están dispuestas a usarlo cada VEZ que tienen relaciones.
- Mujeres que aceptan un riesgo mayor de embarazo.

Adolescentes:
Opción apropiada, si se les enseña a usarlo consistente y correctamente; requiere de disciplina. El mayor de embarazos índice puede ser de preocupación para muchas adolescentes.

¿Cómo comienzo a usarlo?

- El diafragma debe ser medido profesionalmente.
- Se necesita un exámen pélvico para descartar la posibilidad de problemas cervicales o vaginales.
- Usando los dedos su profesional de la salud medirá su vagina para seleccionar el tamaño correcto de diafragma para usted y le colocara un diafragma de medición.
- Camine con el diafragma puesto en la oficina del profesional de la salud para ver que esté comoda a largo plazo.
- Es una buena idea que su profesional de salud evalúe su habilidad para insertarlo y removerlo.
- Es una buena idea que use un método anticonceptivo de respaldo durante las primeras veces para asegurarse de que lo puede usar correctamente.
- Usted puede obtener anticoncepción de emergencia por adelantado. Pregúntele a su profesional de la salud.

¿Qué guías necesito seguir?

- Llene ⅔ de la parte interna del diafragma con dos cucharadas de espermicida antes de la inserción. Insértelo antes de tener relaciones, pero no más de 6 horas antes.
- Antes de cada acto sexual asegúrese de que el diafragma este bien puesto. Si desea tener más relaciones coloque más espermicida en la vagina con el aplicador, pero no remueva el diafragma.
- Mantenga el diafragma insertado por 6 horas después del último acto sexual.
- No exponga su diafragma a productos con base de aceite tales como vaselina, cremas para hongos, o cremas antibióticas.
- Después de removerlo, lávelo bien con agua y jabón, séquelo y guárdelo en un lugar fresco, oscuro, seco y limpio.
- Revíselo periódicamente para ver si se pone duro, tiene agujeros, grietas o algún otro defecto poniéndolo en contra de una luz o en el agua para ver si salen burbujas.
- Haga que un profesional lo revise cada año. Cámbielo por lo menos cada 2 años. Vuelva a chequear su medida si ha tenido un aumento o pérdida de peso de 20% y después de cada embarazo.
- Combinar el diafragma con preservativos masculinos puede reducir el riesgo de embarazo o de enfermedades de transmisión sexual.
- El uso de alcohol o drogas puede disminuir la efectividad del diafragma. Estar embriagado o drogado ("high") aumenta la posibilidad de cometer un error.
- Si el diafragma se desplaza o no se usa correctamente use anticoncepción de emergencia.

Pregúntese a sí misma:

A continuación encontrará preguntas importantes que le ayudaran a evaluar el uso del diafragma. Si usted contesta "sí" a cualquiera de ellas, hable con su profesional de salud para decidir cuál es la mejor solución para usted.

Reconfirme la aplicación correcta sintiendo el cervix a través del diafragma

❏ ¿Tengo infecciones urinarias constantemente?
❏ ¿He tenido yo o mi pareja una reacción alérgica (ardor o picazón)?
❏ ¿Uso el diafragma todas las veces?
❏ ¿Le aplico espermicida todas las veces antes de la inserción?
❏ ¿Quiero tener anticoncepción de emergencia en caso de un accidente?

¿Qué pasa si?

¿Tengo predisposición a cistitis?
Orine después del acto sexual para reducir el crecimiento de bacterias vaginales en la vejiga.

¿Soy alérgica al látex?
Suspenda su uso y revise las alternativas con su profesional de la salud.

¿Y si quiero quedar embarazada después de usar el diafragma?

No hay efectos adversos para la fertilidad; reduce el riesgo de enfermedad pélvica inflamatoria lo que protege la fertilidad.

CAPÍTULO 22

Espermicidas

¿Qué son los espermicidas?

En los Estados Unidos, el Octoxinol-9 (O-9) y el Nonoxinol-9 (N-9) pueden comprarse sin receta. Además de estos dos, pacientes en todo el mundo usan otros productos químicos. Los espermicidas están disponibles en cremas vaginales, películas anticonceptivas, espumas anticonceptivas, jaleas, supositorios, y tabletas.

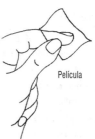
Película

¿Qué tan efectivo son los espermicidas?

Índice de fallo durante el primer año—uso perfecto: **6%**
Índice de fallo durante el primer año—uso típico: **26%**
Trussell J, Contraceptive Technology, 2002

¿Cómo funcionan?

Como una barrera evitando que los espermatozoides entren al canal cervical. Como químicos, los espermicidas atacan el flagelo y el cuerpo de los espermatozoides, reduciendo su movilidad y su nutrición.

¿Cuánto valen?

Varia de estado en estado. En Estados Unidos los promedios nacionales son:
Cremas/jaleas   **$10.08** por 8 oz
Película (VCF) (ver figura)   **$12.26** por 12 oz
Espuma   **$11.23** por 0.6 oz
Supositorios/tabletas   **$12.79** por 18 insertos

¿Cuáles son las ventajas?

- No hay efectos secundarios o complicaciones hormonales.
- La lubricación en el caso de la espuma aumenta la sensación sexual en la pareja.
- Fácil de aplicar (para ciertas mujeres) antes o durante el contacto sexual.
- Cualquiera de los miembros de la pareja puede comprarlo y aplicarlo; requiere de una negociación mínima.
- Las mujeres pueden usarlo sin que su pareja se dé cuenta.
- La posible disminución en la transmisión de VPH puede disminuir la probabilidad de cáncer del cervix.
- Disponibles en farmacias sin receta; no requiere de una visita médica.
- Baratos.

- Requiere educación mínima para la paciente.
- Pueden ser de uso esporádico; pueden dejar de usarse.
- Se pueden usar durante la lactancia.
- Hacen más efectivos el capuchón cervical y el diafragma.
- Los espermicidas sirven como protección inmediata, si el condón se rompiera o se deslizara.

¿Cuáles son las desventajas?

- Si es que ofrecen protección, esta es mínima contra las enfermedades de transmisión sexual o el SIDA/VIH.
- Puede que aumente la posibilidad de infecciones de transmisión sexual o infecciones urinarias por la irritación de la mucosa vaginal y la alteración de la ecología vaginal.
- No ofrecen ninguna de los posibles beneficios de los anticonceptivos hormonales.
- Al menos uno de los miembros de la pareja debe sentirse cómodo insertando dedos en la vagina.
- La inserción no es fácil para ciertas parejas.
- Algunos de estos métodos (espuma) pueden volverse engorrosos durante las relaciones.
- Si ocurre irritación vaginal, oral o anal, esto puede interrumpir las relaciones.
- El sabor puede ser desagradable.
- Las reacciones alérgicas en hombres y mujeres pueden disminuir su uso.

¿Cuáles son los riesgos?

- Puede que aumenten la posibilidad de infecciones de transmisión sexual o infecciones urinarias por la irritación de la mucosa vaginal y la alteración de la ecología vaginal.
- Algunas personas han confundido jaleas/mermeladas(de uva, de frutas, etc.) por "jaleas espermicidas."
- Algunas personas tratan de usar cosméticos o productos para el pelo que contienen octoxinoles y nonoxinoles que no son espermicidas (nonoxinoles 4, 10,12,14) en vez de nonoxinol-9.

¿Quiénes los pueden usar?

- Cualquier mujer que no ha tenido alergia o reacción a los espermicidas y conoce los pros y las contras y los signos de alergia o irritación.
- Cualquier mujer que pueda utilizar un preservativo como método secundario.
- Las mujeres que acepten un mayor riesgo de embarazo.

¿Cómo comienzo a usarlos?

- Se pueden empezar en cualquier momento excepto en los casos que el espermicida cause alergias o irritación tanto a la mujer como su pareja, o si está embarazada.
- Obtenga anticonceptivos de emergencia de antemano.

¿Qué guías debo seguir?

- La persona que inserte el espermicida debe lavarse las manos antes y después de la inserción.
- Los envases que contienen espermicidas deben tener la fecha activa y no tener ningún defecto.
- Los espermicidas son más efectivos si están cerca del agujero cervical.
- Aplique más espermicida con cada acto sexual.
- La exposición al agua, e.g. bañarse / ducharse o lavado vaginal, en las primeras 6 horas después de la inserción o después del coito puede minimizar su efectividad; re-aplique espermicida antes de la siguiente relación.
- Mantenga los espermicidas en un lugar seco y fresco. La espuma y tabletas pueden resistir el calor; la película se derrite a 98.6°F o 37°C (la temperatura del cuerpo).
- Las drogas y el alcohol pueden reducir grandemente la efectividad de los espermicidas. Estar ebrio o drogado ("high") aumenta el riesgo de cometer un error.

Cremas/espumas/jaleas

- Aplíquelas menos de una hora antes de tener relaciones. Puede que goteen hacia afuera de la vagina si se insertan en la vagina una hora antes. Con la espuma, agite el frasco de aerosol vigorosamente. Llene el aplicador plástico con la espuma. Inserte el aplicador profundamente en la vagina y empuje el émbolo del aplicador (como se pone un tampón).

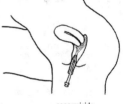
espermicida

Película/supositorios/tabletas

- Insértelos por lo menos 15 minutos antes del acto sexual: con la película, dóblela por la mitad y por la mitad de nuevo (esto ayuda en la inserción). Usando los dedos o un aplicador, la persona insertándola coloca el aplicador o la película profundamente en la vagina lo más cerca del cerviz que se pueda.

¿Pregúntese?

A continuación encontrará una serie de preguntas que le ayudarán a evaluar el uso de espermicidas. Si usted contesta "SI " a cualquiera de las preguntas, consulte con su profesional de salud cuál es la mejor solución para usted.

- ¿He experimentado yo o mi pareja alguna erupción o molestia?
- ¿He cambiado de pareja desde que empecé a usar espermicidas?
- ¿He tenido relaciones sexuales usando el espermicida únicamente?
- ¿Me gustaría usar anticoncepción de emergencia en caso de un accidente?

¿Qué pasa si?

¿Yo tengo dermatitis (picazón o irritación)?
Descontinúe los espermicidas y use un método secundario. Si el método le servía como lubricante, use un lubricante basado en agua o silicona sin nonoxinol-9 u octoxynol-9.

¿Si he cambiado de pareja?
Es una buena idea que usted y su pareja sean examinados para ver si hay infecciones y usar preservativos para evitarlas.

¿Si he usado sólo espermicidas?
Si todavía está a riesgo de infección, use un preservativo para aumentar la protección.

¿Qué pasa si quiero quedar embarazada después de usar los espermicidas?

La fertilidad vuelve inmediatamente.

ESPONJA ANTICONCEPTIVA

Por millones de años, las mujeres han usado esponjas vaginales con diferentes espermicidas. La esponja "Today Contraceptive Sponge" o el método de Elaine, se podrá volver a encontrar en las farmacias en los Estados Unidos. Estas son noticias emocionantes ya que las mujeres a las que les gustaba la esponja son muy leales a ella. Fue retirada del mercado en 1995 porque la compañía de la fabricaba decidió que era demasiado caro modernizar la planta donde se fabricaba. La FDA está revisando la planta.

CAPÍTULO 23

Coitus Interruptus
(Eyaculación Externa / Retirada)

¿Qué es la eyaculación externa/retirada?

El hombre retira el pene completamente de la vagina antes de eyacular.

¿Qué tan efectiva es la eyaculación externa/retirada?

Índice de fallo durante el primer año-uso perfecto: **4%**
Índice de fallo durante el primer año-uso típico: **19%**
Trussell J, Contraceptive Technology, 2002

¿Cómo funciona?

La retirada del pene antes de la eyaculación, reduce o elimina los espermatozoides en la vagina. El flujo pre eyaculatorio generalmente no es un problema, a menos que hayan ocurrido dos actos sexuales seguidos.

¿Cuánto vale?

Nada

¿Cuáles son las ventajas?

- No hay barreras.
- Método muy disponible, el cuál involucra al hombre.
- Puede introducir variedad a la historia sexual de la pareja.
- Sorpresivamente efectivo si es usado correctamente.

¿Cuáles son las desventajas?

- Puede que no sea recomendado para parejas con disfunciones sexuales tales como eyaculación prematura o eyaculación impredecible.
- Requiere de la cooperación del hombre y que este siga las instrucciones correctamente.
- Puede que reduzca el placer sexual de la mujer, y la intensidad del orgasmo del hombre.
- El hombre necesita pensar (y esperar) en lo que está pasando durante el acto sexual.

- Índice de fallo relativamente alto para parejas de uso típico; además no protege contra ITSs.

¿Cuáles son los riesgos?

Ninguno.

¿Quiénes los pueden usar?

- Parejas que pueden comunicarse / hablar durante el acto sexual.
- Hombres disciplinados que pueden ignorar instintos fuertes, los cuales los impulsan a continuar.
- Parejas en relaciones estables y mutuamente monógamas.
- Parejas sin prohibiciones religiosas o culturales contra la retirada.
- Mujeres dispuestas a aceptar riesgos elevados de un embarazo no deseado.

¿Que hay con los adolescentes?

Práctica correcta baja; se recomiende que usen preservativos para protegerse de embarazos y de ITSs.

Criterios de eligibilidad médica

- El hombre debe ser capaz de predecir su eyaculación para poder retirar el pene a tiempo completamente de la vagina y del introito.
- La eyaculación prematura hace este método no sea útil.
- La pareja no debe estar expuesta a ITSs.
- Puede iniciarse en cualquier momento; tenga ACE disponibles.

¿Cómo lo uso?

- Practique este método usando un método de respaldo hasta que ambos hayan aprendido a la perfección.
- Limpie el pene de los líquidos pre-eyaculatorios antes de que penetre a la vagina.
- Use posiciones que reducen la penetración vaginal : 1) penetración parcial con el hombre en la posición superior, 2) la mujer en posición superior, y 3) de lado o en cucharita.
- Use ACE si la retirada falla.

¿Pregúntese?

- ¿Su pareja ha eyaculado o empezado a eyacular antes de retirarse?
- ¿Ha tenido problemas con las ACE? ¿Necesita más?
- ¿Cuándo piensa embarazarse?

¿Qué pasa si?

La retirada fracasada:
Use ACE si no se usa la retirada cada vez que tienen relaciones sexuales.

¿Qué pasa si quiero quedar embarazada después de usar eyaculación externa/ retirada?

No hay efectos adversos en la fertilidad.

¿Qué Hay en Relación al DIU?

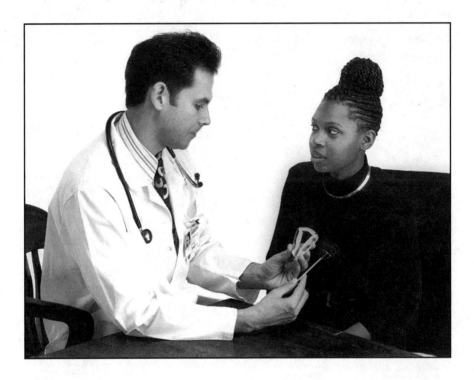

Para una pareja con un niño o dos que desea una anticoncepción excelente y que no están en riesgo de infección, el dispositivo intrauterino (DIU) es un método maravilloso. Mientras que de un 15%–25% de las parejas en Europa usan el DIU, sólo de un 1%–2% de parejas en los Estados Unidos, usan este método efectivo, de largo plazo y reversible.

Hable con su médico si usted está interesada en saber más, o si quisiera averiguar si usted es una candidata para un Dispositivo Intra Uterino.

CAPÍTULO 24

Dispositivos Intrauterinos

LA T DE COBRE 380-A (PARAGARD)

¿Qué es el dispositivo T de Cobre 380-A?

Es un dispositivo en forma de T hecho de polietileno. Cada brazo horizontal del DIU tiene una cubierta de cobre. Un alambre fino de cobre está enrollado alrededor del brazo vertical. Los hilos que se usan son claros o blancuzcos y se amarran después de pasar por un agujero en el brazo vertical, creando los dos hilos que cuelgan de la parte inferior del dispositivo.

¿Qué tan efectiva es la T de Cobre 380-A?

Índice de falla en el primer año de uso perfecto:
0.6% (de cada 1000 mujeres que usan este método durante un año, sólo 6 van a quedar embarazadas en el primer año de uso).

Índice de falla en el primer año de usuario típico: **0.8%**
• Está aprobado por 10 años; es efectivo por lo menos 12 años.
• El embarazo ectópico se reduce; no se aumenta.
• Usuarios que continúan después de un año : 78%

Trussell J, Contraceptive Technology, 2002

¿Cómo funciona la T de Cobre 380-A?

Primero este dispositivo causa que muy pocos espermatozoides alcancen el óvulo. Segundo, si los espermatozoides alcanzan el óvulo, el DIU disminuye la capacidad del espermatozoide de fecundar el huevo. Tercero, previene la implantación aúnque haya ocurrido la fertilización. Este DIU no afecta la ovulación ni tampoco causa aborto (aborto es la interrupción del embarazo después de la implantación).

¿Cuánto vale la T de Cobre 380-A?

	Medicina prepagada	Medicina pública
Dispositivo	$184.00	$109.00
Inserción	207.00	64.42
Extracción	70.00	10.80

NOTA: En 5 clínicas privadas en Atlanta, el precio promedio de inserción fue de $305.00 en Enero de 1999. El rango fue desde $175.00 a $500.00 (incluyendo el pago por el DIU).

¿Cuáles son las ventajas de la T de Cobre 380-A?

- Es el método anticonceptivo de emergencia más efectivo en los Estados Unidos. (Un embarazo de cada 1000 inserciones como anticoncepción de emergencia.)
- Dura tanto y es tan efectivo que este DIU a sido llamado "Esterilización reversible".
- A lo largo del tiempo su costo es muy bajo. Después de 2 años es el método más efectivo en relación al costo.
- Pude ser utilizado por mujeres que no pueden tomar estrógenos (no tiene efectos secundarios hormonales).
- Se puede insertar inmediatamente después del parto y en cualquier momento en el ciclo de la mujer, siempre que esté razonablemente seguro que no está embarazada.
- No hay nada que hacer al momento de tener relaciones o diariamente.
- Las relaciones pueden disfrutarse más ya que disminuye el riesgo de embarazo.
- Se ha encontrado una disminución del riesgo de cáncer uterino en 5 de 6 estudios de DIUs [Grimes, 1998].
- Hay alguna evidencia que los DIUs protegen contra el cáncer cervical.
- Ofrece por lo menos 12 años de protección efectiva (La FDA acepta que es efectivo hasta por 10 años).
- Previenen los embarazos ectópicos: por cada 1000 mujeres-año de uso de la T de Cobre 380-A ocurren 0.2 embarazos ectópicos, lo que se compara con 3.0 a 4.5 embarazos ectópicos por cada mil mujeres al año en aquellas que no usan un método anticonceptivo.
- Puede ser utilizado por mujeres que están dando pecho.
- Sólo tiene que examinarse los hilos, una vez al mes.

¿Cuáles son las desventajas de la T de Cobre 380-A?

- El médico debe insertar un objeto en el útero.
- Puede aumentar las manchas o causar reglas abundantes.
- Aumenta la dismenorrea (dolor y contracciones durante la regla).
- Aproximadamente un 12% de mujeres piden que se los retiren debido a sangramiento o dolor.
- No ofrece ninguno de los posibles beneficios de los anticonceptivos hormonales.
- A algunas mujeres no les gusta la idea que un objeto sea insertado y permanezca en el útero.
- Algunos hombres pueden sentir los hilitos durante las relaciones.
- Algunas mujeres no les gusta insertarse un dedo en la vagina para chequear los hilos.
- La inserción de un dispositivo es caro.
- Un 5.7% de la T de Cobre 380-A es retirado en el primer año (11.3% en 5 años).
- No ofrece protección para las infecciones de transmisión sexual; si usted tiene una infección que incluye el VIH/SIDA o si usted tiene riesgo de infección, usted no es una candidata para usarlo. Si usted está preocupada por las infecciones, use un preservativo cada vez que tenga relaciones.

- Usted puede tener dolor durante la inserción o su extracción; es posible que haya incomodidad continua.

¿Cuáles son los riesgos de la T de Cobre 380-A?

- Enfermedad pélvica inflamatoria (EPI) que causa inflamación de las Trompas de Falopio. Esto es raro después de los primeros 20 días (tasa: 9.6/1000).
- Desmayos durante la inserción (raros).
- Alergia al cobre (raros).
- Perforación uterina durante la inserción (raro).
- Pérdida de los hilos del DIU.
- Si usted queda embarazada con un dispositivo en el útero, haga que se lo retiren inmediatamente del útero, si el embarazo está temprano y se ven los hilos.
- Si el DIU permanece en el útero, aproximadamente el 50% de los embarazos terminan en aborto espontáneo.
- Si el DIU se retira, un 25% de los embarazos terminan en abortos espontáneos.
- El riesgo de enfermedad pélvica inflamatoria severa aumenta si el DIU se deja en el útero mientras existe el embarazo.

¿Es la T de Cobre 380-A el método adecuado para mí?

Hágase las siguientes preguntas, y revíselas con su médico. Si usted contesta NO a todas las preguntas, usted podría usar un DIU si así lo desea. Si su respuesta es SÍ a cualquiera de las preguntas, es mejor que siga las instrucciones.

1. *¿Piensa que usted está embarazada?*
   ❏ **NO**
   ❏ **SÍ**   Si la respuesta es Sí, su médico necesita hacer una prueba de embarazo. Si usted no está segura, el DIU no se debe de insertarse; puede utilizar preservativos o espermicidas hasta que usted esté realmente segura de que usted no está embarazada.

2. *¿Nunca ha tenido un niño?*
   ❏ **NO**
   ❏ **SÍ**   Si la respuesta es Sí, hay otros métodos que ofrecen más protección contra la infección y la enfermedad pélvica inflamatoria que podrían ser mejores opciones para proteger su fertilidad futura. Sin embargo, el retorno de la fertilidad es excelente en la mayoría de las mujeres después del uso del DIU. Las mujeres que han tenido un niño, tienden a tolerar mejor un DIU que las mujeres que nunca lo han tenido. Esta es una decisión que usted debe tomar junto con su profesional de la salud.

3. *¿Ha tenido en los últimos 3 meses algún sangramiento vaginal que es raro en usted, especialmente entre reglas o después de las relaciones?*
   ❏ **NO**
   ❏ **SÍ**   Si la respuesta es Sí, esto puede sugerir un problema médico, y lo mejor es que no se inserte el DIU hasta que el problema sea diagnosticado.

4. *¿Tuvo una infección después de un parto?*
   ❏ **NO**
   ❏ **SÍ**   Si usted a tenido una Infección Pélvica Inflamatoria (EPI) o Sepsis
   Puerperal (es la infección del tracto genital, durante los primeros 42
   días después del parto), no se debe insertar el DIU. Usted debe de usar
   otro método efectivo hasta que la infección sea curada por completo.

5. *¿Ha tenido una ITS (Infección de Transmisión Sexual) en los últimos tres meses?*
   ¿Tiene en este momento una ITS o cualquier otra infección en los órganos genitales
   femeninos? (Los síntomas de enfermedad pélvica inflamatoria (EPI) incluyen dolor
   en el abdomen inferior y posiblemente flujo vaginal anormal, fiebre o frecuencia
   urinaria con ardor).
   ❏ **NO**
   ❏ **SÍ**   Si Sí, el DIU no puede ser insertado en este momento. Use
   preservativos para protección contra la ITS . Usted y su compañero
   necesitan tratamiento para la infección. Si no está planeando otro
   embarazo, el DIU puede ser insertado 3 meses después que se cure a
   menos que sea probable que le dé otra infección.

6. *¿Ha tenido una Enfermedad Pélvica Inflamatoria (EPI) desde su último embarazo?*
   ❏ **NO**
   ❏ **SÍ**   Si Sí, usted está todavía en riesgo que le dé una EPI o una ITS y usted
   probablemente no es una buena candidata. Su médico le puede ayudar
   a seleccionar otro método.

7. *¿Cree que pueda tener una ITS en el futuro? ¿Usted o su pareja tienen más de una*
   pareja sexual?
   ❏ **NO**
   ❏ **SÍ**   Si la respuesta es Sí, usted está a riesgo de una ITS y esto le puede
   causar infertilidad. Use preservativos para protegerse de las ITS. No se
   inserte el DIU. Su médico le puede ayudar a seleccionar otro método.

8. *¿Tiene cáncer en los órganos genitales femeninos, o tuberculosis pélvica?*
   ❏ **NO**
   ❏ **SÍ**   Si la respuesta es Sí y usted tiene un cáncer cervical, uterino, de los
   ovarios, enfermedad trofoblástica benigna o maligna o tuberculosis
   pélvica, probablemente no es aconsejable que use el DIU.

9. *¿Cree que puede estar infectada con VIH? ¿Tiene SIDA?*
   ❏ **NO**
   ❏ **SÍ**   Si la respuesta es Sí y usted tiene SIDA, está infectada con VIH, o está
   recibiendo tratamiento con medicinas que vuelven su cuerpo menos
   capaz de luchar contra las infecciones no es aconsejable que use un
   DIU. Considere seleccionar otro método efectivo. Cualquier método
   que seleccione, es importante que use preservativos para evitar que le
   pase el VIH a su pareja(s).

¿Quiénes pueden usar la T de Cobre 380-A?

Mujeres que:
- Desean un método seguro, efectivo y anticoncepción de mediano a largo plazo.
- Usarían preservativos si están a riesgo de contraer una infección.
- Tienen razones para evitar los estrógenos y la progestina.
- Necesitan el mejor método disponible de anticoncepción.
- Desean un DIU después de un parto, un aborto espontáneo o inducido, siempre que no hayan signos de infección durante o después del evento.
- Tiene una historia de embarazo ectópico (ya que el DIU puede prevenir un embarazo ectópico, aunque las pastillas combinadas son una mejor opción).
- No tienen una infección pélvica activa, sensibilidad pélvica, flujo cervical con pus, o una reciente infección de transmisión sexual (aunque algunos clínicos insertarían un DIU si la infección ha sido adecuadamente tratada).
- Están en una relación mutuamente fiel, monógama, y que nunca ha tenido un niño, pero que pueden desear tener un niño en el futuro.

¿Y para los adolescentes?
Hay alguna preocupación con los adolescentes ya que el riesgo de infección es más alto en ellos. Otros tipos de anticonceptivos son más recomendables, ya que no tienen un efecto protector contra las infecciones.

¿Como comienzo el método?
- La mayoría de las inserciones se efectúan durante la regla o en los siguientes 5 a 7 días después de la regla.
- Si no hay riesgo de embarazo el DIU se puede insertar en otras ocasiones, pero va a necesitar usar un método de apoyo durante el resto de su ciclo.
- Si el DIU se inserta cuando no tiene la regla se reduce el riesgo de el útero lo expulse.
- Las mujeres tienden a tener menos razones para pedir que les retiren el DIU si se introduce a la mitad del ciclo (ovulación).
- Si hay alguna duda de embarazo, hay que hacer una prueba de embarazo o esperar hasta que le venga la próxima regla para la inserción del DIU.
- El tomar antibióticos antes de la inserción ha demostrado poco o ningún beneficio en reducir las infecciones. Cada clínica tiene su propia política.

¿Qué pasa durante la inserción y la extracción?
- Todo lo que se haga durante la inserción o la extracción debe hacerse suavemente.
- La anestesia local le puede ayudar con el dolor si nunca ha tenido un niño, tiene un cuello estrecho o tiene una historia de desmayos—pregúntele a su médico.
- Su médico puede usar una sustancia llamada laminaria para abrir su cuello (aunque usualmente no es necesario).
- Deben entregarle las colitas que se han cortado para que se recuerde de examinarse cada mes después de la regla.
- Puede ser más fácil retirarlo cuando está con la regla.

Cómo se inserta el DIU

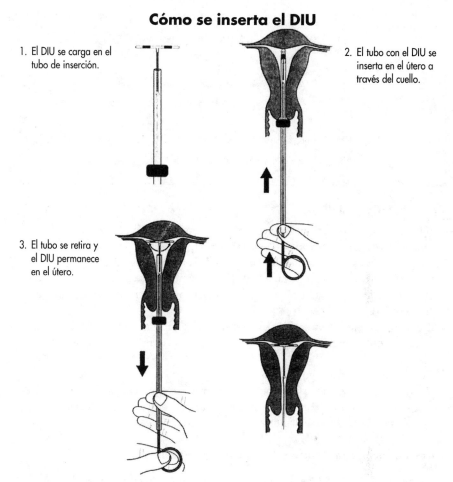

1. El DIU se carga en el tubo de inserción.

2. El tubo con el DIU se inserta en el útero a través del cuello.

3. El tubo se retira y el DIU permanece en el útero.

Speroff, L., Darney P. *A clínical guide for contraception.2nd Ed.* Baltimore:Williams and Wilkins, 1996:215.

- Al momento de retirarlo su médico usará un instrumento especial para halar ciudadosamente las colitas y extraer el DIU.

La T de Cobre 380-A debe ser removida si:

- Usted desea que sea retirado, no importando la razón.
- Está embarazada y se ven las colitas del DIU.
- Usted tiene una infección seria (aunque esté tomando antibióticos).
- El DIU está parcialmente expulsado.
- Tiene dolor severo o sangramiento intenso.
- Ya llegó a la menopausia (un año después de la ultima regla).
- Después que la vida media del DIU ya pasó: la T de Cobre 380-A es efectiva por lo menos 12 años, pero la FDA lo ha aprobado por 10 años.
- Está siendo tratada por cáncer del cuello de la matriz.
- Si usted tiene alguno de los siguientes síntomas de advertencia necesita que sea evaluada. Su DIU puede que necesite ser extraído.

¿Qué guías debo seguir?

- Si los calambres o el dolor son un problema, tome ibuprofen 200–400 miligramos, oralmente cada 4–8 horas al principio de sus próximas tres menstruaciones (durante 3–4 días) después de la inserción inicial.
- Revise las colitas después de cada regla (algunas mujeres se examinan menos que esto; los exámenes más frecuentes son más necesarios el primer año después de la inserción).
- Si el sangramiento le molesta hable con su médico; hay medicinas que le pueden ayudar a controlar el sangramiento (o puede ser signo de que necesita que lo retiren).
- Considere traer un amigo o su pareja para llevarla a casa después de la inserción.
- Vuelva a la clínica si tiene alguno de los síntomas de advertencia.
- Haga una cita en su clínica para la siguiente semana después de su regla. Su médico puede asegurarse de que no se haya quedado.

¿Necesito hablar con mi médico? Pregúntese a sí misma:

Estas son preguntas importantes que le van a ayudar a evaluar el uso del DIU. Si usted responde SI a cualquier pregunta, hable con su profesional de salud para ver cuál es la mejor solución para usted.

- ¿Tengo preguntas acerca de mi DIU?
- ¿Estoy teniendo problemas con mi DIU?
- ¿He tenido relaciones con una nueva persona desde que me insertaron el DIU? Si SI con cuántas personas? TENGO riesgo de infección?
- ¿Deseo que me retiren el DIU?
- ¿Quiero quedar embarazada pronto?
- ¿Tengo alguno de los signos de advertencia (recuerde la palabra PAINS)?

¿Qué pasa si?

Tengo manchas, sangramientos, sangramiento severo (hemorragia) o anemia (glóbulos rojos bajos)?

Pase consulta si el sangramiento es intenso o si usted está preocupada. Tome hierro si el sangramiento es fuerte o está bajo su hierro sérico. Durante el exámen su médico se va asegurar que el DIU no haya sido parcialmente expulsado, especialmente si usted está sangrando al momento del exámen. Si usted tiene algún síntoma de embarazo, hágase una prueba de embarazo. Las medicinas como el ibuprofeno pueden ayudarle a controlar el sangramiento. Si el sangramiento dura más de tres meses usted necesita ser examinada para ver si no tiene un tumor o una infección. Comience a tomar hierro o tome algunos ciclos de pastillas combinadas para regular el sangramiento. Considere que le retiren el DIU. El DIU debe ser removido si usted lo desea, si el sangramiento tiene que ver con endometriosis o si usted tiene 40 o más años y necesita que se descarte un cáncer del útero.

¿Tengo calambres y/o dolor?
Una medicina para el dolor (como el ibuprofeno) o varios ciclos de pastillas combinadas pueden disminuir las molestias. Si el dolor durante la inserción es severo, o si el dolor aumenta y su abdomen está sensible, el DIU puede haber perforado el útero. Hay que retirar el DIU si el dolor se debe a endometriosis, expulsión parcial, perforación, relacionado con desmayo durante la inserción, o si usted está embarazada y se ven las colas del DIU. Si el DIU se ha quedado del útero probablemente se necesite cirugía.

¿Mi DIU está parcialmente o completamente de fuera?
Su médico debe asegurarse que no esté embarazada y que el DIU no haya perforado el útero. Se puede usar el ultrasonido para encontrar el DIU. Se puede insertar otro DIU si no hay signos de infección o embarazo. El DIU debe ser extraido si está parcialmente expulsado o si está embarazada y se ven las colitas.

¿A mi compañero le irritan las colas del DIU?
Esto ocurre generalmente porque las colitas están muy largas. Su médico las puede recortar (para que no salgan a través del cuello) y necesita medirlas y decírselo. Usted puede decidir retirarlo o dejar las colitas más largas. El simplemente mover las colitas a otra posición puede ayudar. El médico le puede enseñar como hacerlo.

¿No se ven las colitas o no las siento?
Las colitas están allí pero necesita más información acerca de como encontrarlas. Si su médico no las puede encontrar y usted no está embarazada el ultrasonido se usa para asegurarse que no ha sido expulsado. Use un anticonceptivo de apoyo mientras la examinan.

¿Si quedo embarazada?
Si usted está teniendo un aborto su médico va a necesitar retirar el DIU y probablemente le va a dar antibióticos durante 7 días y pastillas para el dolor si éste es severo. Si usted desea un aborto y éste se puede hacer rápido, su médico la puede referir y el DIU se puede retirar durante el procedimiento. Si usted está considerando un aborto el DIU debe ser removido si las colitas están presentes, lo mismo que si desea continuar con el embarazo. Si no se ven las colitas se usa el ultrasonido para encontrar el DIU. Si se encuentra que está en el útero, se puede dejar allí, sin embargo hay que vigilar por si ocurre una infección y usted también tiene riesgo de un parto prematuro. Si el DIU permanece en su lugar un 50% de los embarazos terminan en aborto; si se remueve un 25% terminan en aborto.

¿Mi útero o el cervix se perfora o el DIU se incrusta?
Si la perforación ocurre durante la inserción el médico debe parar el procedimiento, retirar el DIU y darle otro método. Probablemente va a ser observada unas 2–4 horas para ver si no hay hemorragia interna. Si después de ese tiempo usted está bien puede irse a su casa (probablemente con antibióticos orales). Puede volver en una semana para que el médico intente insertarle otro DIU (o con su próxima regla).

¿Si me da una Enfermedad Pélvica Inflamatoria (EPI)?
Aunque algunos médicos dejan el DIU en su lugar si la infección es leve, la mayoría de los expertos dicen que se debe retirar. En una EPI leve casi siempre se prescriben antibióticos, especialmente si no se retira el DIU. El DIU no se debe insertar de nuevo si hay riesgo de ITS. Si tiene una EPI moderada o severa hay que retirar el DIU. Si está embarazada y hay signos de infección, tiene que tomar antibióticos y el médico probablemente le recomendará que se retire el DIU (con su consentimiento).

¿Y si quiero quedar embarazada después de usar la T de Cobre 380-A?

La mayoría de las mujeres que dejan de usar la T de Cobre 380-A quedan embarazadas rápidamente (la misma noche si es durante la ovulación).

DIU DE LEVONORGESTREL (MIRENA)

NO ESTÁ DISPONIBLE EN LOS ESTADOS UNIDOS

¿Qué es el DIU de Norgestrel?

Es un DIU en forma de T que viene en dos tamaños y que se inserta en el útero. Libera 20 microgramos de la hormona levonorgestrel (LNg) en un período de 8 años. Cada semana el DIU de Norgestrel libera la misma cantidad de hormonas que recibe una mujer que toma una o dos pastillas Ovrette, de tal manera que el nivel hormonal en el cuerpo de la mujer es menos con el DIU que con las pastillas.

¿Qué tan efectivo es el DIU de Norgestrel?

Índice de falla con uso perfecto en el primer año: **0.1%** (1 de cada 1,000 con el DIU de Levonorgestrel quedará embarazada)

Índice de falla con uso típico en el primer año: **0.1%**

Trussell J, Contraceptive Technology, 2002

- Es el más efectivo de todos los anticonceptivos reversibles; puede dejarse puesto durante 8 años.
- Hay estudios que han demostrado que el DIU es efectivo por 10 años.

¿Cómo funciona el DIU de Norgestrel?

El levonorgestrel, que es una hormona, causa que el moco cervical se haga más espeso de tal manera que los espermatozoides no alcanzan el óvulo. Hay cambios en los fluidos del útero y de las Trompas de Falopio que también paran los espermatozoides. El tejido de la parte interna del útero no crece a toda su capacidad lo cual previene que el huevo fecundado se implante. Este DIU puede también parar la ovulación.

¿Cuánto cuesta el DIU de Norgestrel?:

$300.00 a $400.00

¿Cuáles son las ventajas del DIU de Norgestrel?

- A algunas mujeres no les viene la regla y esto puede ser considerado una ventaja.
- Disminuye la pérdida de sangre durante la regla. En promedio una mujer pierde un cuarto menos de sangre.
- Las mujeres con anemia mejoran.
- Las reglas dolorosas mejoran.
- No hay nada de que preocuparse a diario o durante las relaciones.
- La menor preocupación de embarazo puede volver las relaciones más agradables.
- Puede proteger contra el cáncer del endometrio.
- Puede ser usado como la progestina en la terapia de sustitución hormonal en los países en donde esté disponible.
- Viene en dos tamaños diferentes.
- Seguro, barato, extremadamente efectivo (al menos por 8 años, aunque la viñeta de la FDA dirá 5 años).
- Previene los embarazos ectópicos.
- Puede disminuir el riesgo de la mujer de EPI (comparado con mujeres que no usan otro método).

¿Cuáles son las desventajas del DIU de Norgestrel?

- El médico debe insertar un objeto en el útero.
- El número de los días de sangramiento es mayor que lo normal en los primeros meses (NOTA: el sangramiento disminuye y se vuelve menos de lo normal después de seis meses).
- A algunas mujeres no les viene la regla y esto puede ser una de suentaja.
- Algunas mujeres se sienten incómodas examinándose para tocar las colitas.
- A algunas mujeres no les gusta tener un objeto en el útero.
- No se ha demostrado que sea efectivo como anticonceptivo de emergencia.
- No ofrece protección contra las infecciones, excepto, tal vez, contra una EPI (que resulta de una ITS no tratada).
- El DIU puede ser expulsado del útero.
- Los ovarios se pueden hinchar debido a los cambios hormonales (los óvulos no se producen con regularidad). Generalmente vuelven a lo normal por sí mismos.
- Dolores de cabeza, cambios del apetito, pérdida o aumento de peso.

- Dolor durante la inserción o extracción o por unos días después.

¿Cuáles son los riesgos del DIU de Norgestrel?

- Ligero riesgo de EPI, pero sólo inmediamente después de la inserción.
- Se pueden desarrollar quistes ováricos dolorosos.
- Alergia a la hormona levonorgestrel (rara).

¿Quiénes pueden usar el DIU de Norgestrel?

Mujeres que:
- Desean un método seguro, efectivo y un anticonceptivo de mediano a largo plazo.
- Usarían preservativos si estuvieran en riesgo de contraer una infección.
- No tienen sangramiento uterino anormal de causa desconocida.
- No tienen una infección pélvica activa, sensibilidad pélvica, flujo cervical con pus.
- No han tenido infección bacteriana cardíaca o sustitución de válvulas del corazón.
- No tiene problemas severos con el sistema inmunológico.
- Tienen un sangramiento excesivo o irregular por fibromas (tumores benignos del útero) (siempre que el útero no esté severamente distorsionado).
- Están en la menopausia, tienen el útero o están tomando terapia de reemplazo hormonal y no pueden tomar otras progestinas. Estas mujeres pueden obtener protección del DIU de Norgestrel contra el cáncer endometrial [Raudaskoski, 1995].

¿Cómo comienzo el método?

- Muchas clínicas insertan el DIU durante la regla o durante los siguientes 7 días.
- Si no está embarazada puede ser posible insertarlo en otro momento del ciclo.
- Se puede necesitar un anestésico local.
- Espere cambios en su ciclo menstrual.
- Tome medicina para el dolor después de la inserción. Si el dolor persiste, vuelva a la clínica.
- El tomar antibióticos antes de la inserción ofrece poco o ningún beneficio. Cada clínica tiene sus propias políticas.
- Algunos expertos dicen que es aceptable para una mujer que ha tenido una infección bacteriana del corazón, usar el DIU de Norgestrel siempre que tome medicinas para evitar otra infección, pero otros expertos (American Heart Association) dicen que no es aceptable.

¿Qué guías debo seguir?

Usted puede necesitar :
- Tomar medicinas para el dolor durante 3 días en sus tres primeras reglas.
- Examinarse para sentir las colitas del DIU después de cada regla.
- Volver a la clínica para un exámen en unos 2–3 meses.
- Llamar a su médico si el sangramiento le molesta. Hay medicinas (analgésicos, estrógenos, pastillas anticonceptivas) que pueden ayudar a mejorar el sangramiento.

¿Necesito consultar al médico? Pregúntese:

A continuación encontrará preguntas que le van a ayudar a evaluar el uso de DIUs. Si contesta "SI"a cualquier pregunta hable con su médico para averiguar cuál es la major solución para usted.

- ☐ ¿Se han parado mis reglas o son irregulares?
- ☐ ¿He tenido manchas o sangramiento?
- ☐ ¿He tenido sangramiento intenso o prolongado?
- ☐ ¿Tengo dolor abdominal bajo o fiebre?
- ☐ ¿Tengo dolor en los pechos?
- ☐ ¿He tenido dolores de cabeza, visión borrosa o mareos?
- ☐ ¿No he podido sentir las colitis?
- ☐ ¿He tenido relaciones con una pareja nueva? ¿Con cuántos?
- ☐ ¿Quiero salir embarazada pronto?

¿Qué pasa si?

¿No me viene la regla?
Este es un efecto usual y no es dañino. Se recomienda una prueba de embarazo si tiene síntomas o signos del mismo. Un ciclo de dosis bajas de pastillas combinadas puede ayudar si no está embarazada y si está preocupada aun después de haber hablado con el médico.

¿Tengo manchas o sangramiento entre las reglas?
Este es un efecto usual y no dañino. Medicinas como el ibuprofeno pueden ayudar. Su médico necesita examinarla para descartar un embarazo ectópico, una infección o expulsión parcial.

¿Tengo sangramiento?
Las medicinas como el ibuprofeno o tomar un ciclo de pastillas anticonceptivas combinadas pueden ayudar. Su médico necesita asegurarse que el DIU no ha sido expulsado.

¿Tengo dolor abdominal?
Si es debido a un embarazo ectópico, puede ser tratada o referida. Si se debe a quistes de los ovarios, el DIU puede permanecer en el útero. Estos quistes usualmente desaparecen sin tratamiento. Vea a su médico en tres semanas (otros reexaminan en tres meses después del tratamiento con pastillas combinadas) para asegurarse que los quistes se están haciendo más pequeños. Si el dolor tiene otras causas o no se conocen las mismas, usted necesita ser tratada o referida.

¿Y si quiero quedar embarazada después de usar el DIU de Norgestrel?

Hay una excelente y vuelta inmediata a la fertilidad después que el DIU se retira. Este DIU puede tener una ligera protección contra la EPI, lo que le puede ayudar a preservar la fertilidad.

¿Es una Emergencia?

Nosotros tuvimos la mejor de las citas—una cena romántica, caminamos bajo la luna y las estrellas, y tomamos algunos tragos en su apartamento. No esperaba tener relaciones con ella pero las cosas se empezaron a poner íntimas. Sin que nos diéramos cuenta de repente ya estábamos desnudos en la cama y tuvimos relaciones. Sólo pasaron unos cuantos minutos antes de que ambos decidiéramos parar, pero hubo un poco de fluido pre-eyaculatorio y ahora estoy realmente preocupado por el riesgo de que quede embarazada . . .

. . .

Tenemos dos niños y hemos decidido ya no tener más. Usamos preservativos siempre durante las relaciones y nunca hemos tenido problemas. Sin embargo esta mañana el preservativo se rompió durante nuestras relaciones. No me di cuenta de nada diferente pero cuando me lo quité encontramos una pequeña ruptura cerca de la punta . . .

. . .

Estoy realmente confundida. Anoche estaba en mi dormitorio con esta persona con la que hemos sido amigos los últimos 6 meses. Siempre ha habido una atracción sexual entre nosotros y finalmente anoche comenzamos a hacer algo al respecto. Él se puso realmente agresivo, y yo siento que realmente se impuso, casi me forzó a tener relaciones con él. La peor parte es que ni siquiera usamos protección. No se qué haría si salgo embarazada.

. . .

Mi pareja ha estado tomando pastillas anticonceptivas por casi 4 años y es muy buena para tomárselas todos los días a la misma hora. Sin embargo este mes se le olvidó tomar la primera pastilla en el nuevo ciclo. Estamos preocupados que pueda quedar embarazada ya que tuvimos relaciones la noche anterior.

¿Le suena familiar alguna de estas situaciones? Si es así hay algo que usted puede hacer. El tomar las pastillas anticonceptivas de emergencia tan pronto como sea posible (dentro de las siguientes 72 horas) después de relaciones sin protección, puede ayudar a prevenir un embarazo no buscado. Llame al 1-888-NOT-2-LATE para que le den el nombre de un médico cerca de usted que le pueda recetar anticonceptivos de emergencia.

CAPÍTULO 25

Anticoncepción de Emergencia

¿Por qué es importante la anticoncepción de emergencia?

El hacer que la anticoncepción de emergencia esté ampliamente disponible es uno de los pasos más importantes que podemos tomar para reducir en los Estados Unidos el inaceptable nivel de embarazos no buscados. Hay 3 millones de embarazos no buscados cada año; la mitad de todos los embarazos son no planeados. Hacer que los anticonceptivos de emergencia estén fácilmente disponibles, podría disminuir los embarazos no planeados a la mitad y reducir la necesidad del aborto (Trussell, 1992).

¿Cuáles son las opciones de anticoncepción de emergencia disponibles actualmente?

- Las pastillas de progestina sola como anticonceptivos de emergencia (PLAN B: 1 + 1 12 horas después; Ovrette: 20 pastillas y luego 20 pastillas 12 horas más tarde)
- Pastillas anticonceptivas de combinación como anticonceptivos de emergencia (Preven: 1 + 1 pastilla 12 horas más tarde; hay otras opciones)
- Inserción de un DIU T de Cobre 380-A

¿Qué es lo básico que tengo que conocer acerca de la anticoncepción de emergencia?

- La anticoncepción de emergencia es la prevención del embarazo después de una relación sin protección, después de una sospecha de falla anticonceptiva o después de violación.
- Para que la anticoncepción de emergencia sea lo más efectiva, debe comenzarse lo más pronto posible y dentro de las siguientes 72 horas después de las relaciones sin protección. Cada 12 horas de retraso disminuyen la efectividad, por lo que es importante tener disponible la anticoncepción de emergencia por adelantado.
- Cada uno de los métodos disponibles en los Estados Unidos reducen el riesgo de embarazo y no causan aborto. El aborto interrumpe el embarazo después que el huevo fertilizado se implanta en el útero (esta es la definición médica de embarazo); la anticoncepción de emergencia previene la ovulación o la implantación.
- El proceso de obtener la anticoncepción de emergencia puede llevarla a que utilice anticonceptivos de manera continua.
- Para más información y los números telefónicos de los proveedores de salud en su

Descripción de los métodos anticonceptivos de emergencia actualmente disponibles en los Estados Unidos. Usted puede obtener estos métodos por adelantado.

	Pastillas de Progestina sóla	Pastillas anticonceptivas combinadas	DIU de cobre
Uso después de relaciones	Hasta 72 horas después; mientras más pronto, mejor	Hasta 72 horas; mientras más pronto, mejor	Hasta 5 días, tal vez un poco más
Embarazo por 100 mujeres	1.1%	3.2%	0.1%
Ventaja más importante	Menos náusea (23.1%) o vómitos (5.6%) que los pastillas combinadas	Muchas pastillas combinadas disponibles: Preven, Ovral y otras 8	Se puede insertar hasta 5 a 8 días después de las relaciones sin protección (vea la página 77). Es el método más efectivo
Desventaja más importante	Previamente se tenían que tomar 20 pastillas de Ovrette 2 veces (pero ahora con el PLAN B, 1 pastilla 2 veces)	Náusea (50%) o vómitos (20%) sin medicina para la náusea	Algunas mujeres no son buenas candidatas; no quieren un DIU; es caro
Efectos secundarios	Náuseas y vómitos pero mucho menos frecuente	Náusea y vómitos	Dolor, sangramiento, riesgo de infección
Evítelo por estas razones	Embarazo	Embarazo; migraña activa con síntomas focales neurológicos; historia de coágulos sanguíneos en las piernas o en los pulmones	Otras precauciones del DIU (vea la página 103)

*El dispositivo T de cobre 380-A puede ser insertado hasta el momento de la implantación (aproximadamente 5 días después de la ovulación) para prevenir el embarazo. Si usted ha tenido relaciones sin protección, tres días antes de la ovulación en este ciclo, el dispositivo puede ser insertado hasta 8 días después de las relación para prevenir el embarazo.

área, revise el Internet en: *http://opr.princeton.edu/ec/* o *http://www.PREVEN.com* o llame al 1-888-NOT-2-LATE. El 1-888-PREVEN2 da información pero no da los números telefónicos de los proveedores de salud.

PASTILLAS ANTICONCEPTIVAS DE EMERGENCIA

Las pastillas anticonceptivas de emergencia son dos dosis grandes de pastillas anticonceptivas comunes que pueden tomarse en las siguientes 72 horas después de una relación sin protección para prevenir el embarazo. Si se toman antes de la ovulación, las pastillas anticonceptivas de emergencia podrían parar el desarrollo normal del huevo, lo cual podría parar o retrasar la ovulación, o disminuir la producción de hormonas. Si se toman después de la ovulación tienen poco efecto sobre la producción hormonal y el crecimiento de la parte interna del útero. Podrían afectar el movimiento de los espermatozoides o de los óvulos. En este momento las pastillas anticonceptivas están disponibles como pastillas de combinación o como pastillas de progestina sola, y en todos, excepto en un estado (Washington), la mujer debe tener una receta para poder comprar las pastillas anticonceptivas de emergencia.

PASTILLAS ANTICONCEPTIVAS DE EMERGENCIA DE PROGESTINA SÓLA

Las pastillas anticonceptivas de emergencia de progestina sóla son más efectivas que las pastillas combinadas. Tienen un índice de falla del 1.1% comparado con un 3.2% de las de combinación, producen menos náusea y vómitos y son la opción anticonceptiva de emergencia más barata. Antes la mujer tenía que tomar una gran cantidad de pastillas Ovrette como anticonceptivos de emergencia (20 pastillas seguidas de otras 20 pastillas 12 horas más tarde). Ahora todas las hormonas están disponibles en un producto llamado PLAN B que únicamente requiere que la mujer tome una pastilla seguida de otra pastilla 12 horas más tarde.

¿Cómo uso las pastillas anticonceptivas de emergencia con progestina sola?

PLAN B:
Tome una pastilla tan pronto como sea posible dentro de las siguientes 72 horas después de relaciones sin protección, y luego tómese otra 12 horas más tarde.

Ovrette:
Tome 20 pastillas tan pronto como sea posible en las siguientes 72 horas después de relaciones sin protección y luego 20 pastillas 12 horas más tarde.

PASTILLAS ANTICONCEPTIVAS COMBINADAS

Las pastillas anticonceptivas de emergencia combinadas tienen tanto estrógenos como progesterona. Tienen un índice de falla mayor que el de las de progestina sola (3.2%) y tienden a causar más náusea y vómitos que las de progestina sola. Solía ser necesario que la mujer tomará un gran número de pastillas combinadas (como Lo-Ovral o TriPhasil) como anticonceptivo de emergencia. Ahora todas las hormonas están disponibles en un producto que se llama PREVEN, que requiere que la mujer tome 2 pastillas primero y otras 2 pastillas 12 horas más tarde.

¿Cómo utilizo la anticoncepción de emergencia con pastillas combinadas?

Preven:
Tome dos pastillas tan pronto como sea posible en las siguientes 72 horas después de una relación sin protección, y tómese otras dos pastillas 12 horas más tarde.

Ovral:
Tómese 2 pastillas tan pronto como sea posible en las siguientes 72 horas después de las relaciones sin protección y otras dos pastillas 12 horas más tarde.

Levlen, Lo-Ovral, Nordette, o TriPhasil:

Tome 4 pastillas tan pronto como sea posible en las siguientes 72 horas de una relación sin protección, y 4 pastillas más 12 horas después.

Alesse:

Tome 5 pastillas tan pronto como sea posible en las siguientes 72 horas después de relaciones sin protección, y 5 pastillas más 12 horas más tarde.

¿Dónde puedo conseguir pastillas anticonceptivas de emergencia?

Usted puede ir a la clínica del campus universitario, al médico, o a la clínica de planificación familiar para conseguir las pastillas anticonceptivas de emergencia. Algunos médicos no conocen las pastillas anticonceptivas de emergencia. En este caso es mejor que llame a la línea libre de cargo, 1-800-584-9911 o a 1-888-NOT-2-LATE, para que le den los números de teléfono de los médicos que viven en su área y que prescriben pastillas anticonceptivas de emergencia. Esta línea telefónica da información acerca de otras opciones de anticonceptivos de emergencia. Algunas de estas fuentes de ayuda son gratis. También puede ir a estos sitios en Internet para obtener información adicional: *www.opr.princeton.edu*, www.PREVEN.com, o *www.go2planB.com*. El PLAN B es la pastilla anticonceptiva de emergencia que causa menos náusea, menos vómitos y es la más efectiva.

INSERCIÓN DEL DISPOSITIVO INTRAUTERINO

Hasta 5 a 8 días después de las relaciones sin protección, usted puede solicitar que le inserten un dispositivo intrauterino (DIU) para evitar que quede embarazada. En este momento es el método disponible de anticoncepción de emergencia más efectivo en los Estados Unidos, para después de una relación sexual sin protección. El índice de falla es 0.1%. Cuando se utiliza después de una relación sin protección, el dispositivo T de Cobre 380 A se inserta en el útero. Previene la implantación de un óvulo fecundado o fertilizado (si el óvulo fue fertilizado por la relación sin protección). Las mujeres que desean el método anticonceptivo de emergencia más efectivo y las mujeres que no pueden tomar las pastillas anticonceptivas de emergencia, deben considerar la inserción del dispositivo intrauterino. Tiene aproximadamente 1 / 10 del índice de falla de las pastillas y el dispositivo intrauterino se puede dejar puesto y se puede usar como anticonceptivo a largo plazo o ser retirado después de una o dos reglas normales.

¿Dónde puedo conseguir que me inserten el DIU después de una relación sin protección?

Puede consultar con el centro de salud de su campus, con su médico o con una clínica de planificación familiar. Algunos médicos no conocen los anticonceptivos de emergencia; en este caso llame a la línea telefónica gratis 1-888-NOT-2-LATE, para que le den los números de teléfono de los médicos en su área que le podrían insertar el dispositivo intrauterino. Algunas de estas fuentes de ayuda son gratis. También usted puede ir a la *www.opr.princeton.edu* para obtener información adicional.

¿Cuánto valen las pastillas anticonceptivas de emergencia?

- El Kit PREVEN: las píldoras más prueba de embarazo, desde $20 a $25 en las farmacias. Casi todas las clínicas de la planificación familiar públicas hacen una prueba de embarazo antes de dar la anticoncepción de emergencia. En las clínicas financiadas públicamente, se puede comprar el Kit PREVEN, por menos de $5 cada Kit. Si la prueba del embarazo en el Kit PREVEN no se usa antes de tomar las pastillas, puede utilizarse más adelante si la regla se le ha retrasado. NOTA: Algunas farmacias (ejemplo: Walmart) no venden las pastillas anticonceptivas de emergencia porque ellos creen que causa aborto. Asegúrese de que su profesional de salud hable con la farmacia antes de que usted salga de la clínica para que sepa en que farmacia le van a vender lo que le han recetado.
- Un ciclo de pastillas puede variar desde unos cuantos dólares a más de $50. El Ovral tiende a ser más caro que otras pastillas de combinación y no se encuentra en todas las farmacias. Dos ciclos de Ovrette pueden costar $60 o más.
- El costo de obtener las pastillas, varía desde nada, hasta el costo de una llamada telefónica o el costo de un exámen completo y de una prueba del embarazo.
- El PLAN B cuesta aproximadamente $25 en las farmacias. Las clínicas de la planificación familiar podrían dárselo gratis o cobrarles de acuerdo a su capacidad de pago.

¿Cuáles son las ventajas de las pastillas anticonceptivas de emergencia?

- Le da la oportunidad de prevenir el embarazo después de una relación forzada, un error, o de la ruptura de un preservativo.
- Ofrece la opción de prevención del embarazo si usted sospecha que está en riesgo (opuesto a esperar para averiguar).
- El proceso de conseguir anticoncepción de emergencia la podría llevar a usted a empezar el hábito de utilizar anticonceptivos continuamente.
- Si las pastillas se toman cuando la mujer ya está embarazada, no hay un aumento del riesgo de los defectos congénitos. No es peligroso utilizar las pastillas anticonceptivas de emergencia más de una vez, pero es necesario un método anticonceptivo a largo plazo que usted utilice de manera consistente y correcta.

¿Cuáles son las desventajas de las pastillas anticonceptivas de emergencia?

1. No hay protección contra las infecciones sexualmente transmitidas; puede que necesite ser tratada por causa de una infección.
2. Los problemas mayors son náuseas en el 50% de las mujeres y vómitos en un 5% a un 25%.
3. Sensibilidad en los pechos, fatiga, dolor de cabeza, dolor abdominal y mareos.
4. Existe una posibilidad de embarazo ectópico si las pastillas fallan (las pastillas

anticonceptivas de emergencia previenen casi todos, pero no todos los embarazos ectópicos).

5. Su próxima regla puede que le venga más temprano (especialmente si las tomó antes de la ovulación, a tiempo o más tarde)

6. Aproximadamente de 10% a 15% de las mujeres tienen cambios menores en sus reglas.

7. Si usted está opuesta a métodos anticonceptivos de emergencia que previenen la implantación, es importante que sepa que tomando las pastillas anticonceptivas de emergencia antes de la ovulación puede prevenir la fertilización o retrasar la ovulación.

¿Cuáles son los riesgos de usar las pastillas como anticoncepción de emergencia?

- Se han reportado varios casos de trombosis de venas profundas (coágulos sanguíneos severos) después de usar pastillas como anticoncepción de emergencia.

- No ha habido complicaciones serias como resultado de usar las pastillas de progestina sola como anticoncepción de emergencia.

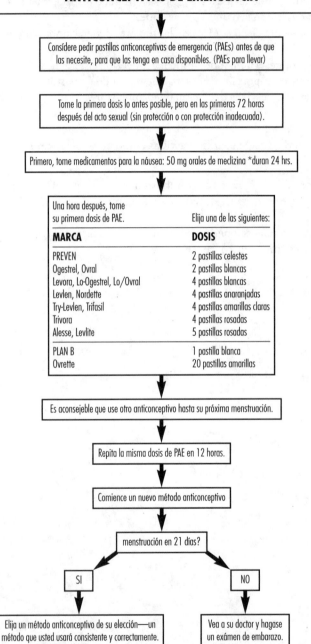

ANTICONCEPCIÓN DE EMERGENCIA CON PASTILLAS ANTICONCEPTIVAS DE EMERGENCIA

Consídere pedir pastillas anticonceptivas de emergencia (PAEs) antes de que las necesite, para que las tenga en casa disponibles. (PAEs para llevar)

Tome la primera dosis lo antes posible, pero en las primeras 72 horas después del acto sexual (sin protección o con protección inadecuada).

Primero, tome medicamentos para la náusea: 50 mg orales de meclizina *duran 24 hrs.

Una hora después, tome su primera dosis de PAE.

Elija una de las siguientes:

MARCA	DOSIS
PREVEN	2 pastillas celestes
Ogestrel, Ovral	2 pastillas blancas
Levora, Lo-Ogestrel, Lo/Ovral	4 pastillas blancas
Levlen, Nordette	4 pastillas anaranjadas
Try-Levlen, Trifasil	4 pastillas amarillas claras
Trivora	4 pastillas rosadas
Alesse, Levlite	5 pastillas rosadas
PLAN B	1 pastilla blanca
Ovrette	20 pastillas amarillas

Es aconsejeble que use otro anticonceptivo hasta su próxima menstruación.

Repita la misma dosis de PAE en 12 horas.

Comience un nuevo método anticonceptivo

menstruación en 21 días?

SI — Elija un método anticonceptivo de su elección—un método que usted usará consistente y correctamente.

NO — Vea a su doctor y hagase un exámen de embarazo.

NOTA: Si no se toma medicina para la náusea antes de la primera dosis de PAE (que es lo recomendado), puede tomarse después de la primera dosis pero si la náusea es severa o si la mujer vomita, pero no será efectiva.

*el hidrocloruro de meclicina se recomienda ya que su acción dura 24 horas. Se compra sin receta como Bonine o Dramamine 2. Si prescribe un anti-emético use Antivert. Puede utilizar otros medicamentos contra la náusea.

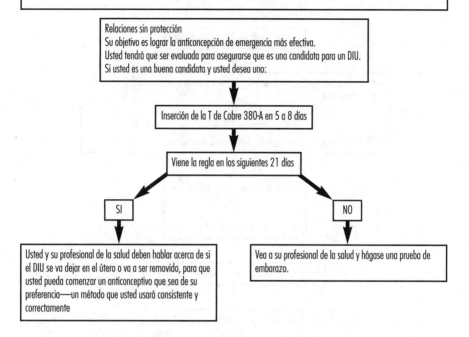

ANTICONCEPCIÓN DE EMERGENCIA
DIU T de Cobre 380-A

Relaciones sin protección
Su objetivo es lograr la anticoncepción de emergencia más efectiva.
Usted tendrá que ser evaluada para asegurarse que es una candidata para un DIU.
Si usted es una buena candidata y usted desea uno:

Inserción de la T de Cobre 380-A en 5 a 8 días

Viene la regla en los siguientes 21 días

SI

Usted y su profesional de la salud deben hablar acerca de si el DIU se va dejar en el útero o va a ser removido, para que usted pueda comenzar un anticonceptivo que sea de su preferencia—un método que usted usará consistente y correctamente

NO

Vea a su profesional de la salud y hágase una prueba de embarazo.

*El DIU T de Cobre 380-A puede ser insertado hasta el mismo momento de la implantación—aproximadamente 5 días después de la ovulación—para prevenir el embarazo. Por lo tanto si usted ha tenido relaciones sin protección 3 días antes de la ovulación del ciclo actual, el DIU puede ser insertado hasta 8 días después de las relaciones para prevenir el embarazo.

ANTICONCEPCIÓN DE EMERGENCIA
Pastillas de Progestina Sóla (PLAN B)

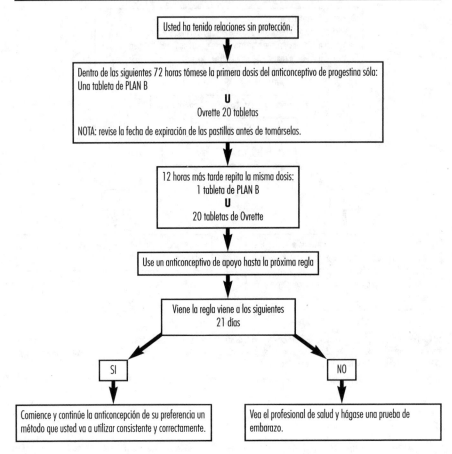

Usted ha tenido relaciones sin protección.

Dentro de las siguientes 72 horas tómese la primera dosis del anticonceptivo de progestina sóla:
Una tableta de PLAN B

U

Ovrette 20 tabletas

NOTA: revise la fecha de expiración de las pastillas antes de tomárselas.

12 horas más tarde repita la misma dosis:
1 tableta de PLAN B

U

20 tabletas de Ovrette

Use un anticonceptivo de apoyo hasta la próxima regla

Viene la regla viene a los siguientes
21 días

SI

NO

Comience y continúe la anticoncepción de su preferencia un método que usted va a utilizar consistente y correctamente.

Vea el profesional de salud y hágase una prueba de embarazo.

NOTA: Es menos frecuente que ocurran náuseas y vómitos en las mujeres que usan pastillas de progestina sola cómo anticoncepción de emergencia que en las mujeres que usan pastillas de combinación. La medicina contra la náusea no está incluida en este flujograma pero puede ser necesaria si ocurren náusea o vómitos después de la primera dosis de pastillas de progestina sóla.

CAPÍTULO 26

Anticoncepción Hormonal Combinada

PASTILLAS ANTICONCEPTIVAS COMBINADAS

¿Qué son las pastillas combinadas?

Éstas son las pastillas anticonceptivas más usadas por las
mujeres en los Estados Unidos actualmente. Cada pastilla tiene
un estrógeno y una progestina. El etinil estradiol es el estrógeno más usado en
todas las pastillas de menos de 50 microgramos; dos de las pastillas de 50
microgramos (indicadas raramente) usan el estrógeno mestranol. Diferentes tipos
de progestinas se encuentran en diferentes pastillas. Todas las pastillas excepto una,
tienen 21 pastillas hormonalmente activas seguidas por siete pastillas sin hormonas
(llamadas pastillas placebo o inertes). La excepción es Mircette que tiene un solo
intervalo de dos días sin hormonas (después de 21 días de hormonas, vienen dos
días sin hormonas, seguidos de cinco días de pastillas con 10 microgramos de
estrógenos diariamente.

¿Qué tan efectivas son las pastillas combinadas?

Índice de falla con uso perfecto en el primer año: **0.1%** (De cada 1 000 que toman las
pastillas durante un año, una
quedará embarazada en el
primer año de uso)

Índice de falla con uso típico en el primer año: **5%**

Trussell J. Contraceptive Technology 2002

- No se necesita usar otro método durante los días sin hormonas
- Las mujeres pueden usar las pastillas de manera más efectiva o consistente,
  eliminando o disminuyendo el período sin hormonas (hable con su médico
  acerca de esto)

¿Cómo funcionan las pastillas combinadas?

Las pastillas impiden la ovulación (en un 90 a 95% de los casos). También hacen que
el moco cervical se vuelva más espeso, lo que bloquea el paso de los
espermatozoides hacia el útero. El tejido interno del útero no crece en toda su
capacidad, lo que previene la implantación (alojamiento del óvulo fecundado en el
tejido interno del útero).

¿Cuánto valen las pastillas?

	Medicina pre-pagada	Servicios Públicos
Pastillas	$21.00 por paquete	$17.70 por paquete (es más barato en algunas clínicas)
Consulta	$38.00	$16.56 (menos en muchas clínicas)

- El costo difiere de lugar a lugar y las pastillas con más estrógenos son más caras.

¿Cuáles son las ventajas de las pastillas combinadas?

- Disminuyen los cólicos y el dolor con la regla: con frecuencia son más efectivas que otros medicamentos usados para el tratamiento del dolor menstrual.
- Disminuyen el dolor durante la ovulación.
- Disminuyen la pérdida de sangre con la menstruación (en un 60% o más).
- El estrógeno hace que la capa interna del útero sea más saludable de tal manera que las mujeres que toman las pastillas tienen menos manchas entre las menstruaciones.
- Las pastillas se usan como tratamiento para reglas irregulares, reglas con sangramiento abundante y para el sangramiento anormal.
- Pueden prevenir un sangramiento excesivo en mujeres con problemas severos de sangramiento.
- Usted puede cambiar su ciclo de tal manera que no tenga la regla durante sus vacaciones, durante exámenes o durante su luna de miel (esto sólo se puede hacer con pastillas que tienen el mismo tipo y la misma cantidad de hormonas durante todo el ciclo).
- Usted puede disminuir el número de sus reglas (tome tres paquetes de 21 pastillas que contengan hormonas, seguido por cuatro días sin pastillas). Al hacer esto se disminuye el síndrome pre-menstrual, la depresión, los síntomas de inflamación uterina, la sensibilidad cíclica de los pechos o las migrañas (vea el cuadro sobre tomar 3 o más ciclos de pastillas sin las pastillas placebo, página 131).
- Puede aumentar el placer sexual ya que hay menos riesgo de embarazo.
- Puede volver las relaciones más espontáneas.
- La depresión probablemente mejore o se quede igual
- El interés en las relaciones y la capacidad de tener un orgasmo probablemente aumente o quede igual.
- *En general*: las mujeres que están tomando pastillas combinadas tienen menos riesgo de cáncer de los órganos reproductivos en toda su vida, que las que no las toman. Las pastillas de combinación pueden proteger contra el cáncer de ovario, de endometrio, quistes ováricos, embarazo ectópico, Enfermedad Pélvica Inflamatoria (EPI), anemia y enfermedades benignas de los senos. *(Peipert, 1993)*
- *Cáncer del seno*: los estudios más recientes indican que las mujeres más jóvenes que no han tenido hijos y que están tomando pastillas combinadas tienen un riesgo ligeramente mayor que las que no las están tomando, de que se les diagnostique cáncer del seno—aproximadamente 1 en 1000 mujeres de menos de 45 años. Esto puede ser por que las pastillas promuevan el crecimiento de un

cáncer que ya está presente, o por que más probable que las que están tomando las pastillas sean examinadas y se diagnostique el tumor más tempranamente. El cáncer del seno que se diagnostica mientras se están tomando pastillas o en los años después que se dejaron de tomar, es menos frecuente que se extienda a otras partes del cuerpo. Las mujeres que han tomado las pastillas y que son mayores de 45 años NO tienen un riesgo aumentado de que se les diagnostique un cáncer del seno.

- *Cáncer de Ovario*: las mujeres que han estado tomando pastillas combinadas por cuatro años tienen un 30% menos de probabilidades de desarrollar cáncer de ovario que aquellas que no las están tomando. Mientras más tiempo la mujer tome las pastillas combinadas, mayor es la protección contra el cáncer de ovario. Esta protección dura años aún después que la mujer haya dejado de tomar las pastillas combinadas. Las pastillas le dan la misma protección contra el cáncer de ovario a las mujeres que tienen genes que las predisponen para cáncer del seno, como a las que no los tienen (Narod, 1998).
- *Cáncer de Endometrio (uterino):* las mujeres que han estado tomando pastillas combinadas por al menos dos años tienen 40% menos probabilidades de desarrollar cáncer de endometrio, que aquellas que no están tomando las pastillas. Mientras más tiempo la mujer tome las pastillas combinadas, mayor será la protección que obtenga contra el cáncer endometrial.. Esta protección aparentemente continúa aun después de haber dejado de tomar las pastillas.
- *Cáncer colorectal*: las mujeres que están tomando las pastillas y las que tomaron pastillas de combinación en los últimos diez años, tienen menos probabilidades de morir de cáncer colorectal que las no las han tomado.
- Las pastillas combinadas son altamente efectivas, disponibles, fáciles de usar y reversibles.
- Previenen los embarazos ectópicos.
- Disminuye la severidad de la Enfermedad Pélvica Inflamatoria.
- Pueden mejorar el acné, reducir el crecimiento de vello en la cara y mejorar los síntomas de los quistes de los ovários.
- Pueden o no reducir la osteoporosis y la artritis (los estudios han dado resultados contradictorios).
- Pueden ayudar con la endometriosis.
- Probablemente mejora la densidad ósea en las mujeres.
- No tiene efectos dañinos sobre el feto si se toma accidentalmente durante el embarazo.

¿Cuáles son las desventajas de las pastillas combinadas?

- Manchas, sobre todo en los primeros ciclos.
- Más manchas en las mujeres que fuman.
- No viene la regla o muy poco sangrado con la regla.
- Usted podría no tener su regla durante 1 a 3 meses después de suspenderlas (raro).
- Pueden causar depresión, ansiedad, fatiga o cambios del ánimo.
- Disminuyen el deseo sexual y los problemas con el orgasmo.

- *Cáncer cervical*: el riesgo de un tipo de cáncer cervical (adenocarcinoma) aumenta ligeramente en las mujeres que están tomando pastillas combinadas. No está claro si el riesgo de cáncer cervical aumenta por el uso de las pastillas o por otros factores como tener relaciones a una temprana edad, tener un elevado número de parejas sexuales, fumar o si tener una infección está causando que se diagnostique un número ligeramente mayor de cánceres en usuarias de las pastillas.
- *Tumores hepáticos*: el riesgo aumenta ligeramente pero sólo en mujeres que toman 50 microgramos o más de estrógenos. La gran mayoría de mujeres (99%) en los Estados Unidos están usando menos de 50 microgramos y no les aumenta el riesgo de cáncer hepático.
- No dan protección contra infecciones transmitidas sexualmente, incluyendo VIH/SIDA.**Use un condón si tiene riesgo.**
- Es posible tener náuseas o vómitos durante los primeros ciclos.
- Aumenta el tamaño de los senos (puede ser una ventaja o una desventaja) y o su sensibilidad.
- Aumenta el apetito, pero la aumento de peso debido a las pastillas no es frecuente (la pérdida de peso es casi tan frecuente como el aumentar peso).
- Dolores de cabeza.
- La presión sanguínea se eleva en menos de 1 en 200 mujeres.
- La retención de líquido causada por las pastillas puede provocar cambios en la visión que afectan el ajuste de los lentes de contacto (esto puede ser regulado por su profesional de la salud).
- Dependiendo de la clínica o la oficina, el costo de las pastillas puede ser mayor.

¿Cuáles son los riesgos de las pastillas combinadas?

Algunas mujeres pueden desarrollar trombosis de las venas profundas (coágulos sanguíneos) si toman las pastillas de combinación. Aunque el riesgo de problemas serios es pequeño (1 muerte por cada millón de mujeres que toman pastillas combinadas cada año), usted debe decirle a su médico si ha tenido coágulos en el pasado o si alguien en su familia los ha tenido (NOTA: Probablemente no hay un aumento del riesgo de coágulos sanguíneos en mujeres que están usando las nuevas pastillas de progestina que contienen las hormonas desogestrel, gestodeno, o norgestimato, al compararlas con otras pastillas combinadas). Todas las pastillas combinadas elevan los triglicéridos, que son la base del colesterol, que puede causar algún aumento del riesgo de pancreatitis o enfermedades cardíacas.

¿Quién puede usar pastillas combinadas?

Las mujeres que:
- Pueden acordarse de tomar una pastilla todos los días y que pueden comprarlas.
- Buscan obtener otros beneficios en las pastillas, además de un excelente método anticonceptivo, (mujeres con endometriosis, reglas sumamente dolorosas, anemia o fuerte historia familiar de cáncer de ovario).
- Desde que comienzan a tener sus reglas (o más raramente: para adolescentes

sexualmente activas aun antes de que les venga la primera regla) hasta la menopausia.

- Tienen exceso o están faltas de peso, diabéticas sin enfermedad vascular, tienen historia familiar de cáncer del seno, tienen 35 años o más y no fuman; o son fumadoras de menos de 35 años. La mayoría de las mujeres en esos grupos PUEDEN tomar las pastillas, pero algunos médicos no las indican.

¿Qué pasa con las Adolescentes?

- Las pastillas combinadas pueden usarse en las adolescentes sexualmente activas aun antes de que les venga la primera regla.
- Son excelentes para el tratamiento de adolescentes con reglas muy dolorosas (las reglas muy dolorosas son la causa número uno de ausencia en la escuela o el trabajo).
- Las pastillas pueden ayudar con el acné y generalmente no causan aumento de peso.
- Puede ayudar con el síndrome pre-menstrual, la endometriosis y en mujeres con niveles de estrógenos bajos, causados por desordenes del apetito o ejercicio excesivo.
- Pueden causar una leve reducción en el crecimiento óseo: los estudios han demostrado un aumento de 1.5% de la masa ósea en adolescentes que toman pastillas combinadas versus 2.9% en adolescentes que no las toman (Cromer, 1996). Sin embargo, siete de 10 estudios han demostrado un aumento de la densidad ósea en mujeres que toman pastillas combinadas, comparadas con mujeres que no las toman.
- Pueden ser usadas por adolescentes que fuman, pero cada individuo que fuma debe ser estimulado para que deje de fumar.
- Las adolescentes necesitan usar preservativos junto con las pastillas para protección contra las infecciones de transmisión sexual.
- El índice de falla es mayor en las adolescentes que en otros grupos de edad (Ej. :es más frecuente que se les olvide tomar las pastillas, o que dejen de tomarlas).
- Puede ayudarles a recordar dónde las guarda y cuándo tomárselas, si toma las pastillas todos los días a la misma hora (cuando se ponen sus joyas o cuando se las quitan, cuando se ponen la medicina para el acne, o cuando se lavan los dientes).

¿Son las pastillas combinadas el mejor método para mí?

Hágase las preguntas que encontrará más adelante. Si responde NO a todas las preguntas, usted puede usar las pastillas de combinación de dosis bajas si lo desea. Si contesta Sí a alguna de las preguntas, siga las instrucciones.

1. *¿Fuma cigarrillos y tiene 35 o más años?*
   - ❏ NO
   - ❏ SÍ Si contesta que Sí, tiene que dejar de fumar completamente. Si usted tiene 35 años o más y no puede o no quiere dejar de fumar (incluyendo menos de quince cigarrillos por día), usted no puede usar

las pastillas combinadas. Su médico le ayudará a seleccionar otro método sin estrógenos.

2. *¿Tiene la presión arterial alta?*
   ❑ NO
   ❑ SÍ   *Si su presión sanguínea está por debajo de 140/90*, probablemente está bien que usted toma las pastillas combinadas. *Sí su presión sanguínea está entre 140–150/90–99*, probablemente está bien que usted toma pastillas combinadas, pero debe chequearse la presión en 1–2 meses. Un solo chequeo de la presión sanguínea en este nivel no es suficiente para hacer el diagnóstico de presión alta. Si en la siguiente lectura está por debajo de 140/90, está bien que toma las pastillas de combinación. Si se mantiene en el nivel de 140–150/90–99, las pastillas de combinación probablemente no sean el mejor método. Pero, si usted decide tomarlas, le deben tomar la presión sanguínea en cada una de sus visitas regulares. *Si su presión es 160/100 o más alta*, usted no debe tomar las pastillas combinadas. Su médico le puede ayudar a seleccionar otro método sin estrógenos. (Algunos médicos dan las pastillas de combinación si la presión sanguínea alta está bajo tratamiento y está bien controlada).

3. *¿Está dando pecho a un niño de menos de seis meses? (vea la Página 130)*
   ❑ NO
   ❑ SÍ   La mayoría de expertos están de acuerdo en que obtenga las pastillas combinadas que va a usar cuando deje de dar pecho. (También, obtenga un método de respaldo para usarla mientras está amamantando-dando pecho a su bebé). Hay algunas diferencias de opinión entre los expertos acerca de comenzar a usarlas cuando empiece a dar a su bebé alimentos de otro tipo (leche en botella o alimentos sólidos). Los expertos difieren acerca de comenzar las pastillas de combinación 3–6 semanas después de haber tenido el niño. La Federación Americana de Planificación Familiar sugiere que las pastillas pueden ser usadas, pero que las mujeres que están amamantando-dando pecho, deben esperar seis semanas para comenzarlas.

4. *¿Tiene o ha tenido alguna vez problemas serios con su corazón o con los vasos sanguíneos, incluyendo ataques al corazón o enfermedad cardíaca causada por arterias bloqueadas, derrame cerebral, coágulos sanguíneos, dolor de pecho severo acompañado de cansancio, diabetes por más de 20 años, o daños a su visión, riñones o sistema nervioso central, causado por la diabetes?*
   ❑ NO
   ❑ SÍ   Si la respuesta es SÍ, usted no debe tomar las pastillas combinadas. Su médico le puede ayudar a escoger otro método sin estrógenos.

5. *¿Tiene o ha tenido alguna vez cáncer del seno?*
   - ❏ NO
   - ❏ SÍ   Si la respuesta es Sí, en general no se recomienda que usted tome pastillas combinadas. Su médico le ayudará a escoger otro método sin hormonas.

6. *¿Le dan con frecuencia dolores fuertes de cabeza acompañados de visión borrosa?*
   - ❏ NO
   - ❏ SÍ   Si le dan migrañas con visión borrosa, pérdida temporal de la visión, ve luzazos o líneas en zigzag o tiene dificultad para hablar o para moverse, no tome pastillas combinadas. Su médico le ayudará a escoger otro método sin estrógeno.

7. *¿Está tomando medicinas para convulsiones? ¿Está tomando los antibióticos rifampicina o griseofulvina?*
   - ❏ NO
   - ❏ SÍ   Algunas medicinas reducen la efectividad de las pastillas combinadas. Si usted está tomando medicinas para convulsiones o los antibióticos rifampicina o griseofulvina, necesita usar preservativos o espermicidas junto con las pastillas combinadas, o tomar pastillas combinadas que contengan dosis más altas (50 microgramos), o si lo prefiere, escoja otro método efectivo si está bajo tratamiento a largo plazo con esos medicamentos.

8. *¿Piensa que está embarazada?*
   - ❏ NO
   - ❏ SÍ   Si la respuesta es Sí, hágase una prueba de embarazo. Si usted puede estar embarazada, use preservativos o espermicidas hasta que esté razonablemente segura de que no está embarazada. Entonces puede comenzar a tomar las pastillas de combinación. Sí ha tenido relaciones sin protección en los últimos tres días, considere usar anticoncepción de emergencia, si no está embarazada.

9. *¿Tiene sangramiento vaginal que no es usual en usted?*
   - ❏ NO
   - ❏ SÍ   Si lo más probable es que no esté embarazada, pero está teniendo sangramiento vaginal sin explicación que podría ser causado por alguna otra condición médica, usted puede tomar pastillas combinadas. Su médico puede evaluar y tratar esa condición, o referirla a alguien que lo pueda hacer. Puede volver a usar las pastillas combinadas después de investigar la causa de su sangramiento vaginal.

10. **¿Tiene ictericia, cirrosis del hígado o alguna infección o tumor del hígado? ¿Están sus ojos o su piel anormalmente amarillos?**
   - ❑ NO
   - ❑ SÍ Si usted tiene una enfermedad seria del hígado, usted no puede tomar las pastillas combinadas. La enfermedad del hígado debe ser tratada y su médico le puede ayudar a escoger otro método sin hormonas.

11. **¿Tiene alguna enfermedad de la vesícula biliar? ¿Ha tenido alguna vez ictericia (ojos o piel amarillenta) mientras tomaba pastillas combinadas?**
   - ❑ NO
   - ❑ SÍ Si usted tiene una enfermedad de la vesícula biliar o toma medicinas para una enfermedad de la vesícula biliar, o si ha tenido ictericia mientras tomaba pastillas combinadas, usted no puede usar pastillas combinadas.

12. **¿Está usted planeando una cirugía que le impedirá caminar por una semana o más? ¿Ha tenido un hijo en los pasados 21 días?**
   - ❑ NO
   - ❑ SÍ Su profesional de salud puede ayudarle a escoger un método sin estrógenos (para reducir el peligro de un coágulo sanguíneo en sus piernas) Si usted está planeando una cirugía o ha dado a luz recientemente, usted puede obtener pastillas combinadas y comenzarlas más adelante, siguiendo las instrucciones de su médico.

¿Cómo comienzo o continúo tomando las pastillas?

- Si usted puede tomar estrógenos, usted puede tomar cualquier pastilla que contenga menos de 50 microgramos.
- Si usted está actualmente tomando una pastilla de 50 microgramos y no ha probado una de dosis más baja, es una buena idea hablar con su médico acerca de cambiarse a una pastilla con dosis más baja (si usted está tomando una pastilla con más de 35 microgramos de estrógeno, debe haber una razón médica muy clara).
- Ya que las pastillas trifásicas pueden causar confusiones, los autores prefieren usar pastillas monofásicas. Las pastillas monofásicas dan la misma cantidad de estrógeno y progestina en cada pastilla hormonalmente activa.
- Las pastillas combinadas las venden sin receta en muchos países (no en los Estados Unidos).
- En la página siguiente presentamos diversas maneras de comenzar las pastillas.

¿Qué pasa si yo quiero tomar las pastillas combinadas y:

Tengo de 35 a 50 años y no fumo?

Tomar las pastillas combinadas puede aliviar los síntomas que pueden ocurrir en los años antes de la menopausia (reglas irregulares, abundantes o dolorosas, oleadas de calor, cambios del humor, adelgazamiento de las paredes vaginales. Las pastillas con 20 microgramos de estrógeno (Alesse, Levlite, LoEstrin 1 / 20, o Mircette)

Comenzando las Pastillas Combinadas en Diferentes Situaciones*

ANTES DE COMENZARLAS YO:	¿CUÁNDO COMIENZO?
No tengo una situación especial. Sólo quiero comenzarlas o recomenzar las pastillas de combinación	1) El 1er día de su próxima regla, **O** 2) Un domingo (que puede ser el día que su regla le comienza, o el domingo después de que le comenzó la regla). Use otro método anticonceptivo por una semana, **O** 3) En el día de su visita a la clínica; si no está embarazada, puede comenzar con las pastillas apropiadas para su tiempo en el ciclo (use otro método por una semana)
Tengo mi regla	1) El primer día de su regla, **O** 2) El domingo después que comience su próxima regla a menos que su regla comience en un domingo (en ese caso comience el día que se inicie el sangramiento), **O** 3) En el día de su visita a la clínica; si no está embarazada puede comenzar con la pastilla apropiada para el día de su ciclo
No me ha venido mi regla pero estoy segura de que no estoy embarazada	Usted puede comenzar el día de su visita a la clínica, o cualquier día después
He tenido un niño y estoy dando pecho	La Planificación Familiar sugiere que las pastillas se pueden usar pero que las mujeres que están dando pecho deben esperar 6 semanas para empezar
He tenido un niño y no estoy dando pecho (después de un embarazo de 24 o más semanas)	1) El día 21 después del parto, **O** 2) El domingo después del día 21 después del parto, ya que hay un aumento del riesgo de coágulos sanguíneos después del parto.
Ya termine de dar pecho pero aún no me ha venido la regla	1) Si tuvo el niño hace menos de seis meses, puede comenzar ya a tomarlas o el próximo domingo. 2) Si han pasado más de seis meses después del parto y no está embarazada, comience las pastillas y use otro método por una semana.
He tenido un aborto inducido en el primer trimestre **O** he tenido un aborto inducido en el segundo trimestre antes de las 24 semanas	Comience las pastillas el mismo día, o el día siguiente o el próximo domingo.
Me quiero cambiar de una pastilla con dosis más alta a una combinada con dosis más baja	Se puede cambiar el día que quiera. Use otro método por una semana sí hay un período de 7 días sin tomar pastillas antes de que tome la primera pastilla con dosis baja.
He estado tomando pastillas de sólo progestina y he tenido mi regla	1) Puede comenzar el primer día de su regla, **O** 2) el siguiente domingo.
He estado usando implantes de Norplant o DIU	Puede comenzar el día que se lo quiten o el siguiente domingo.
He estado usando Depo-Provera	Puede comenzar el ultimo día que la inyección es efectiva (día 91) o más temprano.
He estado tomando pastillas de sólo progestina y no he tenido mi regla	1) Puede comenzar el día de su visita a la clínica (cualquier día), después de confirmar que no está embarazada, **O**, 2) el día después que usted termine el paquete de pastillas de sólo progestina.
Estoy teniendo mi primera regla después de tomar anticoncepción de emergencia	Puede comenzar el primer o segundo día de su regla (si está segura de que el flujo es normal) o el día después de la segunda dosis del anticonceptivo de emergencia.

*Adaptado de Guillebaud J. *Contraception Today*, 3rd ed. London; Martín Dunitz Ltd. ,1997

SELECCIONANDO UNA PASTILLA
(Revise cada paso con su médico)

USTED QUIERE USAR "LA PASTILLA." USTED:

¿Fuma y tiene 35 o más años?

¿Tiene la presión sanguínea alta?

¿Tiene sangramiento vaginal inexplicado?

¿Tiene diabetes y complicaciones vasculares ya conocidas, o ha tenido diabetes por más de 20 años?

¿Tiene historia de coágulos sanguíneos en las piernas o pulmones, o historia actual o pasada de enfermedad isquemica del corazón (excepto si está anticoagulada)?

¿Le dan dolores de cabeza con síntomas visuales o neurológicos o ha tenido un derrame?

¿Tiene o ha tenido cáncer del seno (se pueden hacer excepciones si no ha habido evidencia de la enfermedad en los últimos 5 años)?

¿Tiene hepatitis viral activa o cirrosis hepática moderada o severa?

¿Está dando pecho actualmente?

¿Tiene historia de cirugía por la que estuvo inmovilizada en el mes recién pasado?

¿Tiene historia de ataques de enfermedad de la vesícula biliar mientras estaba tomando pastillas combinadas?

¿Tiene historia familiar de trombosis (coágulos sanguíneos)?

SÍ: si usted tiene una o más de las condiciones mencionadas arriba puede no ser posible que tome las pastillas combinadas. Si no puede usar las pastillas combinadas . . .

Opción 1: usted puede usar métodos no hormonales: condón masculino o femenino, DIU de Cobre T 380-A, diafragma, capuchón cervical, vasectomía, esterilización tubaria o métodos de planificación natural.

NO: si ninguna condición se le aplica, usted puede usar una pastilla que contenga estrógeno

Opción 2: usted puede usar métodos de sólo progestina: pastillas de sólo progestina (Micronor, Nor QD u Ovrette), inyecciones de Depo-Provera, implantes de Norplant o DIU Progestasert.

Usted puede usar cualquiera de las pastillas con menos de 50 microgramos dependiendo del costo, disponibilidad y experiencia suya y de su médico. Esto incluye las pastillas genéricas

---

OTRA INFORMACIÓN PARA AYUDARLE A ESCOGER:

- Tanto la Organización Mundial de la Salud como la Administración de Alimentos y Drogas (FDA por sus siglas en inglés) recomiendan usar pastillas con las dosis más bajas que sean efectivas. Todas las pastillas combinadas con menos de 50 microgramos son efectivas y seguras.
- Aunque no hay estudios que demuestren una disminución del riesgo de trombosis venosa profunda (coágulos severos en las piernas) en mujeres que estén tomando las pastillas de 20 microgramos, la información de las pastillas con dosis mayor demuestra que hay un menor riesgo de coágulos sanguíneos si la dosis de estrógenos es menor.
- Una pastilla de 20 microgramos puede causar menos náusea y sensibilidad mamaria.
- **La información en Canadá para todas las pastillas combinadas dice que pueden reducir el acné.** Todas las pastillas combinadas pueden ayudar a mejorar el acné. En algunos estudios las pastillas con los estrógenos norgestimato y desogestrel fueron más efectivas para aliviar el acné que otras pastillas. En los Estados Unidos solo la información de Tri-Cyclen dice que puede ser usada para el tratamiento del acné.
- Las mujeres deben saber que el manchado y el sangramiento intermenstrual mejoran con el paso del tiempo. Si no mejora con el paso del tiempo se puede usar una pastilla diferente o una marca diferente de pastillas (ver página 133)
- A algunas mujeres las preocupa el efecto de las pastillas sobre el colesterol. Aunque los estudios no han demostrado que unas pastillas son mejores que otras para bajar el colesterol, algunos profesionales de la salud le pueden dar una pastilla que contenga las hormonas norgestimato o desogestrel. Tanto Modicon como Brevicon y Ovcon 35 tienen efectos favorables sobre los lípidos. Los estrógenos tienen un efecto positivo sobre la pared de los vasos sanguíneos. Todas las pastillas combinadas elevan los triglicéridos, que son sustancias que sirven para elaborar el colesterol.

> ## He oído que hay mujeres que toman muchas pastillas activas (63 pastillas monofásicas o más) sin parar. ¿Cuáles son las razones para esto?
>
> - Migrañas sin problemas visuales, ("migrañas menstruales"), y otros problemas que ocurren durante el período en que no se toman las hormonas y que es cuando viene la regla
> - Reglas muy intensas o dolorosas durante la semana sin hormonas
> - Síndrome premenstrual severo incluyendo depresión
> - Estar tomando medicinas que hacen que las pastillas sean menos efectivas (medicinas para convulsiones y ciertos antibióticos)
> - Siempre que tenga alguna razón para pensar que las pastillas pueden ser menos efectivas (olvidarse de algunas pastillas en el mes o haber quedado embarazada aún tomando las pastillas correctamente)
> - Si usted lo hace por su conveniencia (Ej.: no quiere tener su regla durante sus vacaciones)
> - Para reducir el dolor asociado con la endometriosis
>
> Adaptado de Guillebaud J. *Contraception Today.* 3rd ed. London: Martin Dunitz Ltd., 1997

pueden ser preferibles para disminuir el riesgo de problemas de coagulación sanguínea.

Tengo quistes ováricos que me vuelven a aparecer?
Las pastillas con 35 microgramos o más de estrógeno pueden empeorar más los quistes, que una con dosis más baja. Usted se podría cambiar a una pastilla con más progestina o usar una monofásica (una pastilla con la misma cantidad y combinación de hormonas en todo el ciclo). Finalmente, revise con su médico la posibilidad de tomar las pastillas sin un período sin hormonas.

Tengo endometriosis?
Los objetivos del tratamiento son minimizar el engrosamiento de la capa interna del útero, disminuir los cólicos y el dolor durante las reglas, disminuir el reflujo de sangre hacia la cavidad pélvica, y evitar el sangramiento en los períodos libres de hormonas. Usted puede tomar tres ciclos o más de 21 pastillas activas continuamente (llamado "triciclear", vea el recuadro arriba).

Tengo historia familiar de cáncer del seno?
Este tema es complicado, pero en una revisión de todos los estudios sobre cáncer del seno y pastillas anticonceptivas, no se ha reportado un aumento estadísticamente significativo del riesgo de cáncer del seno relacionado directamente al uso de pastilla de combinación. Las mujeres que tienen los genes para cáncer del seno podrían usar anticonceptivos hormonales. Usted tiene que revisar cuidadosamente con su médico cuándo hay que hacerse los mamogramas y auto examinarse regularmente los senos. La mayoría de las organizaciones

recomiendan que se haga un mamograma anualmente después de los 40 años si tiene historia familiar de cáncer del seno. Hay que informarle a su médico de cualquier masa mamaria que se encuentre, y debe ser tratada o vigilada. La decisión es suya. Si desea usar pastillas de combinación, lo mejor es usar pastillas de dosis baja.

Estoy tomando una medicina que afecta el hígado?

Hay tres opciones para una mujer que está tomando medicinas que hacen que el hígado procese más rápidamente la pastilla haciéndola menos efectiva:

1. Tome una pastilla que tenga niveles mayores de estrógeno y progestina.
2. Tome 3 o 4 ciclos consecutivos de 21 pastillas activas, seguido de un intervalo acortado sin pastillas de 2–4 días. Continúe igual.
3. Use una pastilla con dosis baja (pero no muy baja) y use otro método de anticoncepción, como los preservativos, porque la medicina puede volver las pastillas menos efectivas.

Estoy tomando un antibiótico de amplio espectro como tetraciclina, ampicilina o eritromicina?

No hay evidencia que el uso a corto o largo plazo de antibióticos de amplio espectro disminuya la efectividad de las pastillas combinadas de dosis baja en mujeres que las toman correctamente. Cuando se usan estos antibióticos, algunos proveedores de salud recomiendan que en las dos primeras semanas se use anticoncepción de apoyo como los preservativos. Aunque los estudios no muestran que haya una disminución de la efectividad, esto debido a que la hormona progestina continua actuando como anticonceptivo, algunos médicos piensan que es mejor sugerirle a la mujer que use un método de apoyo, como los preservativos, mientras esté tomando los antibióticos. Las enfermedades que le requieran tomar antibióticos pueden interferir en la capacidad de su organismo para absorber y utilizar la pastilla efectivamente. Por lo tanto, puede ser una buena idea usar un método de apoyo cuando usted esté enferma. Si usted está tomando antibióticos para una enfermedad de transmisión sexual, definitivamente es una buena idea usar los preservativos.

Estoy dando pecho?

Es probablemente mejor usar las pastillas de sólo progestina. Si se usan las pastillas combinadas los autores creen que es mejor usar las pastillas con la dosis menor de estrógeno y comenzar únicamente hasta después que se ha establecido bien la lactancia o después de seis meses de estar lactando. Es una buena idea comenzar las pastillas de combinación u otro método efectivo de anticoncepción tan pronto como la mujer le comienza a dar otro tipo de alimentos o cuando comienza a quitar el pecho.

Tengo el colesterol total alto (cerca de 300)?

Si fuma, deje de fumar. Necesita que le midan su nivel lípido (HDL, LDL y triglicéridos). Es posible que pueda comenzar a tomar las pastillas. Si tiene una relación baja HDL/LDL, seleccione una pastilla de las que mejoran esa relación,

(Ortho-Cyclen; Ortho Try-cyclen; Desogen; Ortho-Cept; Ovcon 35; Mircette; Modicon o Brevicon). Si usted tiene los triglicéridos altos (350–400 ó más) considere un método de sólo progestina. Hable con su médico o un nutricionista acerca de su dieta y hágase exámenes de seguimiento del nivel del colesterol.

¿Qué guías necesito seguir?

- Va a necesitar exámenes periódicos una vez que comience a tomar las pastillas combinadas; vuelva a ver a su médico para revisar cualquiera de los problemas antes mencionados, si desarrolla cualquiera de los signos de alarma (dolor abdominal, dolor de pecho, dolor de cabeza, problemas oculares como visión borrosa o pérdida de visión y dolor severo de las piernas, o si tiene alguna pregunta.
- Tómese una pastilla a la misma hora todos los días; tomar la pastilla cuando usted hace algo que hace todos los días, como cepillarse los dientes, le puede ayudar a tomarse las pastillas diariamente; usted puede desear usar un método de apoyo la primera semana.
- La náusea y el manchado (sangramiento escaso) son más comunes en los primeros meses de uso de las pastillas
- En ciertos casos algunas clínicas le enviarán por correo las pastillas—pregúntele a su médico.
- Las drogas o el alcohol pueden reducir la efectividad de las pastillas. Por ejemplo, el estar ebrio o usar otras drogas puede aumentar el riesgo de que se le olvide tomar las pastillas.

¿Necesito consultarle a mi médico? primero pregúntese:

Las que siguen son preguntas importantes que le ayudarán a evaluar su uso de las pastillas combinadas. Después que comience las pastillas combinadas, si usted contesta "Sí" a alguna de las preguntas, hable con su médico para encontrar la mejor solución.

- ❏ ¿He tenido náusea o vómitos?
- ❏ ¿Estoy manchando o teniendo sangramiento vaginal irregular?
- ❏ ¿No me viene la regla de vez en cuando?
- ❏ ¿Están sensibles mis senos o me he encontrado algún nódulo en ellos?
- ❏ ¿He estado deprimida o he tenido ansiedad severa o cambios de ánimo?
- ❏ ¿He notado que ha bajado mi interés en las relaciones sexuales?
- ❏ ¿Ha disminuido mi habilidad para tener un orgasmo?
- ❏ ¿He aumentado 5 o más libras de peso?
- ❏ ¿Se me ha subido la presión sanguínea?
- ❏ ¿He comenzado a fumar o estoy fumando más?
- ❏ ¿Estoy tomando medicinas para convulsiones?
- ❏ ¿Se me olvida con frecuencia tomar las pastillas?
- ❏ ¿He cambiado de compañero sexual?
- ❏ He tenido cualquiera de los siguientes síntomas:

¿Qué pasa si:

Tengo náusea?
La náusea usualmente se va después de los primeros ciclos de pastillas. Tomarse las pastillas a la hora de acostarse, con la cena, o a la mitad de un desayuno ligero puede ayudar. Si usted vomita en la siguiente hora después de tomarse una pastilla, tómese otra de otro paquete. Si la náusea persiste cámbiese a una pastilla de 20 microgramos (Alesse, Levlite, LoEstrin 1/20 o Mircette). Si esto no ayuda con la náusea, cámbiese a una pastilla de sólo progestina.

Tengo manchas y/o sangramiento intermenstrual? (página 136)
Las manchas y el sangramiento intermenstrual tienden a desaparecer después de los primeros ciclos. Tomarse la pastilla a la misma hora todos los días puede ayudar. Su médico también podría aumentar la dosis de progestina o de estrógeno. Subiendo el estrógeno paso a paso (Estrostep) puede ayudarle o se puede cambiar a una pastilla de 30–35 microgramos. Vea el Flujograma en la Página 136.

Se me olvidó una pastilla? (página 138)
Tome la pastilla que se le olvidó tan pronto como se acuerde. Toma la próxima pastilla de acuerdo al horario usual. Usted debería usar anticoncepción de emergencia o anticoncepción de apoyo si definitivamente no desea quedar embarazada.

No me vino la regla tomando las pastillas combinadas?
Vea el Flujograma en la página 137.

Quedé embarazada aunque estaba tomando las pastillas correctamente?
Tome 3 o 4 ciclos seguidos de pastillas activas seguidos de un intervalo sin pastillas de 4 días. Repita este regimen; **O** tome pastillas con 50 microgramos de etinil estradiol (pastilla con alta dosis de estrógeno y progestina); **O** tome las pastillas de dosis baja pero disminuya el período sin pastillas a 2 o 4 días y use anticoncepción de apoyo como preservativos.

Me dan oleadas de calor en la semana que no tomo las pastillas?
Una dosis baja de estrógenos durante la semana que no toma las pastillas minimizará los síntomas. Tome Mircette, ya que tiene sólo dos días sin estrógenos

(aunque no se ha demostrado que va a dar resultado con las oleadas de calor). Hable con su médico acerca de tomar las pastillas continuamente.

Me quiero cambiar de las pastillas combinadas a la terapia de reemplazo hormonal?
Vea el Flujograma en la página 139.

¿Qué pasa si quiero quedar embarazada después de tomar las pastillas combinadas?

- Aunque no ovule o no le venga la regla por unos meses, el retorno a la fertilidad es excelente.
- No causa daño al feto si se toma por accidente cuando está embarazada.
- Si usted tenia reglas dolorosas, infrecuentes o irregulares antes de comenzar las pastillas, probablemente volverá a tenerlas lo mismo que antes de tomarlas.

> **Si usted tiene alguna pregunta hágala a**
> *www.managingcontraception.com*

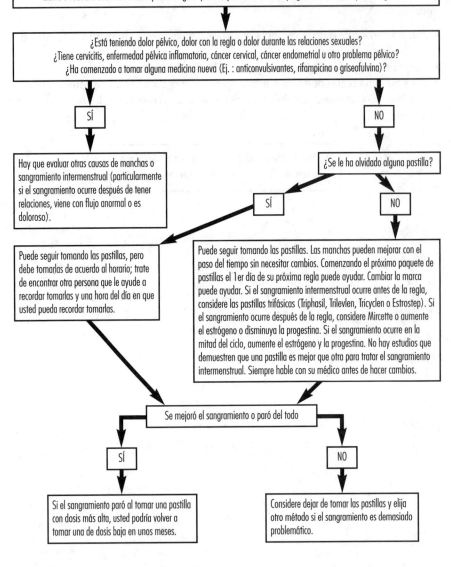

¿QUÉ PASA SI TENGO MANCHAS O SANGRAMIENTO INTERMENSTRUAL
y estoy tomando pastillas combinadas?

Si Usted tiene MANCHAS O SANGRAMIENTO INTERMENSTRUAL y está tomando pastillas combinadas
Llame o vuelva a donde su médico para averiguar qué está pasando. Le van a preguntar o examinar para lo siguiente:

¿Está teniendo dolor pélvico, dolor con la regla o dolor durante las relaciones sexuales?
¿Tiene cervicitis, enfermedad pélvica inflamatoria, cáncer cervical, cáncer endometrial u otro problema pélvico?
¿Ha comenzado a tomar alguna medicina nueva (Ej.: anticonvulsivantes, rifampicina o griseofulvina)?

SÍ

NO

Hay que evaluar otras causas de manchas o sangramiento intermenstrual (particularmente si el sangramiento ocurre después de tener relaciones, viene con flujo anormal o es doloroso).

¿Se le ha olvidado alguna pastilla?

SÍ

NO

Puede seguir tomando las pastillas, pero debe tomarlas de acuerdo al horario; trate de encontrar otra persona que le ayude a recordar tomarlas y una hora del día en que usted pueda recordar tomarlas.

Puede seguir tomando las pastillas. Las manchas pueden mejorar con el paso del tiempo sin necesitar cambios. Comenzando el próximo paquete de pastillas el 1er día de su próxima regla puede ayudar. Cambiar la marca puede ayudar. Si el sangramiento intermenstrual ocurre antes de la regla, considere las pastillas trifásicas (Triphasil, Trilevlen, Tricyclen o Estrostep). Si el sangramiento ocurre después de la regla, considere Mircette o aumente el estrógeno o disminuya la progestina. Si el sangramiento ocurre en la mitad del ciclo, aumente el estrógeno y la progestina. No hay estudios que demuestren que una pastilla es mejor que otra para tratar el sangramiento intermenstrual. Siempre hable con su médico antes de hacer cambios.

Se mejoró el sangramiento o paró del todo

SÍ

NO

Si el sangramiento paró al tomar una pastilla con dosis más alta, usted podría volver a tomar una de dosis baja en unos meses.

Considere dejar de tomar las pastillas y elija otro método si el sangramiento es demasiado problemático.

¿QUÉ HAGO SI NO ME HA VENIDO LA REGLA
Y estoy tomando pastillas combinadas?

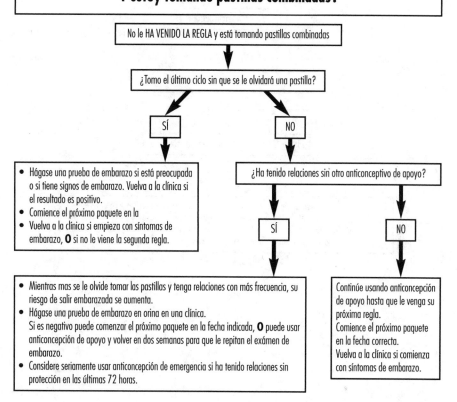

No le HA VENIDO LA REGLA y está tomando pastillas combinadas

↓

¿Tomo el último ciclo sin que se le olvidará una pastilla?

SÍ

- Hágase una prueba de embarazo si está preocupada o si tiene signos de embarazo. Vuelva a la clínica si el resultado es positivo.
- Comience el próximo paquete en la
- Vuelva a la clínica si empieza con síntomas de embarazo, **O** si no le viene la segunda regla.

NO

¿Ha tenido relaciones sin otro anticonceptivo de apoyo?

SÍ

- Mientras mas se le olvide tomar las pastillas y tenga relaciones con más frecuencia, su riesgo de salir embarazada se aumenta.
- Hágase una prueba de embarazo en orina en una clínica.
  Si es negativo puede comenzar el próximo paquete en la fecha indicada, **O** puede usar anticoncepción de apoyo y volver en dos semanas para que le repitan el exámen de embarazo.
- Considere seriamente usar anticoncepción de emergencia si ha tenido relaciones sin protección en las últimas 72 horas.

NO

Continúe usando anticoncepción de apoyo hasta que le venga su próxima regla.
Comience el próximo paquete en la fecha correcta.
Vuelva a la clínica si comienza con síntomas de embarazo.

¿QUÉ HAGO SI SE ME OLVIDA TOMAR UNA PASTILLA?

Se le olvidó una pastilla.

Tómese la pastilla que se le olvidó tan pronto como pueda.

Tómese la siguiente pastilla de acuerdo al horario.

NOTA: usted puede usar anticoncepción de emergencia o de apoyo durante la siguiente semana aunque sólo se le haya olvidado una pastilla, si usted quiere hacer lo posible para minimizar la posibilidad de un embarazo no deseado. Llame al 1-888-NOT-2-LATE para saber acerca de las opciones de anticoncepción de emergencia y para los teléfonos de las cinco clínicas más cercanas a usted en donde le puedan prescribir anticonceptivos de emergencia.

¿QUÉ HAGO SI QUIERO CAMBIAR
de pastillas combinadas a terapia de reemplazo hormonal?

Usted está tomando pastillas combinadas y quiere cambiarse a la terapia de reemplazo hormonal

Opción 1: siga tomando las pastillas combinadas hasta la edad de la menopausia de su mamá. A esa edad su médico puede chequear sus niveles hormonales (FSH/LH) y si sugieren menopausia, **comenzar la terapia de reemplazo hormonal**, si esto es apropiado para usted (Creinin, 1999). **Este enfoque es caro y el exámen de FSH no es tan confiable.**

Opción 2: siga tomando las pastillas combinadas hasta los 50 años. A esa edad su médico puede chequear sus niveles hormonales (FSH/LH) y si sugieren menopausia, **comenzar la terapia de reemplazo hormonal,** si esto es apropiado para usted. (Creinin, 1999). **Este enfoque es caro y el exámen de FSH no es tan confiable.**

Opción 3: siga tomando las pastillas combinadas hasta los 50 años.

- A los 50–52 años deje de tomar las pastillas combinadas.
- Use preservativos o métodos de barrera hasta que no haya tenido reglas durante doce meses.
- **Comience la terapia de reemplazo hormonal** si esto es apropiado para usted.
- *Este enfoque la va a proteger de un embarazo no deseado, pero puede tener algunos síntomas molestos de la menopausia.*

A los 55 años deje de tomar las pastillas combinadas. Después, sin hacerse exámenes hormonales, **comience la terapia de reemplazo hormonal**, si esto es apropiado para usted. Este es un buen enfoque que ha sido llamado "libre de exámenes de laboratorio" para la conversión de las pastillas a la terapia de reemplazo hormonal.

NOTA: No todas las mujeres van a necesitar o querer tomar terapia de reemplazo hormonal. Esta decisión debe ser cuidadosamente revisada por la mujer y su médico de tal manera que se tome la mejor decisión para ella.

INYECCIONES COMBINADAS

¿Qué son las inyecciones combinadas?

Es una inyección de hormonas (estrógeno y progestina) que usted se pone una vez al mes. Ya está disponible en los Estados Unidos con el nombre de Lunelle. No la confunda con la inyección de cada tres meses que llamada Depo-Provera.

¿Qué tan efectivas son las inyecciones combinadas?

Índice de falla de uso-perfecto en el primer año: **0.2–0.4%** (2–4 mujeres por cada mil que la están usando quedan embarazadas en el primer año)

Índice de falla uso-típico en el primer año: **la misma**

¿Cómo funcionan las inyecciones combinadas?

Previenen la ovulación y el estrógeno mantiene estable (normal) la capa interna del útero.

¿Cuánto cuestan las inyecciones combinadas?

El costo de una inyección es igual al de un paquete de pastillas combinadas. El costo por ponerse la inyección varía.

¿Cuáles son las ventajas de las inyecciones combinadas?

- Comparadas con Depo-Provera, las reglas son más normales y las mujeres tienen un nivel normal de estrógeno.
- Una sola inyección le da protección por un mes; no hay que tener otras precauciones al momento de tener relaciones.
- Privada y confidencial.
- La fertilidad vuelve rápidamente (en un promedio de tres meses).
- No hay suficiente información a largo plazo para estar absolutamente seguro respecto a la relación de las inyecciones combinadas y los cánceres y tumores.
- No se conoce que aumenten el riesgo de cáncer del seno.
- Muy efectivas.

¿Cuáles son las desventajas de las inyecciones combinadas?

- Reglas irregulares (menos problema que con la Depo-Provera).
- Debe venir a la clínica cada 30 días (a menos que usted aprenda a inyectarse sola y su médico esté dispuesto a darle 6 o 12 inyecciones).
- Puede ser que a usted no le guste ponerse una inyección cada mes.
- Una vez que se pone la inyección el efecto no se puede eliminar hasta que pasa el periodo de actividad de las hormonas.

- No hay suficiente información a largo plazo para estar absolutamente seguro respecto a la relación de las inyecciones combinadas y los cánceres y tumores.
- No es ideal para mujeres dando pecho.
- Sensibilidad en los senos.

¿Quién puede usar las inyecciones combinadas?

Las mujeres que:

- Pueden usar las pastillas combinadas.
- Las que quieren un método altamente efectivo pero reversible.
- Las que quieren tener un hijo en 1 a 2 años.
- Las que no quieren estar tomando pastillas todos los días.

¿Que hay con los adolescentes?
Como se requiere una visita mensual a la clínica, esto podría ser difícil para los adolescentes.

ANILLO VAGINAL ANTICONCEPTIVO

¿Qué es el anillo vaginal anticonceptivo?

El anillo vaginal anticonceptivo fue aprobado por la FDA en Noviembre de 2001 y se vende bajo el nombre de NuvaRing; es un anillo flexible de 2 pulgadas de diámetro y un cuarto de pulgada de grueso. Contiene las hormonas estrógeno y progestina, las que se liberan al torrente sanguíneo a través de la vagina. El anillo se deja en su sitio durante 3 semanas y luego se retira durante 1 semana para permitir que venga la regla. Comparado con los anticonceptivos orales, los que dan hormonas diariamente, el anillo mantiene una liberación baja pero continua de hormonas mientras está dentro de la vagina.

¿Cómo funciona el anillo vaginal anticonceptivo?

Similar a las pastillas anticonceptivas combinadas (vea arriba), el estrógeno y la progestina en el anillo vaginal anticonceptivo previenen la ovulación, ó sea la producción de un óvulo (Mulders y Dieben, 2001). Estas hormonas se absorben en la sangre a través de la vagina mientras el anillo está colocado en la misma. En la semana en que se retira el anillo no hay hormonas que lleguen al cuerpo y entonces la mujer tiene la regla.

¿Qué tan efectivo es el anillo vaginal anticonceptivo?

Índice de falla con usuario perfecto: 0.3%
Índice de falla del usuario típico: 8.0%

¿Cuánto vale el anillo anticonceptivo vaginal?

• Cada anillo vale aproximadamente lo mismo que un paquete de pastillas anticonceptivas combinadas (ver arriba).

¿Cuáles son la ventajas del anillo vaginal anticonceptivo?

• Cuando se usa el anillo no hay nada que hacer en el momento de la relación sexual o todos los días. Por lo tanto puede ser esto más fácil para algunas mujeres que tomar una pastilla diaria.
• La mayoría de las mujeres que usan el anillo van a tener su regla mensual con sangramiento vaginales irregulares ocasionales (Roumen et al, 2001).

¿Cuáles son las desventajas del anillo anticonceptivo vaginal?

• El anillo no da protección contra las infecciones incluyendo el VIH/ SIDA. Aproximadamente un cuarto (20%–27%) de las mujeres en un estudio, tuvieron sangramiento que continuó aun después que un nuevo anillo fue insertado (Roumen, 2001).
• Un pequeño porcentaje de mujeres (2%–5%) en el mismo estudio tuvieron problemas como molestias vaginales durante las relaciones, flujo vaginal o infección vaginal (Roumen, 2001).

¿Cómo debo usar el anillo anticonceptivo vaginal?

1. La mujer debe consultar a un médico para que obtener una receta para el anillo anticonceptivo vaginal.
2. Hable con su médico o lea la información que acompaña al anillo para que conozca las instrucciones al detalle de cómo comenzar a usar el anillo y cómo insertarlo y retirarlo.
3. Inserte el anillo en cualquier momento durante los primeros 5 días de una menstruación normal. Use un método de apoyo como preservativos durante los primeros 7 días del uso del anillo (Hatcher et al, 2002).
4. Retire el anillo después de 3 semanas de uso y pase una semana sin él. Después de la semana sin el anillo, inserte un nuevo anillo y utilícelo durante 3 semanas.
5. No es necesario o recomendado retirar el anillo durante las relaciones sexuales; sin embargo si usted desea retirar el anillo, este debe de estar fuera de la vagina por no más de 3 horas (Hatcher et al, 2002).

PARCHE ANTICONCEPTIVO

¿Qué es el parche anticonceptivo?

La FDA aprobó en Noviembre del 2001 el parche anticonceptivo y se vende con el nombre de Ortho Evra; es un parche de 4.5 cm cuadrados que la mujer utiliza durante una semana por cada una de 3 semanas consecutivas, colocándolo usualmente en el abdomen inferior o en las nalgas. También puede aplicarse en la parte exterior del brazo o en la parte superior del torso, aunque no en los pechos. Después de 3 semanas la mujer pasa una semana sin usarlo y en esa semana le vendrá la menstruación.

¿Cómo funciona el parche anticonceptivo?

Lo mismo que las pastillas anticonceptivas de combinación (vea arriba), el estrógeno y la progestina en el parche anticonceptivo previenen la ovulación, o sea la producción de un óvulo y hace que la parte interna del útero se mantenga delgada. Estas hormonas se absorben a través de la piel y pasan a la sangre (esto se llama administración transdérmica). Durante la semana cuando no se usa el parche a la mujer le viene la regla, ya que no entran hormonas a la sangre.

¿Qué tan efectivo es el parche anticonceptivo?

Índice de falla de usuario perfecto: 0.3%
Índice de falla del usuario típico: 8.0%

- Investigaciones clínicas sugieren que la tasa de embarazo tiende a ser mayor en las mujeres que tienen exceso de peso mayor de 198 libras (Zieman, et al, 2001; Smallwood, 2001).

¿Cuánto vale el parche anticonceptivo?

- El parche Evra se espera que valga lo mismo que un ciclo de pastillas anticonceptivas de combinación.

¿Cuáles son las ventajas del parche anticonceptivo?

- Cuando se usa el parche no hay nada que tenga que hacerse todos los días.
- Para algunas mujeres el usar el parche puede ser más fácil que tomar las pastillas todos los días. En un estudio el parche fue usado perfectamente por las mujeres en 88% de su ciclo (mucho mejor que las mujeres que tomaban pastillas) (Audet, 2001).
- La mujer puede usar el parche a cualquier edad durante sus años reproductivos (Hatcher, Nelson, et al, 2002).
- Ya que no hay nada que hacer en el momento de las relaciones sexuales estas pueden ser más agradables.

¿Cuáles son las desventajas del parche anticonceptivo?

- El parche anticonceptivo no da protección contra las infecciones incluyendo el VIH/ SIDA.
- En un estudio, aproximadamente un quinto de las mujeres que usaron el parche tuvieron sangramiento intermenstrual o manchado durante el primer ciclo (Audet 2001).
- La mujer debe quitarse y ponerse otro parche nuevo cada semana. En el mismo

estudio 4.6% de las mujeres tuvieron problemas con despegamiento parcial o completo del parche (Audet 2001).

- Otros problemas incluyeron irritación en el sitio en donde el parche se aplicó, náusea y molestias en los pechos, particularmente en el primer y segundo ciclo.
- El parche Evra viene sólo de un tono de beige, lo cual, dependiendo del color de su piel, lo hace más visible en algunas mujeres.
- El parche parece ser menos efectivo en mujeres que pesan más de 198 Lbs.

¿Cómo se usa el parche anticonceptivo?

1. La mujer debe consultar con un médico para que le de una receta para el parche anticonceptivo.
2. Hable con su médico y lea la hoja de información para que tenga instrucciones detalladas de cómo comenzar a usar el parche y cómo aplicarlo a la piel. Usted también puede consultar el sitio web del producto: *www.orthoevra.com.*
3. Póngase un nuevo parche el mismo día de la semana durante 3 semanas consecutivas por un total de 21 días. Use el parche continuamente durante 7 días, ó sea una semana y no aplique el parche durante la cuarta semana. Su período menstrual le va a venir durante la semana que no utilice el parche. Cada nuevo parche debe ser aplicado el mismo día de cada semana.
4. Sólo debe ponerse un parche a la vez.
5. El día en que la semana cuatro termina, comience un nuevo ciclo de 4 semanas aplicándose un nuevo parche. El parche se puede aplicar en las nalgas, en el abdomen, en el torso superior ya sea en el frente o la espalda, excluyendo los pechos o en la parte externa de los brazos. No aplique el parche sobre piel que esté roja, irritada o cortada, o en lugares en que usted se pone maquillaje, lociones, cremas, polvos u otros productos personales. Esto puede hacer que el parche se desprenda de la piel.
6. Se debe mantener el parche mientras se ducha o se baña, o mientras está nadando o haciendo ejercicio.
7. No decore o corte el parche. Si modifica el parche esto puede afectar la cantidad de medicinas que se absorben a través de la piel hacia la sangre, lo cual puede aumentar el riesgo de que salga embarazada (Ortho-McNeil Pharmaceutical, 2001).

CAPÍTULO 27

Anticoncepción Hormonal con Sólo Progestina

PASTILLAS DE SÓLO PROGESTINA

¿Qué son las pastillas de sólo progestina?

Las pastillas de sólo progestina contienen sólo una progestina y se toman todos los días (no hay un día sin hormonas o pastillas de placebo) cada pastilla tiene menos Progestina que las pastillas de combinación. El Micronor y el NOR-QD tienen cada uno sólo 0.35 mg de Noretindrona, un tipo de progestina. Las Pastillas de Ovrette tienen cada una 0.075 mg de Norgestrel, otro tipo de progestina.

¿Cómo funcionan las pastillas de sólo progestina?

Las pastillas de sólo progestina funcionan de 3 maneras: paran la ovulación en aproximadamente 50% de los ciclos; hacen más espeso el moco cervical lo que impide que los espermatozoides entren adentro del útero, y vuelven el tejido de la cavidad interna del utero muy delgado, lo que previene la implantación.

¿Qué tan efectivas son las pastillas de sólo progestina?

Índice de falla en el primer año con uso perfecto: **0.5%** (si 200 mujeres toman las pastillas de sólo progestina durante 1 año, sólo una va a salir embarazada en el primer año de uso).

Índice de falla en el primer año con uso tipico: **5.0%**

Trussell J, *Contraceptive Tecnology,* 1998.

¿Cuánto cuestan las pastillas de sólo progestina?

	Medicina Prepagada	Medicina Pública
Pastillas	**$21.00** por ciclo	**$17.70** por ciclo
Visita a la Clínica	**$38.00**	**$16.56** Dólares

Trussell, 1995; Smith, 1993

¿Cuáles son las ventajas del método de pastillas de sólo progestina?

- Disminuye los calambres y el dolor durante la regla, incluyendo problemas que otros tratamientos no han podido ayudar; en algunas mujeres disminuye el dolor al momento de la ovulación.
- Disminuye la pérdida de sangre con las reglas.
- Es posible que aumente el placer sexual ya que hay menos riesgo de embarazo.
- Puede mejorar la depresión.
- Es posible que protejan contra el cáncer de ovario y endometrio.
- Es una buena opción para mujeres que están dando pecho (inmediatamente después del parto o 3 a 6 semanas después del mismo) siempre que ya se haya establecido el flujo de leche.
- Puede ser usado por mujeres que no pueden tomar pastillas que contengan estrógenos.
- Puede ser usada por mujeres que han tendio tromboflebitis (venas inflamadas).
- Puede ser usado por mujeres que fuman y que son mayores de 35 años.
- Es más fácil acordarse de tomárselas todos los días sin que hayan días en que no hay que tomar nada.
- Hay menos náuseas y vómitos que con las pastillas de combinación.
- Se tienen menos dolores de cabeza que los que ocurren en mujeres que están tomando pastillas de combinación.
- Causan menos cloasma (manchas en la cara) que las pastillas de combinación.
- Se pueden tomar durante todos los años reproductivos y es fácilmente reversible.

¿Cuáles son las desventajas de las pastillas de sólo progestina?

- El patron de sangramiento irregular puede significar más días de sangramiento (pero con menos pérdida de sangre), menstruaciones que no vienen, muy poco sangramiento, manchado o sangramiento entre reglas.
- Tiene que tomársela todos los días a la misma hora. Es muy importante mantener esta rutina ya que las pastillas de sólo Progestina causan que el moco cervical se haga espeso sólo durante 22 a 24 horas.
- Aproximadamente a un 10% de las mujeres no les viene la regla (esto es más alto en las mujeres que están dando pecho).
- La depresión puede empeorar pero es más probable que se mejore.
- Ansiedad, fatiga o cambios del carácter.
- Puede reducir el riesgo del cancer endometrial,pero en general, ofrece menos protección contra el cancer que las pastillas combinadas.
- No hay protección contra las infecciones vaginales. Usted debe usar preservativos si está en riesgo.
- Son menos efectivas que las pastillas combinadas.
- Son caras.
- Algunas farmacias no ofrecen las pastillas de sólo Progestina, pero si las ofrecen la mayoría.
- Dolores de cabeza.

- Cambios en le apetito, pérdida o aumento de peso.

¿Cuáles son los riesgos de las pastillas de sólo progestina?

- La alergia a las hormonas Norgestrel o Noretrindrona es rara.
- Las mujeres que están dando pecho y que tuvieron diabetes gestacional tienen casi 3 veces más riesgo de desarrollar una diabetes tipo II cuando toman las pastillas de sólo Progestina que las mujeres que están dando pecho y que están tomando pastillas combinadas (Kjos, 1998).

¿Son las pastillas de sólo progestina el método adecuado para mí?

NOTA: Si usted acaba de dar a luz, está dando pecho y quiere usar las pastillas de sólo Progestina, el uso de estas puede ser apropiado. En algunas partes muy pocas mujeres vuelven al hospital o a la clínica después del parto, por lo que algunos médicos les dan las pastillas de sólo Progestina a las mujeres antes que salgan del hospital y les piden que las comiencen a tomar cuando ya estén en su casa. Sin embargo, es importante saber que todavía hay cierto desacuerdo estre los expertos acerca de comenzar las pastillas de sólo Progestina el día que usted sale el hospital si usted está dando pecho. Específicamente los expertos están en desacuerdo acerca del impacto negativo que puede tener la Progestina imediatamente posparto sobre la producción de leche.

Hágase las siguientes preguntas. Si usted contesta NO a TODAS las preguntas usted puede usar las pastillas de sólo progestina si así lo desea; si usted contesta SÍ a alguna de las preguntas más adelante, siga las intrucciones; en algunos casos aún podría usar las pastillas de sólo Progestina.

1. *¿Piensa que está embarazada?*
   - ❑ NO
   - ❑ SÍ   Hágase una prueba de embarazo; si usted puede estar embarazada use preservativos o espermicidas hasta que usted esté razonablemente segura que no está embarazada. En ese momento puede comenzar las pastillas de sólo Progestina.

2. *¿Tiene o ha tenido cáncer del seno?*
   - ❑ NO
   - ❑ SÍ   No tome las pastillas de sólo Progestina; su médico le puede ayudar a seleccionar un método sin hormonas.

3. *¿Tiene ictericia, problemas severos o tumores del hígado? (¿Están sus ojos o su piel muy amarillas?)*
   - ❑ NO
   - ❑ SÍ   Necesita que le hagan un exámen físico si tiene una enfermedad seria y activa del hígado (ictericia, hígado agradando o doloroso, hepatitis viral activa, tumor hepático). Usted no debe tomar pastillas de sólo Progestina y debe recibir tratamiento. Su médico le puede ayudar a seleccionar un método sin hormonas.

4. ¿*Tiene sangramiento vaginal que es raro en usted?*
   ☐ NO
   ☐ SÍ   Si no es probable que esté embarazada y tiene sangramiento vaginal
           inexplicado, usted podría tomar las pastillas de sólo Progestina, pero
           necesita que la evaluen y la traten si tiene algun problema subyacente.
           El uso de las pastillas de sólo Progestina debe de ser reevaluado
           después de su exámen o tratamiento.

5. ¿*Está usted tomando medicina para convulsiones? ¿Está tomando los antibióticos*
   rimanpicina o griseofulvina?
   ☐ NO
   ☐ SÍ   Si está tomando medicinas para convulsiones o los antibióticos
           rimampicina o griseofulvina, use un preservativo o espermicida de
           manera consistente con las pastillas de sólo progestina, ya que estas
           medicinas pueden reducir la efectividad de las pastillas de sólo
           progestina. Si usted lo prefiere o si esta en tratamiento a largo plazo, su
           médico le puede ayudar a seleccionar otro método anticonceptivo.

¿Quiénes pueden tomar pastillas de sólo progestina?

- Mujeres que están dando pecho y no tuvieron diabetes gestacional.
- Mujeres que no pueden tomar estrógenos debido a que les da náusea o vómitos o
  sensibilidad de los pechos, coágulos en las piernas o en los pulmones o que
  fuman y son mayores de 35 años.
- Mujeres con migrañas, especialmente con síntomas focales neurológicos cuando
  toman pastillas combinadas.
- Mujeres jóvenes y mujeres durante todos sus años reproductivos.
- Mujeres que van a usar preservativos si están a riesgo de infección.
- Mujeres que acaban de tener un aborto.
- Mujeres que no están embarazadas.

Situaciones especiales:

¿*Y si quedé embarazada mientras estaba tomando correctamente las pastillas de sólo*
progestina?

- Considere tomar pastillas combinadas o use un método de apoyo todo el tiempo
  que tome las pastillas de sólo progestina.

¿Cómo comiezo el método?

- Si *no hay preocupaciones de coágulos sanguíneos:* usted puede comenzar a tomar
  las pastillas de sólo progestina el día que salga del hospital después del parto.
- Si *está dando pecho:* algunos comienzan las pastillas de sólo progestina
  inmediatamente después del parto; otros comienzan más tarde (vea la página 62)
- *Después de un aborto espontáneo o inducido:* comience el mismo día

- *Si está teniendo reglas:* puede comenzar en cualquier momento si está segura de que no está embarazada, pero . . .
- *Si no las está comenzando en los primeros cinco días de su regla:* descarte la posibilidad de embarazo haciéndose una prueba de embarazo, use un preservativo durante cinco días o espere hasta su próximo embarazo.
- *Si se está cambiando de otro método:* comience las pastillas de sólo progestina inmediatamente. No hay que esperar a que le venga su regla.
- Use un método de apoyo durante las dos primeras semanas (tal vez de manera regular en algunas de las situaciones mencionadas antes). Otras mujeres en las que se debe considerar el uso de otro método de apoyo son mujeres con riesgo continuo de infección, tienen problemas para acordarse de tomar las pastillas a la misma hora todos los días y en aquellas en las que evitar el embarazo es de una alta prioridad.

¿Qué guías debo seguir?

- Tómese una pastilla todos los días a la misma hora. Comience el próximo paquete al día siguiente de que terminó el anterior.
- Si hay riesgo de infección use preservativos siempre.
- Las drogas y el alcohol disminuyen la efectividad de las pastillas de sólo progestina. Por ejemplo, el estar embriagada o estar usando otras drogas aumenta las posibilidades de olvidarse de una pastilla.
- Si se le olvida tomar una pastilla use anticoncepción de apoyo durante siete días; considere el uso de anticoncepción de emergencia dependiendo de cuanto usted quiere evitar un embarazo.

¿Necesito consultar al médico? pregúntese:

A continuación hay preguntas importantes que le van a ayudar a evaluar el uso de las pastillas de sólo progestina. Si después de comenzar las pastillas de sólo progestina usted contesta SÍ a alguna de las preguntas, hable con su profesional de salud para encontrar la mejor solución.

- ❏ ¿No me ha venido alguna regla? (Hay algún signo de embarazo)
- ❏ ¿He tenido sangramientos irregulares o fuertes?
- ❏ ¿He tenido dolores de cabeza o problemas con la vista?

¿Qué pasa si?

No me vienen las reglas?
Que no le vengan las reglas mientras esté tomando estas pastillas no causa problemas. Usted debe asegurarse de que no está embarazada si no le viene su primera regla, especialmente si tiene síntomas de embarazo.

Tiene sangramiento irregular?
El sangramiento irregular es típico y no es dañino. Si le molesta puede tomar medicinas para que se pare (como el ibuprofen o una pastilla de combinación).

Puede ser que necesite que la examinen para descartar un embarazo ectópico o una infección. Si el sangramiento o las manchas ocurren después de tener relaciones, debe ser examinada para ver si no tiene una infección. Llame a su médico si está preocupada.

Tengo sangramiento fuerte?
Si el dolor, los calambres o el sangramiento le molestan, una medicina como el ibuprofeno puede ayudarle. Esta droga disminuye el dolor y el sangramiento. Usar una pastilla combinada puede ayudar. Puede necesitar en algunos casos que le hagan un examen de sangre.

Tengo dolor abdominal?
Si tiene un embarazo ectópico tiene que ser tratada o referida. Si tiene quistes en los ovarios, puede continuar tomando las pastillas de sólo Progestina, recordando que esos quistes usualmente desaparecen sin cirugía. Vuelva a la clínica en tres semanas para asegurarse que los quistes ya desaparecieron. Si el dolor es por otras causas o los quistes están causando problemas serios, necesita ser tratada o referida.

¿Tengo dolor de cabeza severo?
Si usted tiene visión borrosa, ve luzazos, tiene una pérdida temporal de visión, ve líneas en zigzag, o tiene dificultad para hablar o para moverse claramente después de haber comenzado las pastillas de sólo Progestina, suspéndalas y vea a su médico inmediatamente.

¿Qué pasa si quiero quedar embarazada después de tomar las pastillas de sólo progestina?

Hay un retorno completo e inmediato a la fertilidad.

INYECCIONES DE DEPO-PROVERA

¿Qué es la Depo-Provera?

Es una inyección de sólo progestina que una mujer recibe de su médico una vez cada tres meses. Frecuentemente su efectividad dura más de 13 semanas. La mujer generalmente recibe la inyección en el brazo o la nalga.

¿Qué tan efectiva es la Depo-Provera?

Índice de falla con uso perfecto en el primer año: menos de **0.3%**
Índice de falla con uso típico en el primer año: **0.3%** (de cada 1000 mujeres que usan este método, 3 quedarán embarazadas en el primer año)

Trussell, 2002

¿Cuánto vale la Depo-Provera?

	Medicina pre-pagada	Servicios públicos
Medicina	$30.00/inyección	$30.00/inyección
Visita a la clínica	$38.00/visita	$16.56/visita

¿Cómo funciona la Depo-Provera?

La progestina impide la ovulación de tal manera que no se libera el óvulo; vuelve el moco cervical más espeso de tal manera que los espermatozoides no logran pasar a través de él; y cambia la parte interna del útero de tal manera que la implantación del óvulo fecundado no pueda ocurrir.

¿Cuáles son las ventajas de la Depo-Provera?

- Posible mejoría de la endometriosis.
- Disminuye el dolor y los cólicos durante la menstruación y la ovulación.
- Disminuye la pérdida de sangre con la regla; es normal que algunas mujeres gradualmente dejen de tener la regla.
- Menos anemia (bajo nivel de sangre frecuentemente causado por un nivel bajo de hierro).
- Las relaciones sexuales se pueden gozar más ya que hay menos preocupación de embarazo.
- Hay una posible reducción del riesgo de cáncer del ovario y del endometrio.
- Puede prevenir los embarazos ectópicos.
- Nada que tomar todos los días ni nada que usar al tener relaciones.
- Sólo hay que acordarse 4 veces al año.
- Privado. Nadie puede saber que una mujer está usando este método.
- Extremadamente efectivo. La decisión da tres meses de anticoncepción.
- Permanece siendo efectivo aunque la mujer se retrase una o dos semanas para la próxima inyección.
- Podría continuar siendo efectivo aunque se tarde más de dos semanas. En promedio, la primera ovulación es 10 meses después de la última inyección. El problema es que no se puede confiar en este retraso de la ovulación. En algunas mujeres la ovulación vuelve rápido, así que es importante recibir la inyección **A TIEMPO.**
- A diferencia de las pastillas combinadas, la Depo-Provera no es menos efectiva si usted toma medicinas que afecten el hígado.
- Aun más segura que las pastillas combinadas (no causan problemas de coagulación).
- Puede ser usada por mujeres que no pueden tomar estrógenos, como mujeres que han tenido coágulos sanguíneos severos (NOTA: El inserto dice algo diferente).
- Puede ser usada durante todos los años reproductivos. No se necesitan períodos de descanso.

- Es reversible, pero el regreso de la fertilidad tiende a ser más tardado que con otros métodos hormonales (vea la página 158).
- Posiblemente disminuye el riesgo de la Enfermedad Pélvica Inflamatoria sintomática (EPI).
- Posiblemente disminuye el riesgo de crisis de anemia por células falciformes (anemia drepanocítica) y el de convulsiones por epilepsia.
- Puede ser usada por madres que están lactando. La anticoncepción con sólo progestina no disminuye y aun puede aumentar la leche materna. Los niños de mamás que usan la Depo-Provera mientras están lactando se desarrollan normalmente tanto física como mentalmente en el primer año de vida.

¿Cuáles son las desventajas de la Depo-Provera?

- Puede causar cambios no deseados del ciclo menstrual: sangramientos irregulares, falta de algunas reglas o no reglas (común); sangramiento excesivo (raro). Es una buena idea que la examine un médico si usted está preocupada (vea *www.managingcontraception.com* para más información).
- Un sangramiento irregular por otra causa podría ser incorrectamente atribuido a la Depo-Provera.
- Menos de un tercio de las mujeres reportan períodos normales durante el primer año de uso.
- A algunas mujeres les lleva varios meses para dejar de tener reglas.
- El síndrome pre-menstrual podría empeorarse (pero lo más probable es que mejore).
- Las relaciones sexuales pueden ser menos agradables porque algunas mujeres tienen menos deseo sexual, menos lubricación vaginal u orgasmos.
- El aumento en los días con manchas puede interferir con las relaciones en algunas mujeres.
- La depresión puede empeorar (pero lo más probable es que mejore); puede ocurrir ansiedad, cambios de ánimo o fatiga.
- Debe usar preservativos si tiene riesgo de infecciones de transmisión sexual, incluyendo VIH/SIDA.
- Debe volver cada tres meses para la inyección (esto puede ser difícil de recordar para algunas mujeres).
- Es caro en algunos sistemas de salud.
- Puede tener un efecto negativo en el crecimiento óseo en adolescentes; puede aumentar el riesgo de osteoporosis (huesos frágiles).
- Apetito aumentado o ganancia de peso; las mujeres ganan algunas libras en promedio por año (vea *www.managingcontraception.com* para detalles sobre la ganancia de peso y medios específicos para evitarlo).
- Toma en promedio 10 meses para que la fertilidad vuelva después de la ultima inyección, lo que hace difícil planificar un embarazo.
- Los estrógenos son suprimidos en algunas mujeres.
- Pueden causar dolores de cabeza severos.
- En algunos estudios se ha visto un aumento del LDL (colesterol malo) y una disminución del HDL (colesterol bueno).

- Se reciben dosis más elevadas de progestina que en las pastillas combinadas, las mini pastillas o el Norplant.
- Muy raramente una mujer es alérgica a la Depo-Provera, pero si lo es, los efectos de la inyección no pueden ser detenidos una vez que se ha recibido la inyección. Esta mujer requerirá medicina antialérgica por varios días hasta meses.
- *Raro:* aumento excesivo de peso, depresión severa, reacción alérgica severa.

¿Cuáles son los riesgos de la Depo-Provera?

- Raro: excesiva ganancia de peso.
- Raro; depresión severa (en promedio, no hay cambios en las mujeres usando Depo-Provera).
- Raro: reacciones alérgicas severas. Es una buena idea esperar unos 20 minutos en la clínica o cerca de ella después que le pongan la primera inyección.

¿Es la Depo-Provera el método adecuado para mí?

Hágase las preguntas que siguen. Si su repuesta es No a TODAS las preguntas, entonces usted probablemente puede usar la Depo-Provera. Si responde SÍ a alguna pregunta, siga las instrucciones.

1. *¿Piensa que puede estár embarazada?*
   ❏ NO
   ❏ SÍ   Si responde Sí, es necesario que averigüe si está embarazada. Use preservativos o espermicidas hasta que usted y su médico estén razonablemente seguros de que no está embarazada. Entonces puede comenzar la Depo-Provera.

2. *¿Planea salir embarazada el próximo año?*
   ❏ NO
   ❏ SÍ   Si responde Sí, use otro método que cause menos retraso al retorno de la fertilidad después de la descontinuación de ese método.

3. *¿Está dándole pecho a un niño de menos de seis semanas de edad? (p. 155.)*
   ❏ NO
   ❏ SÍ   Si responde Sí, puede ponerse la primera inyección antes de salir del hospital, si ya le bajó la leche. No hay evidencia que la Depo-Provera tenga un efecto negativo sobre un bebé lactando o sobre la calidad o cantidad de la leche materna producida. Hay alguna controversia acerca de poner la primera inyección de Depo-Provera en las seis primeras semanas después del parto.

4. *¿Tiene o ha tenido problemas con su corazón o con los vasos sanguíneos? Si los ha tenido, cuáles son*
   ❏ NO
   ❏ SÍ   Si responde Sí, usted no puede usar Depo-Provera si ha tenido un ataque cardíaco, derrame, enfermedad cardíaca por arterias bloqueadas, presión alta severa, diabetes por más de 20 años, daño a su

visión, riñones o sistema nervioso causado por diabetes. Su médico le puede ayudar a seleccionar otro método efectivo.

5. *¿Tiene o ha tenido cáncer del seno?*
   - ☐ **NO**
   - ☐ **SÍ**   Si responde Sí, usted no puede usar Depo-Provera. Su médico le puede ayudar a seleccionar otro método sin hormonas.

6. *¿Ha tenido ictericia, cirrosis del hígado severa o alguna infección o tumor del hígado? ¿Están sus ojos o piel anormalmente amarillos?*
   - ☐ **NO**
   - ☐ **SÍ**   Si responde Sí, hágase un exámen físico. Si usted tiene una enfermedad hepática seria (ictericia, hígado agrandado o doloroso, hepatitis, tumor hepático), usted no puede usar Depo-Provera y necesita que le traten de su problema hepático. Su médico le puede ayudar a seleccionar otro método sin hormonas.

7. *¿Tiene sangramiento vaginal que no es usual en usted?*
   - ☐ **NO**
   - ☐ **SÍ**   Si responde Sí, y tiene sangramiento vaginal que es causado por otro problema médico ya diagnosticado, es posible que pueda usar Depo-Provera. Cualquier problema tiene que ser evaluado por su médico y una decisión tiene que ser tomada acerca del tratamiento.

8. *¿Tiene de 30 a 35 años o más Y definitivamente desea un embarazo en el futuro?*
   - ☐ **NO**
   - ☐ **SÍ**   Si responde que Sí, considere seriamente otro anticonceptivo ya que usted podría no tener su regla por mucho tiempo (10 meses o más en promedio) después que pare de recibir la Depo-Provera.

¿Quiénes pueden usar las inyecciones de Depo-Provera?

Mujeres que:

- Quieren privacidad, alto nivel de efectividad, conveniencia.
- Tienen una razón para no usar estrógenos.
- Pueden volver cada tres meses.
- Usarían preservativos si tienen riesgo de infección.
- Han tenido recientemente un parto (estén o no amamantando) o un aborto.
- Prefieren recibir la medicina en una inyección.
- Están usando una medicina que afecta el hígado (lo que hace a otros anticonceptivos hormonales menos efectivos).
- Tienen enfermedad de células falciformes, convulsiones, endometriosis, síndrome pre-menstrual o fibromas.
- Tienen dificultades para usar otros métodos que requieren acordarse de hacer algo todos los días como tomarse una pastilla.

¿Qué hay con las Adolescentes?

- Extremadamente efectivo. Al aumento en el uso de Depo-Provera por las adolescentes se le atribuye en gran medida la reciente disminución de embarazos en adolescentes en Estados Unidos.
- Confidencial (vea la página 24 para información sobre las leyes en su estado).
- Disminuye el dolor con las reglas, el síndrome pre-menstrual, la endometriosis y la enfermedad pélvica inflamatoria (EPI).
- Puede causar algún aumento de peso; causa reglas irregulares; ambas cosas pueden ser inaceptables para las adolescentes.
- Muchas adolescentes dejan de usarla porque tienen que ir a la clínica 4 veces al año.
- El efecto a largo plazo sobre los huesos no está bien definido (puede, temporalmente, disminuir el crecimiento óseo en adolescentes) (Cromer; 1996).

¿Cómo comienzo el método?

- Las mujeres que están teniendo sus reglas pueden comenzar las inyecciones de Depo-Provera el primer día de sangramiento (el mejor enfoque), O cualquier día en los primeros cinco días después que comience la regla O en cualquier momento que no estén embarazadas.
- Use un método anticonceptivo de apoyo durante siete días después de su primera inyección si ésta no fue puesta en los primeros cinco días de sangramiento. Algunas clínicas recomiendan usar la anticoncepción de apoyo durante 7 días sin importar cuando se comenzó el método.
- *Si usted ha tenido un niño recientemente y está dando pecho, es mejor comenzar la Depo-Provera después que el flujo de leche ya esté bien establecido. Hay debate entre los expertos acerca de si está bien que se inicie el uso inmediatamente después que se ha tenido un niño. El sangramiento después del parto es un problema para algunas mujeres y raramente la Depo-Provera aumenta el sangramiento.*
- Si usted no está lactando puede comenzar la Depo-Provera en cualquier momento después del parto, tan pronto como usted lo desee. No es necesario esperar hasta que sus reglas le comiencen de nuevo. Si han pasado más de 6 semanas desde que dío a luz, usted debe estar razonablemente segura que no está embarazada antes de ponerse la Depo-Provera.
- Si usted ha tenido un aborto espontáneo o provocado puede comenzar la Depo-Provera en los primeros 5 días después del aborto. Después de cinco días se puede comenzar siempre que esté razonablemente segura que no está embarazada.
- Si está dejando de utilizar otro método, puede comenzar la Depo-Provera inmediatamente. Por ejemplo, no es necesario esperar a que venga la regla si está usando pastillas, Norplant o un DIU. Si la inyección no fue puesta en los 5 primeros días después de su regla, es una buena idea usar un método anticonceptivo de apoyo durante 7 días después de la primera inyección.

¿Qué recomendaciones debo seguir?

- En las primeras horas después que le pongan la inyección no se frote el sitio donde se la pusieron.
- Espere sangramiento irregular. Éste usualmente disminuye con el paso del tiempo. Después de 6–12 meses probablemente tendrá muy poco sangramiento o nada (o sea, no reglas).
- También podría tener sangramiento muy ligero o ningún sangramiento. Esto es normal y no es dañino.
- Vuelva a ver a su médico si el patrón de sangramiento le es incómodo. Hay medicinas disponibles que pueden hacer que el patrón de sangramiento sea más aceptable para usted.
- La ganancia de peso es común. El promedio que se gana es de 3 a 4.5 libras en el primer año. Comer menos y hacer más ejercicio son los dos mejores caminos para resolver este problema (vea *www.managingcontraception.com*).
- Vuelva en 11 o 12 semanas para la próxima inyección.
- Si han pasado más de 13 semanas desde la última inyección, evite las relaciones o use preservativos hasta que le pongan la próxima inyección.
- Vuelva tan pronto como se dé cuenta que está retrasada para la inyección; puede ser que se le pueda poner la inyección inmediatamente.
- Problemas serios con Depo-Provera son raros. Vuelva a la clínica si tiene: pus, dolor prolongado o sangramiento del sitio de la inyección; dolor de cabeza intenso y repetido, sangramiento intenso; depresión; dolor abdominal bajo severo (puede ser un síntoma de embarazo).
- El efecto de la Depo-Provera sobre sus huesos no se conoce completamente; el calcio, el ejercicio y el no fumar son buenos para sus huesos aunque no este usando la Depo-Provera (vea *www.mangingcontraception.com*).
- El uso de alcohol o drogas puede disminuir la efectividad de la Depo-Provera. Por ejemplo, el estar embriagado o drogado puede aumentar el riesgo de que vuelva tarde o que no vuelva para la próxima inyección, y se asocia con la falta de uso de preservativos durante las relaciones en las que hay riesgo de infección.

¿Necesito consultar a mí médico? pregúntese:

A continuación encontrará una serie de preguntas importantes para ayudarle a evaluar el uso de Depo-Provera. Si contesta "Sí" a cualquier pregunta, hable con su médico para encontrar la mejor solución para usted.

- ❑ ¿Estoy teniendo manchas, sangramiento irregular o sangramiento intenso que me está preocupando?
- ❑ ¿He tenido dolor fuerte, sangramiento o pus en el sitio de la inyección?
- ❑ ¿Tengo dolor o me he sentido una pelota en los senos?
- ❑ ¿Me he sentido deprimida o he tenido cambios importantes de ánimo?
- ❑ ¿He estado menos interesada en las relaciones o gozo menos con ellas?
- ❑ ¿He ganado 5 o más libras?
- ❑ ¿Tengo dolores de cabeza que se repiten o muy severos?

☐ ¿He tenido dolor severo en el bajo abdomen, náusea o vómitos?
☐ ¿Pienso que estoy embarazada?
☐ ¿Tengo algunas preguntas que quisiera hacerle a mi médico?

Qué pasa si:

Yo gano peso?
Si usted comienza a ganar peso cuide las calorías, haga más ejercicio y coma **menos.** Deje de usar la Depo-Provera si la ganancia de peso es inaceptable para usted. Hable con su médico acerca de usar otro método.

Yo tengo sangramiento irregular?
El sangramiento irregular es normal y usualmente no es dañino. Si no tiene alguna razón para evitar los estrógenos, las pastillas combinadas ayudarían a hacer el sangramiento más regular. Cualquiera de las pastillas de dosis bajas (pastillas de 20 microgramos: Alesse, LoEstrin 1/20, o Mircette), estrógenos orales o medicinas como el ibuprofen pueden ser útiles. Usualmente las pastillas combinadas se dan por un ciclo o menos. Si una semana o un mes de pastillas no resuelven el problema se puede dar más de un ciclo.

Yo tengo sangramiento fuerte?
Si está preocupada vaya a ver a su médico para que revise la situación. Puede ser que necesite exámenes de sangre. Si está anémica (glóbulos rojos bajos), usted puede necesitar comer alimentos que contengan hierro o tomar pastillas de hierro. También puede ser de ayuda tomar una pastilla combinada de baja dosis, estrógenos suplementarios o una medicina como el ibuprofen para controlar el sangramiento. Usted y su médico pueden decidir el mejor camino a seguir.

No me viene la regla?
Que no le venga la regla es un efecto normal de la Depo-Provera y no causa daño. Las reglas se vuelven escasas y lo más probable es que ya no le venga con el uso continuo de la Depo-Provera.

Si me deprimo?
Es importante que vaya a su médico para que evalúe la depresión. Puede que no sea causada por la Depo-Provera. Si usted está extremadamente deprimida o piensa en el suicidio busque ayuda inmediatamente. Su médico puede tratar su depresión o referirla para que la ayuden. Deje de usar Depo-Provera si pareciera que la depresión está relacionada con su uso (la depresión va a mejorar con el paso del tiempo, pero puede durar 3 o más meses después de la última inyección). Si deja de usar la Depo-Provera asegúrese de usar otro método de anticoncepción si no quiere quedar embarazada.

Tengo una reacción alérgica?
Si es una reacción leve, su médico tiene que dejar de ponerle la Depo-Provera y usted puede tomar un antihistamínico como el Benadryl para la reacción. Aunque la medicina de la Depo-Provera puede estar en su cuerpo hasta un promedio de 10 meses, la reacción alérgica va a mejorar en la siguiente semana después de la

inyección. Aunque las reacciones alérgicas son raras, es una buena idea quedarse en la clínica unos 20 minutos después de la inyección, para estar segura que no le da una reacción. Si la reacción es severa necesita tratamiento inmediato.

Tengo resequedad vaginal?
La Depo-Provera causa que el moco cervical se vuelva más espeso y disminuye la cantidad de estrógenos en su cuerpo. La falta de ambos puede hacer que sienta la vagina reseca. Usualmente ayuda usar un lubricante con base de agua cómo el K y Y cuando tenga relaciones (vea la página 71 para sugerencias).

Tengo dolor donde me pusieron la inyección?
Alguna leve molestia en donde le pusieron la inyección es normal. No se sabe el sitio de la inyección. Esto puede empeorar el dolor y puede hacer que la Depo-Provera sea menos efectiva en el tercer mes. Usted puede tomar ibuprofen para ayudarle con el dolor y la hinchazón. Vuelva a ver a su médico si el sitio se infecta (esto es raro).

Yo vuelvo más de 13 semanas después de la última inyección?
Vea la página 159.

Yo quiero cambiarme de Depo-Provera a las pastillas combinadas?
Vea la página 160.

Yo quiero dejar la Depo-Provera porque me estoy acercando a la menopausia?
Cuando comienza la ovulación varia de mujer a mujer. Usted puede tomar una pastilla combinada de baja dosis o estrógeno suplementario comenzando unos 2 ó 3 años antes de la edad esperada de la menopausia, si no tiene ninguna razón para evitar los estrógenos (vea la página 134).

¿Qué pasa si quiero quedarme embarazada después de usar la Depo-Provera?

- El retorno eventual de la fertilidad es excelente después del uso de Depo-Provera.
- Hay un retraso promedio de 10 meses para el retorno de la ovulación. Más del 90% de las mujeres quedan embarazadas en los siguientes dos años después de dejar la Depo-Provera. Ya que puede tomar más de un año para que vuelva la fertilidad, las mujeres que tienen de 30 a 35 años y saben que quieren quedar embarazadas después de suspender la anticoncepción, es mejor que seleccionen otro método diferente de la planificación familiar.

USTED ESTÁ RETRASADA PARA LA PRÓXIMA INYECCIÓN DE DEPO-PROVERA

Usted está retrasada (más de 13 semanas) y quiere la próxima inyección de Depo-Provera

Nota: si tiene la regla puede ponerse la Depo-Provera en este momento.

No he tenido relaciones desde hace 13 semanas, después de mi última inyección

- Usted puede recibir la próxima inyección inmediatamente. Use un método de apoyo durante 7 días
- La prueba de embarazo es opcional.
- Su médico necesito documentar cuidadosamente su historia sexual en su cuadro clínico.

He tenido relaciones en las 13 semanas después de la última inyección

Se usó protección en todas las relaciones

Sí: usted puede recibir la inyección inmediatamente si la prueba de embarazo es negativo. Su médico necesito documentar cuidadosamente su historia sexual en su cuadro clínico.

¿Tuvo relaciones SIN PROTECCIÓN en las últimas 13 semanas después de la última inyección?

Sí pero todas las relaciones fueron en las últimas 72 horas.

Tome anticoncepción de emergencia; recuerde que no son 100% efectivos, y

- Póngase la Depo-Provera inmediatamente.
- Use anticoncepción de apoyo por 7 días.
- Su médico necesita documentar cuidadosamente su historia sexual en su cuadro clínico y usted tiene que poner sus iniciales.

Sí y las relaciones sin protección ocurrieron antes y en las últimas 72 hrs.

Si la prueba de embarazo es negativa:
- Tome pastillas para anticoncepción de emergencia pero recuerde que no son 100% efectivos antes o después de 72 horas, y no tiene efectos negativos sobre un embarazo presente.
- Use anticoncepción de apoyo por 2 semanas, luego vuelva a la clínica.

Sí: y las relaciones sin protección ocurrieron hace más de 72 horas.

Si la prueba de embarazo es negativo: evite las relaciones o use un método de apoyo durante 2 semanas y vuelva a la clínica.

- 2 semanas después repita la prueba de embarazo.
- Si es negativo puede ponerse la Depo-Provera.
- Use anticoncepción de emergencia por 7 días.
- Su médico necesito documentar cuidadosamente su historia sexual en el cuadro clínico y usted tiene que poner sus iniciales.

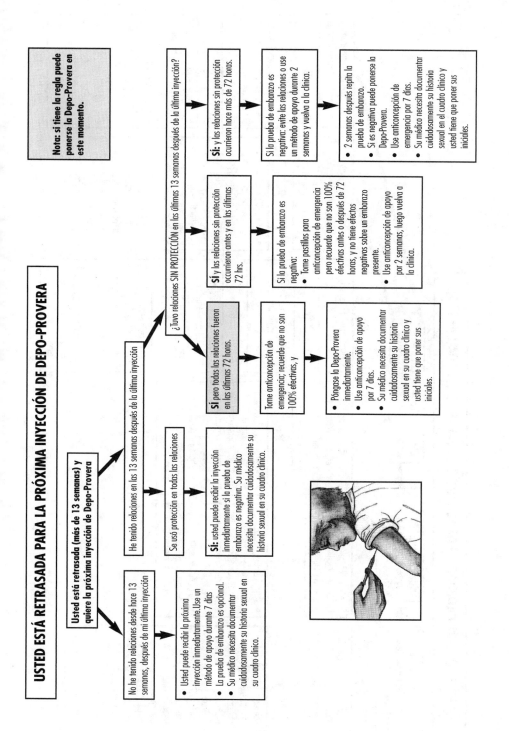

USTED SE QUIERE CAMBIAR DE DEPO-PROVERA A PASTILLAS COMBINADAS

Se quiere cambiar de Depo-Provera a pastillas combinadas.

→ Han pasado más de 13 semanas desde la última inyección.

→ Si ha tenido relaciones en las 13 semanas después de la última inyección

→ Si las relaciones sin protección ocurrieron hace más de 72 horas.

→ Si la prueba de embarazo es negativa: evite las relaciones o use anticoncepción de apoyo por 2 semanas y vuelva a la clínica.

→ 2 semanas después repita la prueba de embarazo en orina en la clínica.
- Si es negativa, tome las pastillas.
- Use anticoncepción de apoyo por 7 días
- Su médico necesitará documentar cuidadosamente su historia sexual en el cuadro clínico.

Si las relaciones sin protección ocurrieron antes de o en las últimas 72 horas. y la prueba de embarazo es negativa

→
- Tome anticoncepción de emergencia; recuerde que no son 100% efectivos para relaciones antes o después de 72 horas. y que no afectan si ya hay un embarazo.
- Use anticoncepción de apoyo durante 2 semanas y vuelva a la clínica.
- Su médico necesitará documentar cuidadosamente su historia sexual en el cuadro.

→ Si las relaciones fueron sin protección

→ Si las relaciones sin protección ocurrieron en las últimas 72 horas.

→ Tome pastillas anticonceptivas de emergencia y recuerde que no son 100% efectivos.

→
- Tome las pastillas inmediatamente.
- Use anticoncepción de apoyo durante 7 días.
- Su médico necesita documentar cuidadosamente su historia sexual en su cuadro clínico.

→ Si usó protección en las relaciones en las últimas 13 semanas después de la inyección de Depo-Provera

→
- Puede comenzar las pastillas inmediatamente; use método de apoyo por 7 días
- La prueba de embarazo es opcional
- Va a necesitar documentar cuidadosamente su historia sexual en su cuadro.

→ Hace 13 semanas o menos de la última inyección.

→ Si no ha habido relaciones en las 13 semanas después de la última inyección

→
- Puede comenzar las pastillas inmediatamente; use método de apoyo por 7 días.
- La prueba de embarazo es opcional
- Su médico necesita documentar su historia sexual en su cuadro clínico.

→
- Comience las pastillas combinadas. Puede comenzarlas en cualquier momento, el día que vino a la clínica (mejor) o en un domingo cerca del fin del período de 13 semanas
- No se necesita anticoncepción de apoyo si las primeras 7 pastillas se van a tomar 13 semanas o menos desde la última inyección.
- No se necesita prueba de embarazo.

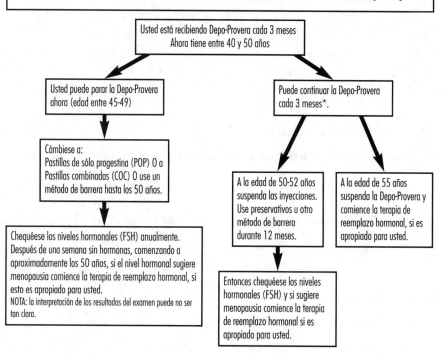

Usted está recibiendo Depo-Provera cada 3 meses
Ahora tiene entre 40 y 50 años

Usted puede parar la Depo-Provera ahora (edad entre 45-49)

Puede continuar la Depo-Provera cada 3 meses*.

Cámbiese a:
Pastillas de sólo progestina (POP) O a Pastillas combinadas (COC) O use un método de barrera hasta los 50 años.

A la edad de 50-52 años suspenda las inyecciones. Use preservativos u otro método de barrera durante 12 meses.

A la edad de 55 años suspenda la Depo-Provera y comience la terapia de reemplazo hormonal, si es apropiado para usted.

Chequéese los niveles hormonales (FSH) anualmente. Después de una semana sin hormonas, comenzando a aproximadamente los 50 años, si el nivel hormonal sugiere menopausia comience la terapia de reemplazo hormonal, si esto es apropiado para usted.
NOTA: la interpretación de los resultados del examen puede no ser tan clara.

Entonces chequéese los niveles hormonales (FSH) y si sugiere menopausia comience la terapia de reemplazo hormonal si es apropiado para usted.

* La Depo-Provera hace que los niveles hormonales naturales en su cuerpo bajen. Por esta razón, algunos expertos piensan que es una buena idea, para las mujeres que están arriba de los cuarenta años y que han estado usando Depo-Provera por largo tiempo, que tomen estrógenos suplementarios. Así, cuando lleguen a los 55 años, pueden cambiarse a la terapia de reemplazo hormonal. Este enfoque es simple y no se necesitan exámenes caros (Kaúnitz, 1998).

IMPLANTES ANTICONCEPTIVOS: NORPLANT

¿Qué es el Norplant?

Son 6 barritas de plástico flexible (de 34 milímetros de largo × 2.4 milímetros de ancho) que contiene la hormona levonorgestrel (la que se ha mencionado previamente como parte de las pastillas anticonceptivas y de uno de los DIUs). Un médico inserta las barritas en la parte superior del brazo de la mujer usando cirugía menor. Este anticonceptivo seguro y efectivo nunca ha alcanzado su potencial debido a varias razones complicadas.

¿Qué tan efectivo es el Norplant?

Índice de falla con uso perfecto en el primer año: **0.05%** (1 de cada 2000 mujeres usando el Norplant quedará embarazada en el primer año de uso).

Índice de falla con uso típico en el primer año: **0.05%**
Índice de falla total después de 5 años: **1.50%** (en mujeres que pesan de 131 a 153 libras)

2.40% (en mujeres que pesan más de 154 libras)

Trussell J, *Contraceptive Tecnology,* 2002

Se está acumulando evidencia de que el Norplant permanece efectivo por más de 5 años.

Pregúntele a su médico.

¿Cómo funciona el Norplant?

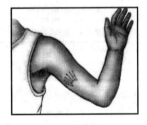

El Norplant comienza a funcionar en las siguientes 72 horas después de inserción. El moco cervical se vuelve muy espeso e impide que los espermatozoides pasen hacia el útero. También se reduce o para la ovulación. Las mujeres que usan el Norplant no ovulan con mucha frecuencia especialmente en los primeros 2 años de uso. El Norplant también causa que la capa interna del útero se mantenga delgada por lo que la implantación del óvulo fecundado no ocurre.

¿El Norplant va a disminuir la cantidad de estrógeno en mi cuerpo?

El Norplant no hace que los niveles de estrógenos en el cuerpo de la mujer bajen tanto como lo hace algunas veces la Depo-Provera. En estudios hechos el nivel de estrógenos en las mujeres usando el Norplant era similar al de las mujeres que no usan anticonceptivos.

¿Cuánto vale?

	Medicina Prepagada	Medicina Pública
Implantes	$365.00	$365.00*
Inserción	$333.00	$47.96
Extracción	$100.00	$79.64

Trussell, 1995; Smith, 1993

* La fundación Norplant provee libre de costo la inserción y le ayuda con la extracción a las mujeres que califican: 1-800-760-9030

¿Cuáles son las ventajas del Norplant?

- Menos pérdida de sangre con las menstruaciones.
- Menos calambres o dolor durante la regla; menos dolor con la ovulación.
- La menor preocupación de embarazo puede hacer que las relaciones sean más agradables.
- La depresión y el SPM pueden mejorar.
- El riesgo de cáncer de endometrio y de ovario puede disminuir.
- Altamente efectivo. Una sola decisión y un procedimiento de 10 a 15 minutos puede proporcionar anticoncepción de larga duración.
- Muchas mujeres (88%) continuan usando el Norplant después del primer año.
- Reduce el riesgo de embarazo ectópico.
- Disminuye la pérdida de sangre que puede causar anemia (aun en aquellas mujeres que se lo han extraido la causa del sangramiento).
- Los dolores de cabeza recurrentes, los ocasionales y la migraña pueden mejorar.
- Dosis muy bajas de progestina y nada de estrógeno.
- Puede ser usado por algunas mujeres que no pueden tomar estrógenos.

*NOTA: Los embarazos ectópicos en las mujeres que usan el Norplant son raros. Ofrece protección significativa contra los embarazos fuera del útero (embarazo ectópico) pero éstos aún pueden ocurrir. Cuando un embarazo ocurre en una mujer que está usando el Norplant, 1 embarazo de cada 6 es ectópico.

¿Cuáles son las desventajas del Norplant? (vea también la página 164)

- No hay reglas, sangramiento irregular, manchas, reglas muy ligeras.
- Debido a los cambios hormonales los ovarios se pueden agrandar ya que los óvulos no son liberados (ocurre en el 20% de las usuarias del Norplant). La mayor parte del tiempo desaparece por sí mismo en 1 a 3 meses y no es problema. Vea a su médico si tiene dolor o hinchazón en el abdomen inferior.
- Hay posibles cambios del carácter; se pueden empeorar la depresión, la ansiedad o la irritabildiad.
- No protege contra las infecciones de transmisión sexual, incluyendo VIH/SIDA.
- La extracción requiere una visita a la clínica y el retirarlo puede ser difícil (si ha sido insertado incorrectamente o si la persona que lo retira no tiene experiencia).

- Puede haber problemas para encontrar alguien entrenado y que desee extraer el implante.
- Hay sangramiento irregular con más días de sangramiento pero con menos pérdida sanguínea; para el quinto año dos tercios de las mujeres tienen ciclos regulares.
- Los dolores de cabeza pueden empeorar (es la segunda causa más frecuente de extracción).
- Sensibilidad de los senos.
- Aumento o pérdida de peso (en promedio se ganan 5 libras en 5 años, lo que es muy parecido al promedio en las mujeres en la mitad de sus años reproductivos).
- Podría ser que usted vea los implantes del Norplant por debajo de la piel o la piel sobre ellos se puede oscurecer.
- Crecimiento o pérdida del cabello.
- Dolor por unos pocos días después de la inserción o de la extracción.
- Picazón en el sitio de inserción.
- El Norplant es menos efectivo si usted usa drogas que afectan el hígado (ejemplo: Rifanpicina, Griseofulvina y la mayoría de las medicinas anticonvulsivantes).

¿Cuáles son los riesgos del Norplant?

- Si el implante está muy profundo la extracción puede ser difícil o puede haber daño a los nervios del brazo.
- Dolores de cabeza con visión borrosa (no ha sido probado que estos dolores de cabeza sean causados por el Norplant pero se ha reportado esa asociación).
- Raramente aumento de peso anormal.
- Quistes ováricos grandes dolorosos, usualmente desaparecen sin tratamiento en 1 a 2 meses (Fraser, 1997).
- Alergia a la hormona Levonorgestrel (raro).
- Irritación o infección en el lugar donde se inserta o extrae el implante.
- Raramente el implante puede salirse espontáneamente.

¿Quiénes pueden usar el Norplant?

Mujeres quiénes:
- Desean un anticonceptivo efectivo de larga duración.
- Están jovenes; no tienen hijos; a cualquier edad; en los años reproductivos.
- Usarían preservativos si hay riesgo de infección.
- Acaban de tener un niño (lactando o no).
- Estan lactando y acaban de salir del hospital después del parto o han venido a la clínica para su primera visita después de tener el niño.
- Acaba de tener un aborto.
- En cualquier momento de su ciclo si están seguras de que no están embarazadas.

¿Y acerca de las adolescentes?
El Norplant es una buena opción para las adolescentes. El índice de continuación en las adolescentes usando el Norplant es mayor que el índice que continuación usando pastillas o usando la Depo-Provera.

¿Es el Norplant el método correcto para mí?

IMPORTANTE: Los implantes de Norplant no tienen estrógenos. Muchas de las razones por las cuales una mujer no puede tomar las pastillas combinadas que contienen estrógenos, no se aplican a los implantes de Norplant.

Hágase las preguntas que siguen. Si su repuesta es No a TODAS las preguntas, entonces usted probablemente puede usar el Norplant. Si responde SÍ a alguna pregunta, siga las instrucciones. En algunos casos tal vez podría usar el Norplant.

1. *¿Piensa que puede estar embarazada?*
   - ❏ **NO**
   - ❏ **SÍ** Si responde Sí, es necesario que averigüe si está embarazada. Use preservativos o espermicidas hasta que usted y su médico estén razonablemente seguros de que no está embarazada. Entonces puede usar los implantes de Norplant.

2. *¿Ha tenido ictericia, cirrosis del hígado severa o alguna infección o tumor del hígado? ¿Están sus ojos o piel anormalmente amarillos?*
   - ❏ **NO**
   - ❏ **SÍ** Si responde Sí, hágase un examen físico. Si usted tiene una enfermedad hepática seria (ictericia, hígado agrandado o doloroso, hepatitis, tumor hepático), usted no puede usar Norplant y necesita que la traten de su problema hepático. Su médico le puede ayudar a seleccionar otro método sin hormonas.

3. *¿Tiene o ha tenido cáncer mamario?*
   - ❏ **NO**
   - ❏ **SÍ** Si responde Sí, usted probablemente no puede usar los implantes de Norplant. Su médico le puede ayudar a seleccionar otro método sin hormonas.

4. *¿Tiene sangramiento vaginal que no es usual en usted?*
   - ❏ **NO**
   - ❏ **SÍ** Si responde SÍ, y tiene sangramiento vaginal que es causado por embarazo u otro problema médico, usted no puede usar implantes de Norplant . El problema tiene que ser evaluado por su médico y tratado. Su médico le puede ayudar a seleccionar un método no hormonal hasta que el problema sea diagnosticado y tratado. Después de esto usted puede comenzar a usar el Norplant.

5. *¿Está usted tomando medicina para convulsiones? ¿Está tomando los antibióticos rimanpicina o griseofulvina?*
   - ❏ **NO**
   - ❏ **SÍ** Si está tomando medicinas para convulsiones o los antibióticos rimampicina o griseofulvina, use un preservativo o espermicida de manera consistente con el implante de Norplant. Si usted lo prefiere o si está en tratmiento a largo plazo, su médico le puede ayudar a seleccionar otro método anticonceptivo.

6. ¿Acaba de tener un niño y está dando pecho y desea que le inserten el Norplant antes de salir del hospital?

❏ **NO**

❏ **SÍ** Si contesta SÍ, usted puede hacer que se los inserten inmediatamente. Muchos expertos no se ponen de acuerdo si la lactancia puede ser afectada por la inserción inmediata de los implantes de Norplant. Sin embargo, muchas clínicas y hospitales están dispuestos a darle este servicio (IPPF, 1997; Anderson, 1997).

¿Cómo comienzo el método?

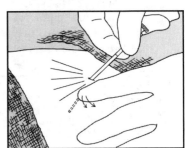

- Los implantes de Norplant se insertan debajo de la piel de la parte superior del brazo, usando cirugía menor.
- En muchos casos usted puede hacer que se los inserten el mismo día que pasa consulta en la clínica. En otros casos podría tener que hacer una cita para volver a que se los inserten.
- Primero, el médico va a usar un marcador para hacer unas líneas y saber a donde va insertar los implantes (vea el dibujo a la derecha).
- Después le van a aplicar anestesia local, la que se inyecta con una aguja en la zona por debajo de la piel en donde van a ir los implantes.
- A continuación el médico va a hacer un pequeño corte (¼ de pulgada) con un bisturí y va a insertar cada uno de los implantes con un instrumento especial (vea la foto de abajo).
- **No debe sentir nada excepto un ligero tironeo. Dígale al médico si siente algun dolor o incomodidad durante el procedimiento para que le ponga más anestesia.**
- Después que han insertado los implantes, le van a poner unas curaciones. Unas son con adhesivo para mantener juntos los labios de la herida para que cicatricen. La otra curación va a ser con presión para asegurarse que no sangre.
- Una medicina como el Ibuprofen le puede ayudar a aliviar el dolor que va a sentir como una hora o un poco más después de la inserción.

¿Qué guías debo seguir?

- Mantenga el área de la inserción seca durante unos 4 días.
- Vea la página 171 para saber si y por cuanto tiempo necesitaría anticonceptivos de apoyo.
- La curación a presión se puede quitar en uno o dos días, pero déjese la otra hasta que se caiga sola.

- Espere sangramiento irregular con el uso del Norplant. Si el sangramiento es molesto vuelva a la clínica ya que hay cosas que se pueden hacer para ayudarla.
- Cuando le inserten los implantes usted debe saber adonde tiene que ir para que sean retirados por un médico entrenado, y usted debe saber que los implantes pueden ser retirados por cualquier razón si así usted lo desea. Es una decisión personal.
- Vuelva a ver al médico si usted tiene cualquiera de los siguientes síntomas de advertencia:
  —Dolor severo en el abdomen inferior (el embarazo ectópico es raro pero puede ocurrir, y los quistes grandes de los ovarios deben ser evaluados).
  —Sangramiento intenso con su regla.
  —Dolor severo en el brazo (es normal un ligero dolor después que pasa el efecto de la anestesia local). Si hay pus, enrojecimiento, calor o sangramiento donde fueron insertados los implantes (esto puede significar una infección).
  —Si parte de o todo un implante se sale.
  —Dolores de cabeza severos o visión borrosa que se empeora después de la inserción.
  —Posible embarazo (no viene la regla después de varias reglas normales o si hay náusea).
- El Norplant lentamente se vuelve menos efectivo después de cinco años. Si no se necesitan anticonceptivos, el Norplant se puede dejar insertado. No hay peligro si se dejan en el brazo. Algunas instituciones médicas dejan los implantes de Norplant en su sitio durante 5 años o más. Se han encontrado tasas bajas de embarazo hasta 7 años después de la inserción (esta investigación aún no ha sido publicada).
- Si desea otro juego de implantes, usted puede hacer que le remuevan el primer juego a los 5 años, y al mismo tiempo y por la misma incisión le van a insertar el juego nuevo.

*IMPORTANTE: si usted lo decide, el Norplant tiene que ser retirado en el momento que usted lo quiera. Todos las clínicas que ofrecen el Norplant deben tener personal calificado que pueda insertar o retirar los implantes, o un sistema de referencia. Usted puede llamar la Fundación Norplant para que le den los nombres de médicos que pueden retirar los implantes y ayuda monetaria para el procedimiento. El número es: 1-800-760-9030

¿Necesito consultar a mi médico?

A continuación hay preguntas importantes que le ayudarán a evaluar el uso de Norplant. Si contesta SÍ a alguna de las preguntas, hable con su médico para encontrar la mejor solución.

❑ ¿He tenido algún cambio en mi ciclo menstrual?
❑ ¿He tenido un retraso menstrual después de tener las reglas normales?
❑ ¿Me molesta el sangramiento?
❑ ¿He tenido algún cambio de color o del nivel del dolor en el sitio de la inserción del Norplant?
❑ ¿He tenido sensibilidad o dolor en los pechos?

☐ ¿Tengo dolores de cabeza severos?

☐ ¿He tenido alguna reacción alérgica o irritación?

☐ ¿He tenido dolor persistente en el brazo, pus, sangramiento o expulsión parcial del implante?

¿Qué pasa si:

Tengo cambios en mi ciclo menstrual?

Esto ocurre normalmente al usar Norplant; si estos cambios son muy molestos, el tomar unos cuantos ciclos de pastillas combinadas o medicinas como el ibuprofeno pueden ayudar (pregúntele a su médico).

No me viene la regla?

Esto ocurre normalmente al usar el Norplant. Con mucha seguridad usted no está embarazada. Sin embargo, si no le viene la regla después de haber tenido reglas normales, usted podría estar embarazada. Hágase una prueba de embarazo si tiene síntomas. Si aún está preocupada por que no le viene la regla, un ciclo de pastillas combinadas le podría ayudar.

Tengo manchas o sangramiento intermenstrual?

Esto es normal y no es dañino. Si le molesta mucho, unos cuantos ciclos de pastillas combinadas de bajo contenido hormonal y/o un analgésico como el Ibuprofen podrían ser de ayuda. Es una buena idea que su médico se asegure que no tenga un embarazo ectópico o una infección (incluyendo una enfermedad pélvica inflamatoria).

Tengo sangramiento fuerte?

Si le molesta mucho, unos cuantos ciclos de pastillas combinadas de bajo contenido hormonal, y/o un analgésico como el Ibuprofeno podría ayudarla. Puede necesitarse hacerle un examen de sangre para ver que no haya anemia.

Tengo dolor abdominal?

Si tiene un embarazo ectópico necesita ser tratada. Si tiene quiste o quistes de ovario, no es necesario extraer los implantes ya que los quistes usualmente desaparecen sin tratamiento y sin cirugía. Vuelva a la consulta en unas tres semanas para asegurarse que están desapareciendo. Si el dolor es por otra causa tiene, está que ser evaluada.

Tengo dolor después de la inserción?

Asegúrese de que las curaciones no estén muy apretadas. Aplíquese hielo durante 24 horas. No le haga presión a los implantes durante varios días. Nunca haga presión sobre los implantes si están sensibles. Tome aspirina o un analgésico como el Ibuprofeno.

Si el sitio de la inserción se infecta?

• *No hay abceso (pica, rojo)* : Usualmente no se necesita extraer los implantes. Se necesita limpiar el área con un antiséptico y puede ser que su médico le indique antibióticos. Vuelva a la clínica en 7 días.

- *Hay abceso (hinchazón, pus):* Necesita tomar antibióticos y que drenen el abceso. Probablemente habrá que extraer los implantes.

Mis pechos me duelen?

Algunas medicinas que ayudan son la vitamina E, la bromoergocriptina, el tamoxifen o el Danazol. Un brassier no muy apretado y un analgésico como el Ibuprofeno pueden ayudar. Pregúntele al médico qué es lo mejor para usted.

Me dan dolores de cabeza severos?

Si tiene dolores de cabeza severos con visión borrosa, luzazos, pérdida temporal de la vista, ve líneas en zigzag o tiene dificultad para moverse o hablar, vaya a ver a su doctor inmediatamente. Puede ser que su médico desee extraer los implantes inmediatamente.

¿Me dan dolores de cabeza pero sin síntomas neurológicos?

El tratamiento varia de persona a persona; algunas veces hay que retirar los implantes, pero no es frecuente.

¿Gano peso?

Usualmente la causa no es el Norplant.

¿Tengo una reacción alérgica?

Esto es raro. Hay que extraer los implantes.

¿Se me cae el pelo?

Podría ser que se necesite extraer los implantes.

¿Me sale acné o tengo cambios en la piel?

Podría ser que se necesite extraer los implantes.

¿Qué pasa durante la extracción de los implantes?

- Usted puede hacer que le retiren los implantes en cualquier momento que lo desee. Llame al 1-800-760-9030 para que le dén el nombre de un médico entrenado que los pueda extraer.
- Para extraer los implantes el médico utilizará anestesia local como lo hicieron al insertarlos.
- Se hace un pequeño corte y se usa un instrumento pequeño para tomarlos por los lados y extraerlos uno a uno (vea el dibujo a la derecha).
- Lo único que va a sentir es que tiran un poco. Dígale a su médico si siente algún dolor o incomodidad para que le pongan más anestesia.
- Para que esté segura de la extracción completa, pídale a su médico que cuando las haya extraido le enseñe las 6 barritas.
- Si usted siente como corriente en sus dedos, dígaselo al médico inmediatamente. Podría significar que los implantes se pusieron muy profundos y extraerlos podría causarle daño al nervio (muy raro).

- Después que todos los implantes hayan sido extraidos, se le pondrá una curación con adhesivo para mantener la herida cerrada y otra curación encima, a presión, para que no sangre y ayuda a que cicatrice.
- Si usted desea continuar usando los implantes, un nuevo juego puede ser insertado usando la misma incisión, o se pueden insertar en el otro brazo.
- Una medicina como el Ibuprofeno le puede ayudar si hay dolor después de la extracción.
- Si no desea quedar embarazada, inmediatamente después de la extracción debe usar otro método anticonceptivo.

¿Y si quiero quedar embarazada después de usar el Norplant?

- Después de la extracción la fertilidad vuelve casi de inmediato.
- Las hormonas desaparecen del cuerpo en una semana.

NECESITO USAR ANTICONCEPTIVOS DE APOYO DESPUÉS DE QUE ME INSERTEN EL NORPLANT?

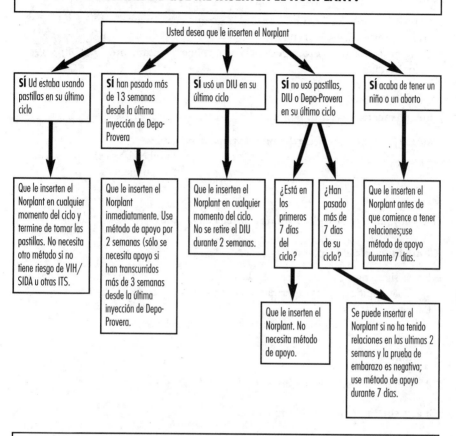

Usted desea que le inserten el Norplant

SÍ Ud estaba usando pastillas en su último ciclo

SÍ han pasado más de 13 semanas desde la última inyección de Depo-Provera

SÍ usó un DIU en su último ciclo

SÍ no usó pastillas, DIU o Depo-Provera en su último ciclo

SÍ acaba de tener un niño o un aborto

Que le inserten el Norplant en cualquier momento del ciclo y termine de tomar las pastillas. No necesita otro método si no tiene riesgo de VIH/ SIDA u otras ITS.

Que le inserten el Norplant inmediatamente. Use método de apoyo por 2 semanas (sólo se necesita apoyo si han transcurridos más de 3 semanas desde la última inyección de Depo-Provera.

Que le inserten el Norplant en cualquier momento del ciclo. No se retire el DIU durante 2 semanas.

¿Está en los primeros 7 días del ciclo?

¿Han pasado más de 7 días de su ciclo?

Que le inserten el Norplant antes de que comience a tener relaciones;use método de apoyo durante 7 días.

Que le inserten el Norplant. No necesita método de apoyo.

Se puede insertar el Norplant si no ha tenido relaciones en las ultimas 2 semans y la prueba de embarazo es negativa; use método de apoyo durante 7 días.

NOTA: El Norplant sólo protege contra el embarazo. No protege contra las infecciones de transmislón sexual. Así que siempre use un preservativo si tiene riesgo de infección.

Adaptado directamente del *Manual of Medical Standars and Guidelines Planned Parenthood Federation of America** July, 1998;Section III-B-1,Página 4

IMPLANTES ANTICONCEPTIVOS: IMPLANON

¿Qué es el Implanon?

- Es un solo implante (ligeramente más largo que el Norplant) que se inserta debajo de la piel.
- Contiene la hormona **etonogestrel** la cual se libera lentamente todos los días.
- Se mantiene efectivo durante 2–3 años.

¿Qué tan efectivo es el Implanon?

Índice de falla con uso erfecto durante el primer año: **0.05%**

Similar al Norplant: 1 de cada 2000 mujeres saldrá embarazada en el primer año de uso.

Índice de falla con uso típico durante el primer año: **0.05%**

¿Cómo funciona el Implanon?

- En las siguientes 24 horas después de inserción el moco cervical se vuelve muy espeso e impide que los espermatozoides pasen a través del cuello del útero.
- Para la ovulación.
- Causa que la capa interna del útero se mantenga delgada.

¿Cuánto vale?

No se sabe; todavía no está disponible en los Estados Unidos.

¿Cuáles son las ventajas del Implanon?

- La inserción es más fácil que la del Norplant.
- Muy efectivo. Una sola decisión y un solo procedimiento pueden proporcionar anticoncepción a largo plazo.
- En los estudios hechos muchas mujeres eligieron quedarse con el Implanon.
- Reduce el riesgo de embarazo ectópico.
- El dolor o los calambres al momento de la ovulación pueden ser menores.
- Todo tipo de dolores de cabeza pueden mejorar.
- Da una dosis baja de progestina sin estrógeno—la dosis es ligeramente mayor que con el Norplant pero menos que con Depo-Provera.
- Puede ser usado por mujeres que no pueden tomar estrógenos.
- Puede hacer que no venga la regla, lo que algunas mujeres consideran una ventaja.

¿Cuáles son las desventajas del Implanon?

- No protege contra las infecciones de transmisión sexual, incluyendo VIH/SIDA.
- La extracción requiere una visita a la clínica.
- El sangramiento irregular puede causar a que no venga las reglas en un 22% de las mujeres; esto es visto como una desventaja por algunas mujeres.
- El efecto secundario más frecuente es los dolores de cabeza.
- Sospeche fuertemente un embarazo si no viene la regla después de un período de reglas normales.
- La descontinuación (el porcentaje de mujeres que no continuaron utilizándolo) ha variado del 2 al 23% en dos estudios grandes. En ambos, el porcentaje de amenorrea (no reglas) y de sangramiento prolongado fueron los mismos, pero el índice de descontinuación varió ampliamente.

¿Cuáles son los riesgos del Implanon?

- Similares a los del Norplant (vea la página 164).
- Los problemas durante la extracción son menos que con el Norplant.

¿Quiénes pueden usar el Implanon?

- Las mismas mujeres que pueden usar el Norplant (vea la página 164).

¿Cómo comienzo el método?

- Vea Norplant (página 166).

¿Qué guías debo seguir?

- El sangramiento irregular es normal. Si la forma en que sangra le es incómoda, vaya a ver a su médico ya que hay algunas cosas que se pueden hacer para que se mejore.
- Puede que no le venga sus regla. Esto es más común en las usuarias de Depo-Provera y menos en las de Norplant, al compararlas con las usuarias del Implanon.

¿Qué pasa si?

- Vea Norplant (página 165) para cómo manejar los efectos secundarios.

¿Y si quiero quedar embarazada después de usar el Implanon?

- La fertilidad retorna casi de inmediato después de la extracción.

Tomando el Camino Menos Recorrido Sexualmente

El usar los anticonceptivos de manera perfecta no es fácil. Requiere prestarle atención cuidadosa a los detalles. De hecho se requiere atención increíble a los detalles. Esto significa tomar decisiones de anticoncepción bien pensadas. Esto significa comprometerse consigo mismo a nunca arriesgarse en el uso de la anticoncepción o con infecciones de transmisión sexual. Nunca. Esto es lo que significa tomar el camino menos recorrido sexualmente en relación a dos anticonceptivos específicos: pastillas y preservativos.

PASTILLAS: el camino menos utilizado es entender los efectos de la pastilla y tomar las pastillas perfectamente.

- Esto significa todos los días a tiempo. Si es necesario, pídale a su pareja que la llame y le recuerde que se la tome, y márquelo en el calendario de él! Haga que tomar las pastillas sea una responsabilidad compartida.
- Si se le olvida tomar algunas pastillas, utilice otro método anticonceptivo de apoyo hasta que le venga su próxima regla. Un estudio en Carolina del Norte encontró que el 50% de las mujeres se les olvidó tomar 3 o más pastillas en su tercer ciclo. Esta es una receta para tener problemas: manchas, sangramiento intermenstrual, confusión, descontinuación de las pastillas, y sí, embarazo.
- Cuando se toman correctamente las pastillas dan mucho más que sólo excelente anticoncepción. Las pastillas disminuyen los dolores menstruales y los retorcijones, mejoran el acné y disminuyen el riesgo de la mujer de desarrollar cáncer ovárico o endometrial.
- La seguridad de las pastillas es mejor si usted está alerta y le reporta a su médico los signos de advertencia de las pastillas para los que se puede utilizar la palabra en inglés "ACHES" (vea la página 134, 224).

PRESERVATIVOS: En algunas mujeres que están tomando las pastillas, es importante que usen también preservativos. El camino menos recorrido cuando se refiere a preservativos es utilizarlos correctamente y todas las veces.

- Decídase en este momento a usar preservativos cada vez si existe el riesgo de transmisión de una infección.
- Llegue a un acuerdo por adelantado acerca del compromiso de utilizar preservativos cada vez. Ambos deben estar comprometido a hacer esto.
- El contrato entre ustedes dos podría ser: "nunca vamos a tener relaciones sin un preservativo. No hay excepciones." Algunas veces esto va a significar parar la intimidad sexual para conseguir un preservativo.

El camino menos recorrido en sexualidad significa un compromiso por adelantado de nunca arriesgarse. La mitad de todos los embarazos en los Estados Unidos son no buscados. La atención a los detalles como los que se mencionaron antes podría reducir dramáticamente los embarazos no buscados, los abortos y las infecciones en este nuevo milenio. ¡Buena suerte!

CAPÍTULO 28

Esterilización Femenina Voluntaria

¿Qué es la esterilización femenina?
(Ligadura de las trompas o anticoncepción femenina permanente)

Es la cirugía que corta las trompas de Falopio para prevenir el embarazo—se llama ligadura tubaria o esterilización tubaria. En 1995, 24% de mujeres casadas reportaron que tienen una ligadura de las trompas y un 25% dijeron que a sus esposos les han hecho una esterilización masculina—llamada vasectomía. (Chandra, 1998)

Aproximadamente la mitad de las esterilizaciones femeninas en los Estados Unidos se hacen inmediatamente después que la mujer da a luz. (en las siguientes 48 horas después del parto) (Peterson, 1998).

¿Qué tan efectiva es la ligadura de trompas?

El índice de falla difiere de acuerdo al método de esterilización y a la edad de la mujer. Los índices varían desde el 3.7% al 0.8%. El índice de falla más bajo (0.8%) ocurre en la ligadura tubaria efectuada después del parto. Los índices mencionados pueden ser diferentes de los índices en clínicas privadas.

- Las mujeres más jóvenes tienden a tener índices de falla más altos.
- Todas las técnicas deben de ser hechas por un profesional de la salud entrenado, para que sean lo más efectivas posibles.

¿Cómo funciona la ligadura de trompas?

Las trompas de Falopio se cortan y se anudan lo que hace que los óvulos no puedan pasar para ser fertilizados.

ESTERILIZACIÓN UTILIZANDO EL LAPAROSCOPIO

Hay un tipo de esterilización que se llama esterilización laparoscópica. La mujer usualmente tiene que estar en el hospital por un día o menos, y generalmente se prefiere usar anestesia general (dormir completamente). Durante la operación el laparoscopio (que es un tubo con un sistema de lentes para poder ver) se inserta a través del ombligo. Con este sistema de lentes el cirujano identifica las trompas de Falopio, y luego inserta otro instrumento a través de la misma incisión o a través de otra incisión pequeña. El segundo instrumento se utiliza para cerrar las trompas de Falopio con uno de los siguientes métodos.

Diagramas de técnicas utilizando la laparoscopia

1. *Cauterización bipolar:*
Ambas trompas son cauterizadas
(quemadas) utilizando un instrumento
que lleva una corriente eléctrica.

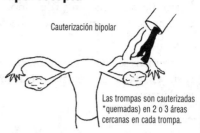

Cauterización bipolar

Las trompas son cauterizadas
*quemadas) en 2 o 3 áreas
cercanas en cada trompa.

2. *Bandas de Silástico:*
Una banda especial se coloca alrededor
de las trompas para bloquearlas. Este
método puede causar más dolor que los
otros métodos.

Clip de Hulka

Banda Silástica

3. *El clip de Hulka-Clemens:*
Un clip con un resorte interno se coloca
en las trompas para bloquearlas. Este
método tiene un potencial alto para revertirse.

4. *Clip de Filshie:*
Una bisagra hecha de titanio con un
clip curvo de hule siliconado se
coloca en los tubos para bloquearlos.
Este método tiene alta posibilidad de
ser revertido.

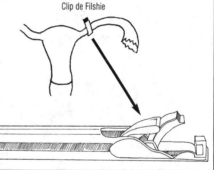

Clip de Filshie

MÉTODOS DE LIGADURA TUBARIA DESPUÉS DEL PARTO

Para estos procedimientos puede utilizarse anestesia local o anestesia general, y se
le pueden hacer a la mujer después que ha dado a luz. Se hace una pequeña incisión
en la parte inferior del abdomen, de tal manera que el cirujano pueda ver las
trompas de Falopio. Las trompas se cierran utilizando cualquiera de los métodos
disponibles y que se mencionan a continuación.

Pomeroy:
• Las trompas se amarran con sutura simple y luego el aro o asa que se amarró se
corta.

Parkland:
• Las trompas se amarran en dos sitios diferentes y la porción entre los nudos se
corta.

Irving:

- Las trompas se amarran en dos sitios y la porción entre ellos se recorta. El extremo de la trompa que está conectada con el útero se introduce en el útero.

Uchida:

- Las trompas se inyectan con solución salina. La parte muscular de las trompas se corta y se retira. El extremo de la trompa que está conectado al útero se inserta en el útero.

Kroener:

- Los extremos de las trompas de Falopio (las estructuras como dedos que se llaman fimbrias) se cortan y retiran, lo cual bloquea los extremos de las trompas.

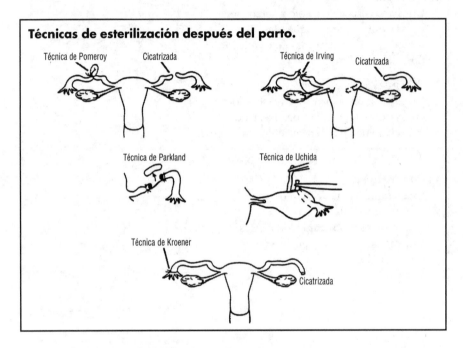

Técnicas de esterilización después del parto.

Técnica de Pomeroy Cicatrizada Técnica de Irving Cicatrizada

Técnica de Parkland Técnica de Uchida

Técnica de Kroener Cicatrizada

¿Cuánto vale la ligadura de trompas?

Sistemas de la salud prepagados	Sistemas de salud pública
$2500	$1200

¿Cuáles son las ventajas de la ligadura de trompas?

- Puede gozar más de las relaciones ya que hay menos temor de un embarazo.
- Puede ayudar a proteger contra el cáncer de ovario.
- Permanente.
- Efectivo.
- Requiere únicamente cirugía ambulatoria (no se tiene que quedar en el hospital)

¿Cuáles son las desventajas de la ligadura tubaria?

- Posibles cambios del ciclo menstrual.
- Ninguno de los beneficios potenciales de la anticoncepción hormonal.
- La mujer se puede arrepentir (ver pág. 165).
- Costo elevado.
- Si ocurre una falla, hay un riesgo mayor de embarazo ectópico (10% al 65% de mayor riesgo).
- No protege contra las enfermedades de transmisión sexual, incluyendo el VIH (SIDA).
- No es fácilmente reversible.

¿Cuáles son los riesgos de la ligadura tubaria?

	Mini laparotomía	Laparoscopía
Problemas menores	11.6%	6.0%
Problemas mayores	1.5%	0.9%

Peterson, 1997

- Los problemas menores incluyen la infección o la apertura de la herida.
- Los problemas mayores incluyen la necesidad de cirugía mayor, hemorragia (sangramiento severo), u otros daños severos a los órganos internos.
- El riesgo de daño importante a los vasos sanguíneos durante la laparoscopía ocurre en 3 a 9 casos de cada 10,000 procedimientos.
- El riesgo de muerte es de 1 a 2 por cada 100,000 procedimientos, (la causa principal es por la anestesia general).
- Es posible aunque poco probable que haya un riesgo de problemas menstruales.
- Si ya está esterilizada es posible que los profesionales de salud tiendan a hacer una Histerectomía en el futuro (quitar el útero).
- Arrepentimiento (0.9% a 26.0%). Si usted es joven, si ha cambiado de pareja, si acaba de dar a luz, si a tenido un aborto espontáneo o inducido, o ha utilizado fondos públicos para el procedimiento, es más posible que se arrepienta de haberse esterilizado.

¿Quién puede hacerse la ligadura de trompas?

Las mujeres que:
- Están seguras de que ya no desean más niños.
- Tienen más de 21 años, (si utilizan fondos federales o estatales para la esterilización).
- Tienen una condición médica que hace que el embarazo sea peligroso.
- Pueden tener cirugía sin complicaciones.

¿Y para las adolescentes?

No es el mejor método porque las mujeres jóvenes usualmente sufren más de arrepentimiento por haberse hecho la esterilización, y además de índices de falla mayores.

Antes de hacerse la esterilización hágase estas preguntas:

A continuación hay preguntas importantes que le van a ayudar a evaluar si la esterilización quirúrgica es lo mejor para usted.

Si usted contesta Sí a cualquiera de estas preguntas hable con su profesional de la salud para ver cuál es la mejor solución.

❏ Hay otros métodos anticonceptivos disponibles, incluyendo la vasectomía. ¿Ha considerado estas opciones? (si usted no está segura, mejor espere).

❏ ¿He pensado y analizado todas la razones para seleccionar la esterilización? (si no está segura mejor espere).

❏ ¿Es posible que me pueda arrepentir? (si no está segura mejor espere)

❏ ¿Entiendo todos los detalles del procedimiento incluyendo la anestesia (me ponen a dormir por completo)?

❏ ¿Entiendo que este procedimiento se considerá permanente? ¿Me han dado información acerca cómo revertirla?

❏ ¿Entiendo la posibilidad de falla y el riesgo de un embarazo ectópico?

❏ ¿Entiendo cómo la ligadura de trompas podría afectar mi cuerpo?

❏ ¿Entiendo que voy a necesitar utilizar preservativos si tengo riesgo de infecciones sexualmente transmitidas?

❏ ¿Entiendo que voy a necesitar que me hagan la citología con frecuencia?

❏ ¿Han contestado todas mis preguntas?

❏ ¿Entiendo los documentos de consentimiento informado?

Adaptado del *boletín técnico de ACOG*, Abril 1996.

¿Cómo comienzo el método?

• Primero tiene que firmar el consentimiento informado. Es una buena idea que participe su esposo o compañero en la decisión.

• La esterilización tubaria se puede hacer en cualquier momento durante su ciclo menstrual si usted está segura que no está embarazada.

¿Qué pasa después del procedimiento?

Va a necesitar volver a la clínica en las siguientes 2 semanas para que su profesional de salud revise el sitio de la operación, e identificar si hay algún problema.

Fertilidad después de utilizar este método.

• Usted (y su pareja) deben pensar que este es un método permanente.

• Revertirlo es muy caro y el éxito depende del método que se utilizó para la esterilización previa.

• La reversión depende de la habilidad del cirujano para hacer microcirugía.

• No todas las mujeres pueden tener la esterilización revertida; el éxito de esta operación oscila del 60% al 80%.

TENGO ALREDEDOR DE 24 AÑOS, YA TUVE 2 O 3 NIÑOS Y DESEO UNA ESTERILIZACIÓN TUBARIA.

Usted tiene alrededor de 20 a 25 años y desea una esterilización tubaria después que ha tenido de 2 a 3 niños.

El riesgo de que usted se arrepienta después de la esterilización tubaria en los Estados Unidos es mayor si usted es:
- Joven.
- No casada, soltera, separada o divorciada.
- No casada pero que se casará después, especialmente si su nuevo esposo desea un niño de usted.
- Casada pero que más tarde se divorcia.
- En Medicaid o es muy pobre.
- Afro-americana o Hispana.
- Recién ha dado a luz, o ha tenido un aborto inducido o espontáneo.
- Piensa que la esterilización es fácil de revertir (no lo es—es cara y sólo en un 60%–80% de los casos es efectiva la re-operación).

Usted tiene otras opciones:
- Usted puede esperar que esté entre los 25 y 35 años para hacerse la esterilización.
- Puede utilizar un método efectivo de anticoncepción a largo plazo como la T de cobre 380-A, el Norplant, o la Depo-Provera.
- Al final, usted es quién debe tomar la decisión.

Sí: todavía desea la esterilización

Sí: usted esta de acuerdo en comenzar un método anticonceptivo a largo plazo

Su profesional de salud tiene que respetar su deseo y ayudarle a que le hagan la esterilización.

Usted y su profesional de salud pueden analizar la situación y asegurarse que el método que usted seleccione lo use consistente y correctamente.

CAPÍTULO 29

Esterilización Masculina Voluntaria

¿Qué es la esterilización masculina o vasectomía?

Es la anticoncepción masculina permanente. Se hace por medio de un procedimiento quirúrgico menor que requiere que se corte y anuden o se cautericen (se quemen) los conductos deferentes—que son los tubos que transportan los espermatozoides. El método sin bisturí le permite al cirujano penetrar al escroto y ejecutar la esterilización con un instrumento especial que únicamente hace un agujerito en la piel. Se utiliza la anestesia local y la vasectomía requiere de media a una hora para completarse.

¿Qué tan efectiva es la vasectomía?

Índice de falla en el primer año de uso perfecto: **0.10%**
Índice de falla en el primer año de usuario típico: desconocido.
Trussell J, Contraceptive Technology, 2002

- La vasectomía es potencialmente el método más efectivo de todos los métodos anticonceptivos, ya que los hombres pueden tener un chequeo de su eyaculación de manera periódica para ver si hay espermatozoides.

¿Cómo funciona la vasectomía?

Los conductos deferentes bloqueados impiden que los espermatozoides lleguen al líquido seminal y sean eyaculados (NOTA: el hombre siempre puede eyacular líquido durante un orgasmo, pero no salen espermatozoides en ese líquido).

¿Cuánto vale una vasectomía?

Servicio Privado	Servicio Público
$755.70	**$353.28**

Trussell, 1995; Smith, 1993

¿Cuáles son las ventajas de la vasectomía?

- No se usan hormonas.
- No afecta la lactancia.
- Las relaciones sexuales pueden ser más agradables porque hay menos temor de embarazo.
- El hombre juega un papel importante en la anticoncepción.
- No hay nada que interrumpa el sexo.

- La mujer no tiene la responsabilidad de la anticoncepción.
- Después que la cuenta de espermatozoides es de cero, no se necesitan medicinas o más visitas a la clínica
- Es más simple, más segura y efectiva que la esterilización femenina.
- La relación costo-beneficio es más favorable (es más barata que la esterilización femenina).
- No se necesita anestesia general como se requiere para la esterilización femenina, lo cual reduce el riesgo de complicaciones serias.
- Es muy efectiva.
- Es permanente.
- Es rápida.

¿Cuáles son las desventajas de la vasectomía?

- No ofrece ninguno de los beneficios potenciales de la anticoncepción hormonal.
- El hombre se puede arrepentir después.
- Se necesita utilizar un método secundario durante las primeras 20 veces que el hombre eyacula.
- Hay una asociación muy leve con un riesgo aumentado de cáncer de próstata (esto puede ser causado por otros factores) (Goldstein, 1997).
- No protege contra las infecciones sexualmente transmitidas incluyendo el VIH/SIDA.
- Hay un malestar de corta duración, con equimosis o inflamación.
- El costo es alto inicialmente.
- Se necesita de procedimiento quirúrgico.
- Se necesita un profesional de la salud entrenado con asistencia técnica, medicina y condiciones estériles.

¿Cuáles son los riesgos de la vasectomía?

- El método sin bisturí (es el usado en el 29% de las vasectomías en los Estados Unidos) tiene menos problemas.
- La infección o el sangramiento en o cerca del sitio de la incisión son raras.
- Puede causar coágulos en el escroto.

¿Quiénes pueden utilizar la vasectomía?

Hombres de cualquier edad quienes:
- Desean un método permanente y efectivo de anticoncepción.
- Tienen parejas que no deben salir embarazadas por razones de salud.
- No tienen en este momento infecciones de la piel o del escroto.
- No tienen infecciones de tracto genital como Gonorrea, Sífilis o Clamidia.
- No tiene infecciones generalizadas como la gripe.

¿Y para los adolescentes?
No es el mejor método. La gente joven tiende a arrepentirse más.

¿Cómo comienzo el método?

- Su profesional de salud necesita hacerle un examen físico general y revisar su historia médica.
- Va a tener que firmar el consentimiento informado.
- Tiene que entender que el método es permanente.
- Antes de la cirugía en necesario que lave la región genital y la parte superior de los muslos; para ir a la clínica use ropa limpia y que le quede floja; no tome medicinas 24 horas antes de la vasectomía.

Vasectomía

1. El profesional de la salud encuentra el conducto deferente.

2. Se hace una pequeña incisión.

3. El conducto deferente se saca, se corta y se cauteriza.

4. Las pequeñas incisiones se cosen y el hombre sale caminado de la clínica.

¿Qué guías debo de seguir?

- No tenga relaciones o utilice un método secundario de anticoncepción en las próximas 20 veces que usted eyacule o durante 3 meses.
- Traiga a la clínica una muestra del semen a los 3 meses.
- No considere que la vasectomía es efectiva hasta que sea confirmado de que ya no hay espermatozoides.
- Si es posible póngase hielo en el escroto durante 4 horas para que se reduzca la inflamación.
- Descanse durante 2 días después de la cirugía.
- Mantenga la incisión limpia y seca; no la introduzca en agua (tinas o yacuzzis).
- Utilice ropa interior y pantalones apretados (esto disminuye la hinchazón y provee soporte.
- Usted puede tener relaciones sexuales 2 o 3 días después de la operación, pero utilice un método anticonceptivo secundario.

- Si es necesario vuelva a la clínica a los 7 días para que le quiten los puntos.
- Vuelva a la clínica si a su pareja no le viene la regla y piensa que está embarazada.
- Vuelva a la clínica inmediatamente si tiene fiebre arriba de 100°F, sangramiento y/o pus, dolor, enrojecimiento, hinchazón o calor aumentado en el sitio de la operación.

Pregúntese a sí mismo:

A continuación encontrará unas preguntas importantes para ayudarle a evaluar si la vasectomía es adecuada para usted. Si usted contesta sí a cualquiera de estas preguntas, hable con su profesional de salud para averiguar cuál es la mejor solución para usted.

❑ ¿Ya me hice una prueba de espermatozoides?
❑ ¿Tengo algún signo de infección (sangramiento, enrojecimiento, o pus en el sitio de la operación)?

¿Qué pasa si?

La herida se infecta?
Puede ser tratada con antibióticos. Cualquier absceso (áreas llenas de pus) tiene que ser drenado y tratado.

Estoy morado?
Aplíquese toallas calientes y húmedas en el escroto. Utilice un soporte escrotal con ropa interior o pantalones apretados. Revísese la operación con frecuencia. Usualmente desaparece sin tratamiento.

Tengo dolor en la operación?
Si no hay infección, soporte el escroto usando ropa interior y pantalones apretados y tome pastillas para el dolor cuando las necesite.

Tengo una gran hinchazón?
Si la hinchazón es grande y dolorosa puede ser que necesite cirugía; soporte el escroto si hay infección o morados.

¿Y si mi pareja quiere quedar embarazada después de la vasectomía?
- El hombre y su pareja deben entender que la vasectomía es un procedimiento permanente.
- La vasectomía se puede revertir utilizando técnicas de microcirugía, lo que ahora da índices de embarazo del 50% o más, y los espermatozoides aparecen de nuevo en el eyaculado en más del 90% de los hombres.
- Todos estos factores pueden afectar el éxito de la cirugía:
  —La habilidad del cirujano.
  —El tiempo transcurrido desde la vasectomía.
  —La presencia de anticuerpos que atacan los espermatozoides.
  —La fertilidad de la pareja.
  —El método usado para la vasectomía.

CAPÍTULO 30

Métodos Futuros

Hay un número de nuevos sistemas anticonceptivos que están siendo investigados y evaluados.

Métodos Masculinos
- Un gel, un parche y un implante que contienen MENT®, que es un esteroide sintético que se parece a la testosterona.
- En la inmunoanticoncepción masculina se está estudiando un pequeño número de hombres para evaluar su efectividad en la supresión de la producción de esteroides, para lo cual se usa un sistema de implante que suprime la hormona de liberación de gonadotropina (GnRH), la cual es esencial para la producción de espermatozoides.
- "Esterilización Temporal"que requiere la inyección de una sustancia que bloquea los espermatozoies en los vasos deferens.

Métodos Femeninos
- El sistema Jadelle, que es un implante de dos barritas de sólo Progestina que ha sido aprobado por al FDA pero que no está disponible en los Estados Unidos.
- Se están desarrollando variaciones del anillo vaginal anticonceptivo, que incluye un anillo hormonal combinado que la mujer se lo inserta por tres semanas y retira por una durante todo un año, y anillos de sólo progestina que pueden ser usados por mujeres lactando.
- Pastillas hormonales que se colocan en la vagina. La principal razón para usar un método cómo este sería para reducir las náuseas y los vómitos que algunas mujeres sientes cuando toman las pastillas orales.
- También se están estudiando nuevos métodos de anticoncepción de emergencia.

Antimicrobianos Vaginales
- Debido a que muchos de los métodos hormonales nuevos y existentes no dan protección contra las infecciones de transmisión sexual incluyendo al VIH/SIDA los investigadores han estado invirtiendo una cantidad sustancial de tiempo y energia en el desarrollo y prueba de los antimicrobianas vaginales. Estos productos son en forma de gel, espuma o crema y van a reducir sustancialmente la transmisión del VIH y posiblemente de otras infecciones cuando se utilicen en la vagina o en el recto. Uno de estos productos, el Carraguard, está ahora en la etapa de prueba clínica. Los resultados de un estudio con gel antimicrobiano reportaron únicamente efectos secundarios menores asociados con el uso del gel, y la mayoría de las desventajas (como la manchazón y el flujo) son superados por la protección potencial contra la infección.

CAPÍTULO 31

Infecciones de
Transmisión Sexual (ITS)

Ya que las mujeres y hombres que utilizan anticoncepción están a riesgo de adquirir infecciones sexualmente transmitidas (ITS), hemos incluido en este libro información acerca de las infecciones más importantes.

NOTA: los términos "ETS" e "ITS" (enfermedades de transmisión sexual) significan lo mismo. Los autores prefieren el termino "infección" a "enfermedad"ya que "infección"tiene connotaciones menos negativas que las asociadas con "enfermedad."

La información en este capítulo ha sido adaptada de *1998 Guidelines for Sexually Transmitted Diseases*, publicado por Centers for Disease Control and Prevention (CDC, 1998). El tratamiento específico y los métodos de protección que se presentan más adelante son tomados de ese documento.

¿Qué necesito hacer para impedir que me pasen o pasar una infección?

La prevención de la diseminación de ITSs requiere que las personas que estén a riesgo de adquirir o de transmitir infecciones cambien su comportamiento. El primer paso de la prevención es identificar algún comportamiento (pasado o actual) que los pueda poner a riesgo de infección. Es una buena idea revisar los riesgos posibles con un profesional de la salud, quien puede ayudarle a decidir que acciones apropiadas hay que efectuar.

La manera más efectiva de prevenir la transmisión sexual de infecciones es evitar las relaciones sexuales con una pareja infectada—abstinencia (vea el Capítulo

14, pág. 54). Es importante notar que ciertas infecciones pueden ser transmitidas por otros comportamientos sexuales. Por ejemplo, es posible transmitir el herpes oralmente (a través del beso o del sexo oral). El usar preservativos o barreras dentales (piezas cuadradas de látex) durante el sexo oral puede ayudar a prevenir la tramsmision de algunas de estas infecciones. Ambos en la pareja deben de ser examinados para ITS incluyendo el VIH, antes de tener relaciones. Si usted decide tener relaciones sexuales con una persona cuyo historia de infecciónes no es conocida, o que está infectada con VIH o con otra ITS, debe de usarse un preservativo nuevo cada vez que se tienen relaciones.

Decirle a su pareja(s) sexual que usted tiene una infección de transmisión sexual puede ser muy difícil pero es una de las cosas más importantes que usted puede hacer. Ser honesto con su pareja previa o actual (si ellos tienen riesgo de infección) va a ayudar a que se les dé tratamiento si tienen la infección y va a ayudar a parar la transmisión de la infección a otras personas.

MÉTODOS DE PREVENCIÓN

Preservativos masculinos:
- Utilizados de manera consistente y correcta, los preservativos son efectivos para prevenir muchas infecciones, incluyendo el VIH/SIDA.
- Es más frecuente que los preservativos fallen debido a su uso incorrecto o inconsistente a que fallen porque se rompen durante las relaciones sexuales.

Preservativos femeninos
- Los estudios de laboratorio indican que el preservativo femenino (Reality) es una barrera efectiva para parar los virus, incluyendo el VIH/SIDA.
- Usados de manera consistente, los preservativos femeninos deberán reducir sustancialmente el riesgo de ITS.

Preservativos y espermicidas
- No se sabe si el uso de preservativos junto con espermicidas es más efectivo que el uso de los preservativos sin espermicida.
- Por lo tanto se recomienda que se usen regularmente los preservativos con o sin espermicida

Espermicidas vaginales, esponjas y diafragmas
- Los espermicidas vaginales utilizados solos sin preservativos, ayudan a disminuir el riesgo de gonorrea y clamidia.
- **Los espermicidas vaginales no protegen contra la infección por VIH/SIDA.**
- Ha sido demostrado que el uso del diafragma da alguna protección contra la gonorrea cervical, la clamidia y las tricómonas.
- No crea que las esponjas vaginales o el diafragma protegen a las mujeres contra la infección por VIH/SIDA.

Anticoncepción hormonal, esterilización quirúrgica e Histerectomia (quitar el útero)
- Las mujeres que no tienen riesgo de quedar embarazadas pueden pensar, incorrectamente, que tampoco tienen riesgo de contraer ITS, incluyendo el

VIH/SIDA. Los métodos anticonceptivos que no sean de barrera no ofrecen protección contra el VIH/SIDA u otras ITS.

- En algunas investigaciones se ha encontrado que el uso de anticonceptivos hormonales (pastillas, Norplant y Depo-Provera) ha estado asociado con un aumento de infecciones cervicales y VIH/SIDA. Pero los resultados de las investigaciones no han sido consistentes, así que no estamos seguros de que eso sea cierto.
- Las mujeres que usan anticoncepción hormonal, anticoncepción intrauterina o que han sido esterilizadas quirúrgicamente, o a quienes se les ha quitado el útero, si tienen riesgo de infección.
- (Ej.: una nueva pareja, varias parejas, o una pareja con varias parejas) deben usar preservativos.

Vacunas

- Una de las mejores maneras de prevenir las ITS es con el uso de inmunización, o sea vacunas, antes de la exposición. Las únicas vacunas que hay disponibles actualmente son las de la Hepatitis A y B. Es una muy buena idea vacunarse contra estas infecciones—pídaselo a su médico. Se están desarrollando otras vacunas, incluyendo unas para el herpes y VIH, pero va a pasar algún tiempo antes que estas vacunas estén disponibles para el público. Para mientras, la mejor protección para usted es abstenerse de tener relaciones sexuales que la pongan en riesgo (relaciones vaginales, orales o anales). El utilizar preservativos correctamente cada vez que se tienen relaciones, es la segunda mejor forma para protegerse usted y su pareja.

El uso de alcohol y drogas y las infecciones

- El uso de alcohol y drogas pueden aumentar la posibilidad de no usar algún método de protección o de no usar los métodos de manera consistentemente o correctamente. Es importante saber que el estar embriagado o endrogado ("high") puede aumentar el riesgo de adquirir una ITS. Si usted usa drogas inyectadas (ej.:heroína, cocaína) puede estar en riesgo de adquirir o transmitir VIH. Es importante que participe o continue en un tratamiento de desintoxicación. Nunca utilice equipo de inyección (agujas, jeringas) que han sido utilizadas por otras personas. Si se pueden obtener agujas limpias en su comunidad, obténgalas. Si usted continua usando equipo de inyección que ha sido utilizado por otras personas, antes de usarlo límpielos con lejía y agua. (La desinfección con lejía y agua no esteriliza las agujas o las jeringas y no garantiza que el virus del VIH ha sido inactivado. Sin embargo, para aquellos que usan drogas inyectadas, la limpieza completa y consistente del equipo para inyección con lejía debería reducir el índice de transmisión del VIH).

INFECCIONES EN POBLACIONES ESPECIALES

Mujeres embarazadas

Se recomienda que se le investiguen las siguientes infecciones:

- Sífilis: todas las mujeres embarazadas deben tener un examen de sífilis en la primer visita al médico.

- Hepatitis B: todas las mujeres embarazadas deben tener un examen de hepatitis en la primera visita al médico.
- Gonorrea: las mujeres que están en riesgo o que viven en una zona donde los índices de gonorrea son altos, necesitan que se les haga el examen en la primer visita al médico
- Clamidia: las mujeres con riesgo aumentado (de menos de 25 años, quienes tienen una nueva pareja o más de una pareja, que su pareja tenga otra pareja) necesitan que se les haga el examen temprano en el segundo trimestre.
- Examen para VIH: todas las mujeres embarazadas deben tener un examen de VIH en la primer visita al médico.
- Vaginosis bacteriana: las mujeres que tienen vaginosis bacteriana pueden tener un aumento del riesgo de parto prematuro y deben de ser examinadas temprano en el segundo trimestre.
- Prueba de Papanicolau (citología; examen que sirve para ver los efectos del virus del papiloma humano e investiga el cáncer cervical): si no se ha hecho el examen en los últimos doce meses, debe hacérselo en la primera visita.

Otras preocupaciones:
- Las mujeres embarazadas que tienen una infección genital herpética, hepatitis B, infección por el virus citomegálico (CMV) o infección por el estreptococo B y las mujeres que tienen sífilis y son alérgicas a la penicilina, pueden requerir de un especialista o cuidados especializados durante el embarazo y el parto.
- Si no hay úlceras de herpes durante el tercer trimestre, no se necesita una prueba de rutina para el virus del herpes simples (HSV) en las mujeres que tienen historia de herpes genital recurrente. Sin embargo hacerles la prueba a estas mujeres al momento del parto puede ser útil para decidir la forma del parto. No se recomienda la cesárea para las mujeres que no tienen úlceras al momento del parto.
- La presencia de verrugas genitales no es indicación de cesárea.

Adolescentes
- Con algunas excepciones todos los adolescentes en los Estados Unidos pueden dar su consentimiento, sin la participación de los padres, para que se les haga confidencialmente pruebas para el diagnóstico y el tratamiento de infecciones de transmisión sexual (Vea la tabla en la pág. 24).
- El tratamiento médico de las infecciones se les puede dar a los adolescentes aun si los padres no dan su consentimiento.
- Los médicos saben que la confidencialidad es muy importante para los adolescentes.

VIRUS DE LA INMUNODEFICIENCIA HUMANA (VIH)

El VIH/SIDA es complejo e inconsistente en su presentación y por sobre todo, profundamente preocupante para las personas que están infectadas y para sus parejas e individuos que tratan de evitar la infección. Lo que sigue es únicamente una breve revisión. Para más información contacte la línea telefónica Hotline de Centers for Diseases Control: (800) 342-2437

¿Qué causa el VIH?
- El virus de la inmunodeficiencia humana (VIH) es el virus que causa el SIDA (Síndrome de Inmunodeficiencia humana adquirida).
- El VIH se pasa a través de ciertos líquidos humanos corporales (sangre, semen, fluidos vaginales y la leche materna).
- El VIH también se puede pasar de la madre al niño durante el embarazo y el parto.
- El VIH NO se pasa a través de contactos casuales como abrazar a tomarse de las manos, usar los mismos utensilios de comida o los servicios sanitarios o por el beso (a menos que ambas personas tengan úlceras abiertas en sus bocas).
- **Cualquiera puede infectarse con el VIH si tiene comportamientos en los cuales hay intercambio de fluidos corporales (como el compartir agujas durante la inyección de drogas, tatuarse o hacerse hoyitos, tener relaciones sin protección, vaginales, orales o anales; y darle el pecho a su niño si usted es VIH positiva). No importa de que género, raza, etnia, orientación sexual o edad usted sea. NO es que lo usted es, si no lo que usted hace lo que lo pone a riesgo de infección por VIH.**

¿Cuáles son los síntomas del VIH?
- El VIH ataca el sistema inmunológico, volviéndolo eventualmente incapaz de luchar contra otras infecciones.
- Usualmente no hay síntomas al inicio; mucha gente tiene síntomas como de gripe (fiebre, escalofríos y dolores generalizados) pero no se dan cuenta que están infectados hasta que se hacen las pruebas (ver más adelante). De hecho se estima que aproximadamente la mitad de la gente infectada con VIH no lo sabe.
- Los síntomas tardíos pueden incluir pérdida de peso, fiebre, tos, erupciones, diarrea, sudores nocturnos e hinchazón de los ganglios linfáticos. Debido a que el sistema inmunológico está debilitado, es posible adquirir otras infecciones serias las que pueden incluir cáncer, neumonia y tuberculosis (muchas de ellas causan la muerte).
- Una vez en el cuerpo el VIH comienza atacando las células T (que son una parte importante del sistema inmunológico) y el virus constantemente hace copias de sí mismo. Aunque una persona parezca totalmente saludable el virus puede estar copiando y lentamente debilita el sistema inmunológico.

¿Cuánto tiempo pasa desde el momento de la infección con VIH hasta el SIDA?
- Varía de algunos meses a muchos años. El tiempo promedio es de 10 años.
- Ahora hay cada vez más y más gente infectada con el VIH que aún no han desarrollado el SIDA debido a que hay medicinas efectivas. Algunas han estado infectados por 20 años y aún están relativamente saludables.

¿Cómo son los exámenes para VIH?
- Se usan pruebas de sangre para identificar los anticuerpos contra el virus.
- Usted debe dar consentimiento informado para que le hagan una prueba de VIH.
- IMPORTANTE: puede tomar hasta 6 meses desde el momento de la exposición al virus, para que una persona se vuelva VIH positiva. Por lo tanto si a usted le sale negativo el examen recientemente después de la exposición o se expone de

nuevo, necesita que se le repita el examen en 6 meses para estar seguro de cual es su situación en relación al VIH.

- Todas las personas necesitan que se les haga examen del VIH y se les repita si han sido expuestas de nuevo—**El conocer cuál es su condición de VIH puede ayudar a prevenir la diseminación de la infección. Hay exámenes disponibles sin costo y anónimos**.

- Para establecer el diagnóstico de SIDA una persona debe tener una prueba de sangre positiva para el VIH y uno de lo siguiente: una infección oportunista (actualmente se conocen 26 que se asocian con el SIDA); un cáncer, el más frecuente es el sarcoma de Kaposi; síndrome debilitante de VIH (pérdida de peso severa); el complejo de demencia por SIDA (disfunción mental severa) o un número de células-T por debajo de 200 (una persona sana tiene un recuento de células-T entre 800 y 1500).

¿Cuál es el tratamiento del VIH?

- No hay cura para el VIH / SIDA. Aunque el SIDA eventualmente se desarrolla en casi todas las personas que tienen VIH, en este momento hay muchas drogas disponibles que ayudan a parar que el virus haga copias de si mismo e impiden que el virus continue dañando el sistema inmunológico. También hay drogas que previenen el desarrollo de las infecciones oportunistas. Estas drogas han prolongado la vida de mucha gente que tiene VIH. Por lo tanto es muy importante que usted obtenga tratamiento médico inmediatamente, si usted es positivo para el VIH. El tratamiento con frecuencia es efectivo de manera dramática y debe ser considerado para todas las personas que tienen VIH.

- Los efectos secundarios de estas drogas pueden ser severos y éstas pueden ser muy caras, dependiendo del tipo de seguro de salud que usted tenga (si es que tiene).

- Para obtener más información acerca del tratamiento del VIH / SIDA llame a la línea SIDA Hotline (800) 342-2437 del Centers for Diseases Control.

¿Y en relación a mi pareja(s)?

- Es extraordinariamente importante que usted le diga a todas sus parejas sexuales pasadas y presentes si usted está infectada(o) con el VIH.

- Aunque puede ser difícil, el decírselo a su pareja(s) sexual es lo único que pude prevenir que ellos transmitan el VIH a otras personas. Llame al SIDA Hotline (800) 342-2437 y pregunte por una organización en donde usted vive que le pueda ayudar a hablar con su pareja(s) o que lo harían por usted de una manera anónima.

¿Y si estoy embarazada o quiero quedar embarazada en el futuro?

- El VIH puede pasarse de la madre al niño durante el parto y la lactancia.

- Todas las mujeres embarazadas deben de hacerse la prueba del VIH tan pronto como sea posible.

- Las medicinas que tenemos disponibles actualmente hacen que sea mucho menos probable que la madre le pase el VIH al niño cuando todavía está en el útero. Dígale a su médico si usted es VIH positiva y está embarazada. Lo más pronto que comience el tratamiento, es menos probable que su niño se infecte con el VIH.

CHANCROIDE

¿Qué causa el chancroide?
- Un tipo de bacteria.
- La infección se adquiere al entrar en contacto con una úlcera en otra persona.

¿Cuáles son los síntomas del chancroide?
- Usualmente una o más úlceras dolorosas en o alrededor del área genital.
- Es más frecuente que tengan Los hombres signos visibles de infección que las mujeres.

¿Cómo me van a examinar para el chancroide?
- Su médico va a tomar una muestra de la úlcera o úlceras y la va a examinar con el microscopio.
- Las personas infectadas también necesitan ser investigadas para el herpes y la sífilis (infecciones que también causan úlceras genitales).

¿Cuál es el tratamiento del chancroide?
- Se dan antibióticos por vía oral o inyectados, que usualmente curan el chancroide.
- Después del tratamiento es necesario que sea reexaminado en 3 a 7 días. Si las úlceras no han mejorado, su médico necesita asegurarse de que no haya otra infección incluyendo el VIH, de que usted se haya tomado su medicina como se lo indicaron, o de que el tipo de bacteria no sea resistente a las medicinas que le dieron.
- El tiempo que se requiere para una cicatrización completa depende del tamaño de las úlceras. Las úlceras grandes pueden que tarden más de 2 semanas en cicatrizar.
- En hombres que no han sido circuncidados puede que tome más tiempo para la cicatrización si tienen úlceras debajo del perpucio.

¿Y de mi pareja(s)?
- Cualquier persona con quien usted haya tenido contacto sexual en 10 días desde que sus síntomás comenzaron, necesita ser examinada y tratada aun cuando no tengan síntomas.

¿Y si estoy embarazada o quiero quedar embarazada en el futuro?
- Algunos antibióticos no pueden ser usados durante el embarazo (ejemplo: Ciprofloxaxina). No ha habido reportes de que el chancroide le haya causado problemas a un niño en formación. Hable con su médico acerca de cual es el mejor tratamiento para usted y para su niño.

HERPES

¿Cuál es la causa del herpes?
- Los Virus Herpes Simplex Tipo 1 (HSV-1) y Herpes Simplex Tipo 2 (HSV-2) son los que causan la infección.
- Ambas variedades pueden infectar la boca y los genitales (las úlceras en la boca se llaman "fuegos" o "úlceras de catarro").
- El herpes puede pasarse durante el contacto del pene con la vagina, contacto

oral-anal y contacto oral-genital (por ejemplo: a usted le puede dar herpes en sus genitales si alguien que tiene un fuego en su boca le hace el sexo oral).

- Una madre infectada le puede pasar el herpes a su niño cuando está en el útero o durante el parto.
- El herpes se puede pasar a otros sitios en el cuerpo si se tocan las úlceras (dedos, ojos y otras áreas corporales). Para prevenir esto no toque el área en donde haya una lesión. Si usted lo hace lávese las manos lo más pronto posible con jabón y agua para matar el virus del herpes.
- Los niños y los adultos pueden adquirir el herpes si alguien con una úlcera en la boca los besa. Los niños no pueden luchar contra las infecciones tan bien cómo los adultos y pueden tener serios problemas si se infectan. Absténgase de besar si usted tiene un "fuego".
- *El virus se puede diseminar aunque usted no tenga úlceras activas. De hecho, es más probable que usted disemine el virus antes de que le aparezcan las úlceras. Durante este tiempo usted puede sentir hormigueos o picazón en el área (lo que se llaman síntomas prodómicos) que le avisan que ya le van a salir las úlceras.*
- *El virus se puede diseminar aun sin síntomas por lo tanto usted debe usar un preservativo cuando tenga relaciones con una nueva pareja sexual o con una pareja que no está infectada y debe hablar de manera honesta acerca de su infección, ya que los preservativos no son completamente efectivos para prevenir la transmisión del herpes. Usted y su pareja debe también revisar las opciones de tener relaciones sin protección y reconocer los riesgos que esto significa.*

¿Cuáles son los síntomas del herpes?

- Muchas personas con la infección de herpes no tienen ningún síntoma. Es posible transmitir el virus aunque uno no tenga síntomas (úlceras); lea la información anterior.
- Pequeñas inflamaciones que pican localizadas en o alrededor del área genital, la boca y los labios. Las inflamaciones se convierten en ampollas y estas se revientan, produciendo las úlceras dolorosas. Las úlceras desaparecen pero pueden volver (a algunas personas les vuelven cada mes, a otras cada algunos años y a otras nunca más).
- Es posible que aparezcan ganglios linfáticos inflamados en el cuello o en el área pélvica.
- Es posible tener síntomas como de gripe durante el primer brote (fiebre, escalofríos y dolores musculares)

¿Cómo se investiga el herpes?

- Su médico tomará una muestra de las úlceras y hará una prueba para el virus del herpes.
- La prueba más especifica para el herpes se hace cuando usted tiene úlceras. Su médico le tomará una muestra de la úlcera y en base al resultado le dirá si usted tiene una infección Tipo 1 o Tipo 2.
- En 1999 la FDA aprobó dos nuevos exámenes para el herpes: Pockit ® y Premier.
- Los exámenes de sangre se utilizan con frecuencia cuando una persona está preocupada acerca del herpes, pero no tiene síntomas o signos visibles. Estas nuevas pruebas son capaces de identificar el tipo de virus, pero no el lugar de la

infección (oral vrs. genital). Pregúntele a su médico si usted está interesada en que le hagan una prueba de sangre para herpes.

¿Cómo se trata el herpes?
- **No hay cura para el herpes.** Las medicinas como el acyclovir, famcyclovir, valacyclovir están ahora disponibles y usted puede tomárselas diariamente, lo que le ayudará a que le aparezcan los brotes menos frecuentemente.
- Usted también puede tomar estos medicamentos para prevenir un brote o para hacerlo menos severos.
- Durante los brotes usted puede ayudar a la cicatrización y al alivio del dolor haciéndose emplastos con baños de Aveeno (disponible en las farmacias), usando ropa floja y manteniendo el área limpia y seca.
- Los brotes están relacionados algunas veces con el estrés de su vida. El aprender a manejar el estrés (comer adecuadamente, hacer ejercicio, dormir lo suficiente, divertirse) puede ayudarle a minimizar los brotes.

¿Y con mi pareja(s) sexual?
- Cualquier persona con la que usted ha tenido contacto sexual reciente debe ser examinada y tratada si presenta síntomas.
- No tenga actividad sexual cuando tenga úlceras activas, o utilice alternativas seguras que no requieran el contacto de piel con piel.

¿Y si estoy embarazada o deseo quedar embarazada en el futuro?
- El herpes se puede pasar de la madre al hijo. El riesgo es alto (de 30 a 50%) en aquellas mujeres que tiene su primera infección cerca del momento del parto. El riesgo es bajo (3%) en las mujeres que tiene una historia de herpes recurrente o en mujeres que tuvieron el herpes durante la primera mitad del embarazo.
- Las mujeres que tiene parejas sexuales con herpes oral o genital y las mujeres que no saben si su pareja está infectada con herpes, deben evitar el sexo oral o genital sin protección en la parte final del embarazo.
- La operación cesárea puede estar indicada si la mujer tiene úlceras herpéticas activas al momento del parto, aunque la cesárea no elimina por completo el riesgo de pasarle el herpes al niño.
- Algunas infecciones son más peligrosas durante el embarazo que cuando la mujer no está embarazada. El herpes es potencialmente muy peligroso para el niño de una mujer embarazada.

La mujer embarazada con riesgo de herpes, sífilis, VIH o cualquier infección de transmision sexual, debe usar preservativos.

SÍFILIS

¿Qué causa la sífilis?
- Un tipo de bacteria (T. Pallidum).
- La bacteria necesita estar en las membranas mucosas para sobrevivir. Puede pasarse a través de las relaciones orales, anales y vaginales.
- Una madre infectada le puede pasar la sífilis a su niño aún no nacido.

¿Cuáles son los síntomas de la sífilis?

- Primera etapa: el primer signo es un chancro, lo que es una úlcera indólora, roja, de unos 3 cm.
- Segunda etapa: aparece una erupción roja con picazón en todo el cuerpo, que incluye la palma de las manos y la planta de los pies. Esto puede no ser evidente en todas las personas, que ya que algunas tienen pocos síntomas.
- Sífilis latente: esto es cuando una persona tiene un examen de sangre positivo para sífilis pero no tiene síntomas (unas 2 a 6 semanas después que los síntomas de la primera y segunda etapa han desaparecido).
- Sífilis Terciaria (tercera etapa): si la sífilis no se trata tempranamente puede llevar a problemas severos que incluyen úlceras en los órganos internos, los ojos, enfermedades del corazón, el cerebro y de la columna dorsal, y puede causar daño cerebral que lleva a la locura.

¿Cómo puedo ser examinado buscando sífilis?

- Se utiliza un examen de laboratorio para buscar anticuerpos contra la sífilis.
- Para obtener resultados confiables se necesita hacer más de un examen.
- Es una buena idea hacerse un examen del SIDA si usted ha sido infectado con sífilis.

¿Cómo es el tratamiento de la sífilis?

- Le van a poner una inyección de penicilina.
- Si usted es alérgico a la penicilina dígale a su médico. Se pueden usar otros antibióticos.
- Después de la inyección de penicilina puede tener signos como dolor de cabeza y dolor en los músculos; vuelva a la clínica si usted tiene alguno de esos síntomas.
- La sífilis latente y de tercera etapa pueden ser tratadas con antibióticos (pero puede ser que lo hospitalicen si la infección es severa).

¿Qué pasa con mi pareja sexual?

- La sífilis sólo puede pasarse cuando está presente el chancro (lo que no es usual después del primer año de la infección). Pero cualquier persona con la que usted haya tenido relaciones sexuales debe ser examinada buscando sífilis y tratada si es necesario.

¿Y si estoy embarazada o deseo quedar embarazada en un futuro cercano?

- Una madre infectada puede contagiar a su niño aun antes de nacer si ella no recibe tratamiento.
- La infección en los niños aún no nacidos con frecuencia causa daño cerebral.
- Es una buena idea que le hagan el examen el primer trimestre del embarazo. Si usted recibe tratamiento su niño no estará con riesgo.
- **Es muy importante que las mujeres embarazadas con riesgo de ser infectadas con sífilis utilicen preservativos cada vez que tengan relaciones sexuales.**

ITS QUE TIENDEN A CAUSAR INFECCIONES EN LA URETRA Y EN EL CERVIX

URETRITIS NO GONOCÓCICA

¿Qué causa la uretritis no gonocócica?
- Una infección de la uretra causada por otra cosa que no es la gonorrea. Uretritis No Gonococica significa que después de hacer exámenes, la gonorrea ha sido descartada como la causa de infección. La causa usualmente es otro tipo de organismos sexualmente transmitidos, como por ejemplo la clamidia.

¿Cuáles son los síntomas de la uretritis no gonocócica?
- Hombres: micción dolorosa y frecuente o una secreción amarillenta o blanca que sale del pene.
- Mujeres: usualmente no tienen síntomas. Si hay síntomas, estos pueden incluir picazón y ardor durante la micción o un flujo anormal de la vagina.

¿Qué exámenes me van a hacer para la uretritis no gonocócica?
- Se utiliza un exámen de laboratorio para buscar la bacteria con un microscopio.
- Se recomienda la prueba para clamidia. Hay exámenes muy seguros.Los síntomas de estas infecciones son similares y pueden modificar el tratamiento.

¿Cuál es el tratamiento si tengo uretritis no gonocócica?
- Usualmente se trata con antibióticos como ejemplo la azitromicina, doxiciclina, eritromicina o metrodinazole; se toman ya sea en dosis única o durante 7 a 14 días.
- No tenga relaciones hasta que le hayan hecho exámenes y que la infección definitivamente haya desaparecido (aun después que termine el tratamiento).

¿Y con mi pareja sexual?
- Todas las personas con quién usted ha tenido relaciones sexuales en los últimos 60 días deben ser examinados y tratados si están infectados.

¿Y si estoy embarazada o quiero quedar embarazada en el futuro?
- Si usted está embarazada y tiene cualquier síntoma de infección, dígale a su médico para que sea tratada.
- Algunos antibióticos no pueden usarse durante el embarazo, pero hay tratamientos efectivos y seguros para prácticamente todas las mujeres.

CLAMIDIA

¿Qué causa la clamidia?
- Es un tipo de bacteria.
- La clamidia es la infección de transmisión sexual más común en los Estados Unidos. Causa un estimado de 4 millones de infecciones anualmente, primordialmente en los adolescentes sexualmente activos y en adultos jóvenes.
- Se contagia a través de las relaciones vaginales, orales y anales.

¿Cuáles son los síntomas de la clamidia?
- Mujeres: en la infección temprana, aproximadamente el 75% de las mujeres no

tienen ningún síntoma. Si hay algún síntoma podría ser un flujo vaginal o sensación de ardor durante la micción o sangramiento vaginal inexplicado entre las reglas. En la infección tardía los síntomas pueden incluir dolor en el abdomen inferior, sangramiento entre las reglas o fiebre de bajo grado.

- Hombres: en la infección temprana aproximadamente entre 30% a 50% de los hombres no tienen síntomas. Si hay síntomas estos incluyen una secreción no usual del pene, ardor durante la micción, picazón y ardor alrededor de la abertura uretral, dolor e hinchazón de los testículos o fiebre de bajo grado (estos dos últimos pueden significar que el hombre tiene Epididimitis, una infección del epidídimo).
- Si se deja sin tratamiento, la clamidia puede causar serios problemas en la mujer (infección inflamatoria pélvica (EPI), embarazo ectópico e infertilidad). Sin tratamiento, aproximadamente un 20% a 40% de las mujeres con clamidia pueden desarrollar una EPI.

¿Cómo me van a examinar para clamidia?
- El exámen para clamidia está disponible y se recomienda definitivamente si usted es sexualmente activa, ya que puede tener clamidia sin tener síntomas.
- Se toma una muestra del cuello del útero o del pene, con un hisopo.
- Se usa un examen de laboratorio para diagnosticar la clamidia.

¿Cómo se trata la clamidia?
- Se trata con antibióticos (como la azitromicina, doxiciclina, eritromicina) que se toman oralmente en una sola dosis o durante 7 a 14 días.
- En las personas que tienen clamidia es tan frecuente que tengan también gonorrea, que los médicos con frecuencia dan tratamiento para ambas infecciones.
- No necesita tener un nuevo examen para clamidia después que termina el tratamiento, a menos que sus síntomas no hayan desaparecido o que haya estado de nuevo expuesto a la infección.

¿Y con mi pareja sexual?
- Todas las personas con quienes usted ha tenido contacto sexual en los últimos 60 días deben de ser examinadas, y tratadas si están infectados.
- El decirle a sus contactos sexuales y hacer que a ellos los examinen y los traten va a ayudar a controlar la diseminación de esta infección.

¿Y si estoy embarazada o deseo quedar embarazada en el futuro?
- Si usted está embarazada e infectada con clamidia no puede tomar algunos antibióticos. Sin embargo un tratamiento efectivo y seguro con otros antibióticos está disponible para tratar prácticamente a todas las mujeres.
- Su médico y usted deben decidir cuál es el mejor tratamiento para usted y su niño.
- Si la clamidia antes del embarazo no se trata, puede causar una infección pélvica inflamatoria la cual puede causar infertilidad en el futuro.

GONORREA

¿Qué causa la gonorrea?
- Un tipo de bacteria.
- La bacteria puede vivir en las membranas mucosas (tapizado) de la boca, garganta, vagina, cervix, uretra y el recto.
- La infección se adquiere a través de contacto oral, genital o anal.

¿Cuáles son los síntomas de la gonorrea?
- Mujeres: aproximadamente el 50% a 80% de mujeres no tienen ningún síntoma de infección. Si hay síntomas estos pueden incluir un flujo no usual de la vagina, ardor durante la micción, o sangramiento vaginal no explicado entre las reglas. Las infecciones tardías pueden causar dolor en el abdomen inferior, sangramiento entre las reglas o fiebre de bajo grado.
- Hombres: es más frecuente que en las mujeres que tengan síntomas de infección, que incluyen una secreción acuosa del pene, picazón o ardor alrededor de la uretra o dolor cuando se orina. Si se deja sin tratamiento pueden ocurrir otros síntomas como una secreción gruesa amarilla o verdosa del pene, más dolor durante la micción, dolor e inflamación de los testículos o una fiebre de bajo grado (estos últimos síntomás pueden sugerir que el hombre tiene epididimitis, una infección que causa que el epidídimo (estructura en los testículos que almacena los espermatozoides) se inflame).
- Si se deja sin tratamiento, la gonorrea puede causar serios problemas en las mujeres, como la enfermedad pélvica inflamatoria, el embarazo ectópico, o infertilidad; o una enfermedad más generalizada tanto en hombre como mujeres, en la cual hay temperatura alta e inflamación de las articulaciones.

¿Cómo me van a examinar para gonorrea?
- Se toma una muestra del cuello del útero o del pene con un hisopo.
- Se usa un examen de laboratorio para buscar la bacteria bajo el microscopio.
- Es muy común examinar tanto para gonorrea como para clamidia.

¿Cúal es el tratamiento para la gonorrea?
- El tratamiento es con antibióticos como la azitromicina, doxiciclina y cefixime; se toman oralmente en una sola dosis o durante 7 a 14 días. Frecuentemente los antibióticos se inyectan.
- La infección de la garganta por gonorrea es más difícil de tratar que la infección genital (aunque se usan las mismas medicinas).

¿Y con mi pareja sexual?
- Todas las personas con quien usted ha tenido contacto sexual en los últimos 60 días necesitan ser examinadas y si están infectadas, tratadas.
- Contarle a sus contactos sexuales y hacer que ellos sean examinados y tratados va a ayudar a parar la diseminación de esta infección.

¿Y si estoy embarazada o quiero quedar embaraza en el futuro?
- Es importante que sea tratada la gonorrea antes de que usted salga embarazada.
- Si usted está embarazada e infectada con gonorrea, no puede tomar algunos

antibióticos. Sin embargo hay tratamientos efectivos y seguros con otros antibióticos para prácticamente todas las mujeres.

- Usted y su médico deben decidir cuál es el mejor tratamiento para usted y su niño.
- Si se deja sin tratamiento la gonorrea puede causar una enfermedad pélvica inflamatoria la cual puede a su vez causar infertilidad.

INFECCIONES DE TRANSMISIÓN SEXUAL QUE TIENDEN A CAUSAR FLUJO VAGINAL

VAGINOSIS BACTERIANA

NOTA: la Vaginosis Bacteriana no es necesariamente una infección de transmisión sexual.

¿Qué causa la Vaginosis Bacteriana?

- Es causada más comúnmente por un tipo de bacteria. La infección ocurre cuando las bacterias normales que están en la vagina son sustituidas por bacterias que causan infección.
- Pueden ser transmitidas a través de las relaciones pene-vagina.
- También puede ocurrir espontáneamente; no se conoce completamente cuáles son las causas.
- La vaginosis bacterial es la causa más común de flujo u olor vaginal (vea los síntomas más abajo). La vaginosis bacteriana con frecuencia se confunde con infección por hongos. Por lo tanto es importante consultar con su médico si usted tiene estos síntomas.

¿Cuáles son los síntomas de la Vaginosis Bacteriana?

- Mujeres: el 50% de las mujeres no tienen síntomas. Si hay síntomas, estos pueden incluir picazón, irritación o un flujo vaginal blanco con olor a pescado.
- Hombres: la mayoría no tienen síntomas. Si hay síntomas pueden incluir irritación alrededor de la uretra o en la cabeza del pene.

¿Cómo se me va a examinar para la Vaginosis Bacterial?

- Durante el exámen pélvico su médico va a examinarla buscando 3 de los siguientes 4 posibles síntomas:
  1. Un flujo vaginal blanco que cubra las paredes de la vagina.
  2. "Células marcadoras" en un extendido de muestra vaginal visto bajo el microscopio.
  3. Un pH alto del fluido vaginal.
  4. Un olor a pescado antes o después que se agrega una solución que contienen hidróxido de potasio al 10% (con frecuencia la mujer nota esto inmediatamente después de las relaciones).

¿Cómo se trata la Vaginosis Bacteriana?

- Se trata con antibióticos (ejemplo: metronidazole, clindamicina) tomados oralmente o como supositorios vaginales al acostarse.
- **No tome alcohol si usted está tomando metronidazole ya que se puede poner muy enferma.**

- **La crema de clindamicina tienen una base de aceite y puede debilitar los preservativos de látex y el diafragma.**
- Vea a su médico si los síntomas no desaparecen después del tratamiento.

¿Y con mi pareja sexual?
- En estudios que se han hecho, el tratamiento de la pareja sexual masculina no ha demostrado ser beneficioso par prevenir la recurrencia de la vaginosis bacteriana en la mujer.

¿Y si estoy embarazada o quiero quedar embarazada en el futuro?
- La vaginosis bacteriana puede causar problemas durante el embarazo (se puede romper la fuente muy temprano o usted puede tener un trabajo de parto y parto prematuro). También puede causar una infección en el útero después del nacimiento.
- Debido a que el tratamiento en mujeres que tienen un riesgo elevado de problemas con el embarazo (especialmente mujeres que han dado a luz previamente a un niño prematuro) y que no tienen síntomas; y que puede reducir los partos prematuros, estas mujeres deben ser examinadas y aquellas con vaginosis bacteriana deben ser tratadas. El examen y el tratamiento (con un antibiótico como el metronidazole o clindamicina) debe de llevarse a cabo temprano en el segundo trimestre del embarazo.
- La mujer embarazada de bajo riesgo (por ejemplo; aquellas que previamente no han tenido un parto prematuro) y que tienen una vaginosis bacteriana sintomática debe ser tratadas con antibióticos para el alivio de los síntomas.
- Si usted está preocupada por una infección de vaginosis bacteriana durante el embarazo, hable de esto con su médico.

TRICÓMONIASIS

¿Qué causa la tricomoniasis?
- Un tipo de parásito
- Usualmente se transmiten por las relaciones sexuales vaginales y anales.
- También se pueden pasar en toallas o ropa sucia (pero esto es raro).

¿Cuáles son los síntomas de la tricomoniasis?
- **Mujeres:** picazón intensa en la vagina y vulva, flujo vaginal espumoso con olor a pescado, o relaciones dolorosas.
- **Hombres:** La mayoría de los hombre no tiene síntomas. Si tienen síntomas, estos pueden incluir micción dolorosa, orinar frecuentemente, o secreción blanca o amarillenta del pene.

¿Cómo me van a examinar para tricomoniasis?
- Se utiliza un examen de laboratorio para buscar el parásito con el microscopio.

¿Cuál es el tratamiento de la tricomoniasis?
- El tratamiento es con antibióticos: metronidazole, que se toma oralmente en dosis única o durante 7 días.

- Las investigaciones sobre el tratamiento han demostrado que el metronidazole es efectivo para tratar la tricómoniasis en un 90–95% de los casos.

¿Y mi pareja(s) sexual?
- Todas las personas con quienes usted ha tenido contacto sexual en el último mes deben ser examinadas y tratadas si están infestadas.
- El contárselo a sus contactos sexuales y hacer que a ellos los examinen y los traten, va a ayudar a parar la diseminación de esta infección.

¿Y si estoy embarazada o deseo quedar embarazada en el futuro?
- Hay riesgos durante el embarazo si la tricomoniasis no se trata. La bolsa de aguas (fuente) se puede romper muy temprano y usted puede tener dolores de parto y parto prematuro.
- Dígale a su médico si usted está embarazada para que sea tratada lo antes possible.

CANDIDIASIS (INFECCIÓN POR HONGOS)

NOTA: La infección por hongos usualmente no se adquiere a través de las relaciones sexuales

¿Qué causa la candidiasis?
- Usualmente es causada por un tipo de hongo llamado *Candida albicans*.
- Este hongo normalmente se encuentra en la vagina, pero algunas veces hay condiciones que hace que se multiplique muy rápidamente y entonces produce una infección debido al sobrecrecimiento.
- Los factores que contribuyen a las infecciones recurrentes por hongos no se conocen completamente. Algunas posibles razones incluyen diabetes, tener una enfermedad que debilita el sistema inmunológico, y usar esteroides.
- La infección por hongos es común. Aproximadamente un 75% de las mujeres van a tener por lo menos una infección por hogos en su vida. Probablemente menos del 5% tienen una infección por hongos que vuelve con frecuencia.

¿Cuáles son los síntomas de una infección por hongos?
- **Mujeres:** picazón intensa en la vagina y vulva, un flujo blanco que parece requesón; molestias con las relaciones; sensibilidad y ardor en la vagina, ardor durante la micción.
- **Hombres:** La mayoría de los hombres no tiene síntomas o pueden tener dolor o ardor durante la micción, úlceras en el pene o inflamación en la punta del pene.

¿Cómo me van a examinar para la infección por hongos?
- Si usted no está segura de que tiene una infección por hongos, es una buena idea que la examinen.
- Su médico probablemente va a buscar el hongo con un microscopio después de tomarle una muestra del flujo.
- Aproximadamente un 10 a 20% de las mujeres tienen hongos sin tener síntomas, así que su médico necesita tomar en cuenta sus síntomas para establecer el diagnóstico.

¿Cuál es el tratamiento de la infección por hongos?
- Usted puede comprar medicinas sin recetas en las farmacias (por ejemplo: Monistat, Gyne-Lotrimin) éstas son cremas vaginales y supositorios (óvulos vaginales). Valen entre $12.00 a $20.00.
- Las cremas se aplican en la parte externa de la vagina para parar la picazón. Las aplicaciones de gel o los supositorios (óvulos vaginales) se ponen en la vagina en la noche para matar los hongos.
- Su médico también le puede indicar medicinas con receta, en forma de cremas, supositorios o pastillas que se pueden tomar oralmente; ejemplo: clotrimazole, miconazole, terconazole, ketoconazol, fluconazole.
- **NOTA: Las cremas y supositorios tienen una base de aceite y no se deben usar con preservativos ya que debilitan el látex y puede hacer que se rompa el preservativo.**
- Algunas de las medicinas orales (especialmente el ketoconazole) pueden causar problemas si se toman junto con otras drogas como Viagra, algunas medicinas para el corazón y algo que contenga óxido nítrico. Pregúntele a su médico si usted está preocupada acerca de alguna combinación potencialmente peligrosa.
- El mantener un buen nivel de salud genital y general puede ayudar a prevenir las infecciones por hongos. Use un jabón suave y límpiese del frente hacia atrás con el papel higiénico para evitar traer bacterias del intestino hacia su región vaginal. Use ropa interior de algodón. Evite los "panty hose" y calzones de nylon y pantalones o "jeans" muy apretados ya que ellos tienden a retener la humedad en el área vaginal. Evite los baños de burbujas, los baños de aceite y los atomizadores higiénicos. Evite las duchas las cuales pueden irritar la mucosa de la vagina volviéndola más vulnerable a las infecciones. Evite los tampones y almohadillas desodorantes, rebaje de peso si tiene exceso del mismo (las libras extras significan que la vulva tiene menos exposición al aire). Evite usar lubricantes con base de petroleo, como la Vaselina, durante las relaciones sexuales, ya que tienden a quedarse en la vagina, es difícil lavarlos y pueden promover las infecciones. Las infecciones también parecen ocurrir más frecuentemente durante tiempos de stress. Trate de mantener un balance saludable físico y emocional en su vida y puede ser que tenga menos infecciones (Stewart, Guest, Stewart, Hatcher, 1987).
- Vaya a ver a su médico si los síntomas no mejoran con el tratamiento.

¿Y mi pareja(s) sexual?
- Usualmente sus parejas sexuales no tienen que ser examinados o tratados. La infección por hongos generalmente no se transmite sexualmente. Si la pareja sexual masculina tiene síntomas de infección, el podrían beneficiarse con el tratamiento y debería de ver al médico.

¿Y si estoy embarazada o deseo quedar embarazada en el futuro?
- A muchas mujeres les dan infecciones por hongos durante el embarazo.
- Solo medicinas como cremas o supositorios deben ser usados para tratar las infecciones por hogos en las mujeres embarazadas.
- Los tratamientos más efectivos son el butoconazole, clotrimazole, miconazole y

terconazole (todas son medicinas con receta que pueden ser indicadas por su médico),

- Muchos expertos recomiendan tratamiento por 7 días durante el embarazo.

OTRAS ITSs

ENFERMEDAD PELVICA INFLAMATORIA (EPI)

¿Qué causa la Enfermedad Pélvica Inflamatoria(EPI)?
- Es causada por una infección en las trompas de Falopio y los ovarios.
- Las infecciones de transmisión sexual que no son tratadas (como la clamidia y la gonorrea) son con frecuencia la causa inicial de la EPI.
- **La EPI puede causar cicatrices en las trompas de Falopio, lo que puede llevar a a la infertilidad (no poder quedar embarazada).**

¿Cuáles son los síntomas de la EPI?
- Dolor o sensibilidad en el abdomen inferior y en el área pélvica.
- Fiebre y/o escalofríos.
- Flujo vaginal anormal.
- Algunas mujeres pueden no tener síntomas.

¿Cómo me van a examinar para EPI?
- Si usted tiene alguno de los síntomas mencionados arriba, debe de ser examinada inmediatamente por un médico.
- Si no se encuentra otra causa para la enfermedad y usted tiene dolor o sensibilidad en el abdomen inferior o el área pélvica, lo más probable es que se diagnostique EPI.

¿Cuál es el tratamiento de la EPI?
- El tratamiento es con antibióticos (por ejemplo clindamicina, metrodinazole, oflxacina, cefotetan, doxicyclina) tomados por vía oral, inyectados por vía intramuscular, o si en el hospital, a través de IV (con una aguja en una de sus venas).
- Si la EPI es severa usted puede necesitar quedarse en el hospital. Las siguientes razones pueden requerir hospitalización:
  —Si no se puede descartar una emergencia quirúrgica como la apendicitis como causa de los síntomas.
  —Si usted está embarazada.
  —Si los antibióticos orales no son efectivos para el tratamiento de la infección.
  —Si no puede tomar los antibióticos por sí misma.
  —Si usted tiene una enfermedad severa, náuseas o vómitos, o una fiebre alta.
  —Si usted tiene un absceso tubo-ovárico (un área llena de pus en las trompas de Falopio u ovarios).
  —Si usted tiene un problema con su sistema inmunológico (si usted es VIH positiva, está tomando drogas que afectan el sistema inmunológico o tiene alguna otra enfermedad).
  —Si usted es una adolescente.

¿Y mi pareja(s) sexual?
- Todas las personas con quienes usted ha tenido contacto sexual pueden estar infectadas con una enfermedad de transmisión sexual como clamidia o gonorrea.
- Es importante decirle a sus contactos sexuales y hacer que a ellos los examinen y los traten si están infectados.

¿Y si estoy embarazada o deseo quedar embarazada en el futuro?
- Si usted está embarazada y tiene EPI necesita quedarse en el hospital para que le den tratamiento con antibióticos endovenosos.

VIRUS DEL PAPILOMA HUMANO

¿Qué causa el VPH?
- Un virus que se llama virus del papiloma humano (VPH).
- Hay aproximadamente 20 tipos de VPH que pueden causar enfermedades genitales. A cada uno se les ha dado un número y tienen diferentes efectos en el cuerpo.
- Algunas veces pero no siempre, el VPH causa verrugas genitales en o alrededor de la vagina, pene o ano, o adentro de la vagina, el cervix o el recto.
- El VPH se pasa al entrar en contacto con una piel o membrana mucosa infectada.
- El VPH es una de la infecciones de transmisión sexual más commones.

¿Cuáles son los síntomas del VPH?
- La mayoría de los tipos de VPH no causan ningún síntoma.
- Las verrugas genitales visibles son causadas usualmente por los tipos 6 u 11.
- Las verrugas genitales son de diferentes formas y tamaños. Algunas son planas mientras otras son elevadas o parecen pequeñas coliflores.
- Otros tipos de VPH (tipo 16, 18, 31, 33 y 35) se han asociado con la displasia cervical (crecimiento celular anormal en el cuello del útero que puede eventualmente causar cáncer).

¿Cómo me van a examinar para el VPH?
- Si usted tiene verrugas visibles en los genitales externos, su médico puede hacer el diagnóstico al examinar las verrugas.
- Puede ser necesario un examen interno para ver las verrugas en la vagina o el recto.
- Algunas veces el médico aplica una solución de vinagre al área. Si algunas áreas se vuelven blancas podria significar que usted tiene infección por el VPH.
- Su médico no necesita identificar el tipo de VPH para diagnosticar y tratar las verrugas genitales visibles.
- El VPH ha sido asociado a la displasia cervical—una condición precancerosa que puede desarrollarse a cáncer si no se trata inmediatamente. Por lo tanto es muy importante que usted tenga exámenes ginecológicos y pruebas de Pap (citología) regulares. La prueba de Pap no es una prueba específica para el VPH, pero si se detecta displasia en su Pap, esto puede significar que usted tiene una infección por el VPH. Si usted tiene displasia, hay tratamientos disponibles para eliminar las células anormales. (NOTA: una prueba de Pap es diferente de un examen

pélvico aunque ambos se pueden hacer al mismo tiempo. Para la prueba del Pap el médico toma una muestra de células de cervix, las que luego se examinan en el laboratorio). Es una prueba de tamizaje para el cáncer cervical.

¿Cómo se trata el VPH?

- **No hay cura para el VPH**. Las verugas visibles pueden ser tratadas pero no hay evidencia que indique que los tratamientos actualmente disponibles eliminan el VPH. La eliminación de las verrugas puede o no disminuir la capacidad de transmisión de la infección a su pareja.
- Las verrugas pueden ser eliminadas con crioterapia (congelación), tratamiento con láser (quemarlas), o aplicando una solución química para eliminar las verrugas.
- En algunos tratamientos usted se pone la medicina (una crema) a la hora de acostarse.
- Para el tratamiento de las verrugas adentro del recto, es mejor que sea referida a un experto.
- Si no se tratan las verrugas, las que están visibles pueden desaparecer por sí mismas, mantenerse sin cambios, o aumentar en número y tamaño.
- El tratamiento usualmente logra un período sin verrugas en la mayoría de las personas, pero éstas pueden volver a aparecer de nuevo.
- No hay evidencia que indique que el tratamiento de las verrugas visibles afecte el desarrollo de cáncer cervical.
- **Usted puede transmitir la infección a otros aun después de que las verrugas han sido removidas ya que el virus permanece en su cuerpo.**

¿Y con mi pareja sexual?

- La pareja sexual que tiene verrugas visibles necesita tratamiento.
- El examen de la pareja sexual que no tienen síntomas no es necesario, ya que el papel de la reinfección probablemente es mínimo y, debido a que no hay cura para el VPH, el tratamiento para reducir la transmisión no tiene base real. Sin embargo, debido a que puede ser difícil reconocer las verrugas si están presentes, un exámen por un médico puede ayudar a identificar las verrugas u otras ITS en una pareja sexual.
- Ya que el tratamiento de las verrugas genitales probablemente no elimina la infección por VPH, es importante saber que usted puede diseminar el VPH aun después que las verrrugas han sido eliminadas. El uso de preservativos puede reducir, pero no elimina, el riesgo de transmisión a una pareja no infectada.
- Las parejas sexuales femeninas que tienen verrugas genitales, deben de hacerse regularmente pruebas de Pap (cómo lo hacen todas las mujeres sexualmente activas) para investigar la presencia de cáncer cervical.

¿Y si estoy embarazada o quiero quedar embarazada en el futuro?

- Algunos tratamientos como por ejemplo el imiquimod, la podofilina y el podofilox, no deben ser usados durante el embarazo.
- Las verrugas genitales pueden aumentar durante el embarazo, por lo que la mayoría de expertos recomiendan que sean tratadas.
- Cuando el VPH de tipo 6 y 11 son pasados de la madre al niño, pueden infectar

raramente al niño en la garganta. Aun no se entiende completamente como se lleva a cabo esta transmissión.

- Si el VPH causa displasia cervical que se desarrolla en cáncer, la mujer puede tener problemas durante el embarazo y el parto.

ITSs QUE SON PREVENIBLES CON VACUNAS

HEPATITIS A Y B

¿Qué causa la hepatitis?

- Un tipo de virus.
- Hay dos tipos de hepatitis que vamos a revisar aquí: A y B. La hepatitis A se pasa más comúnmente a través del contacto oral con materia fecal infectada (heces) ya sea por transmisión de persona a persona en miembros de una casa o parejas sexuales, o por agua o alimentos contaminados. La hepatitis B se pasa usualmente a través de la actividad sexual (a través de sangre, semen, saliva, fluidos vaginales, orina y materias fecales). La hepatitis B puede también ser pasada de la madre al hijo durante el embarazo (el riesgo es del 10 al 85% y depende del status del sistema inmunológico materno).
- La hepatitis A y B atacan el hígado y la enfermedad puede ser muy seria.

¿Cuáles son los síntomas de la hepatitis?

- Fatiga (sentirse cansado).
- Diarrea.
- Náusea y vómitos.
- Dolor abdominal.
- Ictericia (color amarillo de los ojos y la piel).
- Color amarillo oscuro o anaranjado de la orina.

¿Cómo me van a examinar para la hepatitis?

- Se usa un examen de sangre para identificar el virus.

¿Cómo se trata la hepatitis?

- No hay tratamiento médico específico para la hepatitis A o B—la enfermedad tiene que seguir su curso.
- Usualmente las personas infectadas necesitan descansar y tomar muchos líquidos durante unas dos semanas.
- Algunas veces la enfermedad es seria y puede necesitar ser hospitalizado.
- Daño hepático o la muerte pueden ocurrir en los casos severos (aproximadamente 6,000 personas mueren anualmente de hepatitis).
- Una vez que se recupera ya no puede infectarse de nuevo con hepatitis A. La infección con hepatitis B puede resultar en la recuperación o volverse crónica.
- **La mejor manera de prevenir la hepatitis es vacunarse contra ella (una serie de tres inyecciones durante seis meses para la hepatitis B y dos vacunaciones cada seis meses para la hepatitis A)—pregúntele a su médico hoy mismo acerca de esas vacunas simples y efectivas.**

¿Y con mi pareja sexual?

- Las parejas sexuales u otras personas recientemente expuestas a la hepatitis A (por ejemplo: a través del contacto en casa y que no han sido vacunadas antes de la exposición deben recibir la vacuna, pero no si han pasado más de 14 días después de la exposición).
- Las parejas sexuales deben ser inmunizadas con la inmunoglobulina para hepatitis B (HBIG) y comenzar la serie de vacunas en los siguientes 14 días después del más reciente contacto sexual.

¿Y si estoy embarazada o quiero quedar embarazada en el futuro?

- Las mujeres embarazadas deben ser examinadas por la infección por hepatitis.
- Las mujeres embarazadas pueden ser vacunadas contra la hepatitis.

ITSs QUE SON CAUSADAS POR PARÁSITOS

PIOJOS PÚBICOS O "LADILLAS"

¿Qué causa los piojos púbicos?

- Un tipo de parásito.
- Se pasa a través del contacto sexual o por usar sábanas, servicios sanitarios, ropa interior u otras ropas o toallas que tienen piojos en ellos (los piojos pueden vivir hasta un día y poner huevos sin estar en un humano).
- Los piojos femeninos ponen huevos los que van a incubar en 7 a 10 días, y estos nuevos piojos comienzan a poner sus propios huevos en aproximadamente dos semanas.

¿Cuáles son los síntomas de los piojos púbicos?

- Picazón en la región púbica, especialmente en el vello.
- Usted podría verse los piojos o los huevos en su vello púbico cerca de la piel.

¿Cómo me van a examinar para los piojos púbicos?

- El médico lo va a examinar para ver si tiene los piojos o los huevos.

¿Cómo se tratan los piojos púbicos?

- Medicinas sin receta vienen en forma de shampoo o loción (ej.:Kwell, Nix, RID).
- También usted puede obtener medicinas con receta de su médico y vienen en forma de shampoo (ej.:permethrin, lindane).
- Usted va a necesitar lavar toda su ropa de cama y su ropa (ya sea con lavadora y séquelas con el ciclo caliente, o mándelas a la dry-cleaning).
- No es necesario fumigar el área donde vive.

¿Y con mi pareja sexual?

- Todas las personas con quién usted ha tenido un contacto sexual en el mes pasado deben ser tratados si están infectados.
- Decírselo a su pareja sexual y hacer que ellos sean tratados ayudará a parar la diseminación de la infección.

¿Y si estoy embarazada o quiero quedar embarazada en el futuro?
- La medicina con receta, Lindane, no debe ser usada por mujeres embarazadas o lactando.
- Hable con su médico acerca de cuál es el mejor tratamiento para usted.

SARNA

NOTA: La sarna no es necesariamente una infección de transmisión sexual.

¿Qué causa la sarna?
- Un tipo de parásito.
- El parásito hace un túnel debajo de la piel en donde ponen los huevos y los parásitos inmaduros se transportan hacia la piel y causan irritación de la piel.
- La sarna es muy contagiosa. Se pasa fácilmente en gente que tienen un contacto cercano (sexual y no sexual).
- La sarna puede infectar muchas partes del cuerpo incluyendo los genitales, las nalgas, los pies, las muñecas, las manos, el abdomen, las axilas y el cuero cabelludo.

¿Cuáles son los síntomas de la sarna?
- Una picazón intensa con o sin una erupción roja.

¿Cómo me van a examinar para la sarna?
- El médico la puede examinar para ver si tiene los parásitos.

¿Cómo se trata la sarna?
- Usualmente se trata con medicinas de receta que se las puede indicar su médico, y vienen en forma de loción (ej.: permethrin, lindane).
- Usted va a necesitar lavar toda su ropa de cama y su ropa (ya sea con lavadora y séquelas con el ciclo caliente, o mándelas a la dry-cleaning).
- No es necesario fumigar el área donde vive.

¿Y con mi pareja sexual?
- Todas las personas con quién usted ha tenido un contacto (contacto cercano sexuales y no sexuales incluyendo contactos en su casa) en el mes pasado, deben ser tratados si están infectados.
- Decírselo a su pareja sexual y hacer que ellos sean tratados ayudara a parar la diseminación de la infección.

¿Y si estoy embarazada o quiero quedar embarazada en el futuro?
- La medicina con receta, Lindane, no debe ser usada por mujeres embarazadas o lactando.
- Hable con su médico acerca de cuál es el mejor tratamiento para usted.

"Las Mujeres Sostienen la Mitad del Cielo"

Este proverbio chino y africano cruza todos los límites culturales. En realidad algunas veces es así: las mujeres sostienen más de la mitad del cielo. Esto representa uno de los mensajes más importantes acerca de la planificación familiar: si los seres humanos vamos a lograr un verdadero progreso en los problemas más importantes de salud que se tienen en el mundo—mortalidad materna, muertes por abortos inseguros, embarazos en adolescentes, infecciones por VIH, infertilidad, planificación y el reducir el crecimiento poblacional—la condición de las mujeres debe mejorar.

En muchas culturas y sociedades a través de la historia, otras personas e instituciones han controlado la vida reproductiva de las mujeres. Para que las tecnologías anticonceptivas de hoy puedan lograr su potencial completo, las mujeres deben de ser capaces de controlar sus destinos reproductivos.

Una parte fundamental para mejorar la condición de las mujeres es la participación masculina en la planificación familiar. Es un mito que la anticoncepción es únicamente la responsabilidad de la mujer. Después de todo, se requiere tanto de un hombre como de una mujer para crear una vida; también se requiere tanto de un hombre como de una mujer para planificar las familias y prevenir embarazos no buscados.

Aunque existen actualmente muchos métodos anticonceptivos para mujeres, dos de los mejores métodos son para hombres: la vasectomía y los preservativos. La vasectomía es más segura, más barata y más efectiva que la ligadura tubaria (esterilización femenina). Los preservativos son baratos, fácilmente obtenibles y ayudan a proteger en contra de embarazos no buscados e infecciones transmitidas sexualmente.

Cuando Bob Hatcher estuvo en el programa NIGHTLINE con Ted Kopel, le pidieron un comentario final. Él dijo: "Por demasiado tiempo los destinos reproductivos de las mujeres han sido controlados por Papas, presidentes y políticos, usualmente hombres. Esto debe de terminar."

La Planificación Familiar:
Una Guía para la Salud Reproductiva y la
Anticoncepción ¡Tiene una Hermana y un Abuelo!

El pequeño libro hermano para médicos, *A Pocket Guide to Managing Contraception*, tiene exactamente los mismos capítulos y contenido que La Planificación Familiar : *Una Guía para la Salud Reproductiva y la Anticoncepción*. Ambos pequeños libros tienen un libro de referencia, que ha tenido 17 ediciones desde 1969, titulado *Contraceptive Techonology*.

ÍNDICE

Fotos a Colores:
Combinadas y Progestina

LAS 8 PÁGINAS A COLORES DE PASTILLAS ESTÁN ORGANIZADAS DE LA SIGUIENTE MANERA:

- Pastillas de Progestina sóla **sin estrógeno**: Micronor, NOR_QD y Ovrette
- Pastillas de estrógeno bajo con **20 microgramos** de estrógeno, etinil estradiol: Alesse, Levlite, LoEstrin 1/20, y Mircette.
- Todas las pastillas de **30- y 35 microgramos**
- Todas las pastillas fásicas
- Todas las pastillas de estrógeno dosis altas, las cuales tienen **50 microgramos** de estrógeno.

*Entre las pastillas (anticonceptivos orales) que son farmacéuticamente idénticas, hay líneas paralelas verticales y horizontales. El color y empaquetamiento de las pastillas entregadas en las clínicas pueden ser distintas a las de las pastillas en las farmacias.

El método "ACHES"—le enseña a las mujeres que están tomando pastillas anticonceptivas a reconocer los síntomas y los problemas que pueden estar causando estos síntomas.

Pastillas de Sólo Progestina

MICRONOR® TABLETAS
REGIMEN DE 28 DÍAS
(0.35 mg noretindrona) (lima verde)
Ortho-McNeil

=

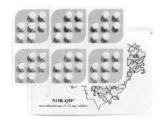

NOR-QD® TABLETAS
(0.35 mg noretindrona) (amarillas)
Watson

OVRETTE® TABLETAS
(0.075 mg norgestrel) (amarillas)
Wyeth-Ayerst

Pastillas Combinadas—Pastillas de 20 microgramos

ALESSE–28 TABLETAS
(0.1 mg levonorgestrel/20 mcg etinil-estradiol)
(pastillas activas rosadas)
Wyeth Ayerst

=

LEVLITE™–28 TABLETAS
(0.1 mg levonorgestrel/20 mcg etinil-estradiol)
(pastillas activas rosadas)
Berlex

LOESTRIN® FE 1/20
(1 mg acetato de noretindrona/20 mcg etinil-estradiol/
75 mg fumarato ferroso [7]) (pastillas activas blancas)
Parke-Davis Organon

MIRCETTE–28 TABLETAS
(0.15 mg desogestrel/20 mcg etinil-estradiol × 21 (blancas)/
placebo × 2 (verde)/10 mcg etinil-estradiol × 5 (amarillo)
Organon

Pastillas Combinadas—Pastillas de 30 microgramos

=

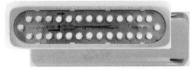

LEVLEN® 28 TABLETAS
(0.15 mg levonorgestrel/30 mcg etinil-estradiol)
(pastillas activas naranja claro)
Berlex

=

NORDETTE®–28 TABLETAS
(0.15 mg levonorgestrel/30 mcg etinil-estradiol)
(pastillas activas naranja claro)
Monarch

DESOGEN® 28 TABLETAS
(0.15 mg levonorgestrel/30 mcg etinil-estradiol
(pastillas activas blancas)
Organon

=

ORTHO-CEPT® TABLETAS
REGIMEN DE 28 DÍAS
(0.15 mg desogestrel/30 mcg etinil-estradiol)
(pastillas activas anaranjadas)
Ortho-McNeil

LO/OVRAL®–28 TABLETAS
(0.3 mg norgestrel/30 mcg etinil-estradiol
(pastillas activas blancas)
Wythe-Ayerst

=

LO-OGESTREL–28
(0.3 mg norgestrel/30 mcg etinil-estradiol)
(pastillas activas blancas)
Watson

=

LEVORA TABLETAS
(0.15 mg levonorgestrel/30 mcg etinil-estradiol)
(pastillas activas blancas)
Watson

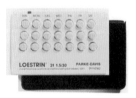

LOESTRIN® 21 1.5/30
(1.5 mg acetato de noretindrona/30 mcg etinil-stradiol)
(pastillas activas verde)
Parke-Davis

YASMIN 28 TABLETAS
(3.0 mg drospirinona/30 mcg etinil-estradiol)
(pastillas activas amarillas)
Berlex

Pastillas Combinadas—Pastillas de 35 microgramos

OVCON® 35 28-DIAS
(0.4 mg noretindrona/35 mcg etinil-estradiol)
(pastillas activas durazno)
Warner-Chilcott

ORTHO-CYCLEN® 28 TABLETAS
(0.25 mg norgestimato/35 mcg etinil estradiol)
(pastillas activas azul)
Ortho-McNeil

=

BREVICON® TABLETAS DE 28 DÍAS
(0.5 mg noretindrona/35 mcg etinil-estradiol)
(pastillas activas azules)
Watson

MODICON TABLETAS
REGIMEN DE 28 DÍAS
(0.5 mg noretindrona/35 mcg etinil-estradiol)
(pastillas activas blancas)
Ortho-McNeil

=

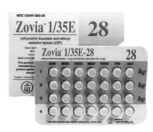

DEMULEN® 1/35-28
(1 mg diacetato de etinodiol/35 mcg etinil-estradiol)
(pastillas activas blancas)
Farmacia

ZOVIA® 1/35E-28
(1 mg diacetato de etinodiol/35 mcg etinil-estradiol)
(pastillas activas rosado claro)
Watson

Pastillas de 35 microgramos (continued)

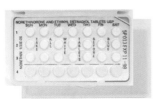 =

NORETHIN 1/35 E-28
(1 mg noretindrona/35 mcg etinil estradiol)
(pastillas blancas activas)
Shira

ORTHO-NOVUM 1/35
28 TABLETAS
(1 mg noretindrona/35 mcg etinil estradiol)
(pastillas activas durazno)
Ortho-McNeil

‖   ‖

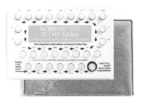 =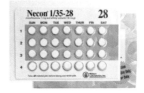

NORINYL® 1+35
TABLETAS DE 28 DÍAS
(1 mg noretindrona/35 mcg etinil estradiol)
(pastillas activas amarillo-verde)
Watson

NECON 1/35-28
(1 mg noretindrona/35 mcg etinilestradiol)
(pastillas activas Amarillo oscuro)
Watson

Pastillas Combinadas—Pastillas Fásicas

 =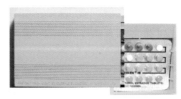

TRI-LEVEN® 28 TABLETAS
(levonorgestrel/etinil estradil-régimen trifásico)
0.050 mg/35 mcg (6d) (café), 0.075 mg/40 mcg (5d)
(blanco), 0.125 mg/30 mcg (10d) (amarillo claro)
Berlex

TRIPHASIL®-28 TABLETAS
(levonorgestrel/etinil estradil-régimen trifásico)
0.050 mg/35 mcg (6d) (café), 0.075 mg/40 mcg (5d)
(blanco), 0.125 mg/30 mcg (10d) (amarillo claro)
Berlex

‖   ‖

TRIVORA®
(levonorgestrel/etinil estradil-régimen trifásico)
0.050 mg/30 mcg (6d), 0.075 mg/40 mcg (5d),
0.125 mg/30 mcg (10d) (rosado)
Watson

=

CYCLESSA
(desogenestrel/etinil estradiol-régimen trifásico)
0.1 mg/25 mcg (7d) (Amarillo claro), 0.125 mg/25 mcg (7d)
(naranja), 0.150 mg/25 mcg (7d) (roja)
Organon

220

Pastillas Fásicas (continued)

ORTHO-NOVUM® 10/11
28 TABLETAS
(noretindrona/etinil estradiol)
0.5 mg/35 mcg (10d) (blancas), 1 mg/35 mcg (11d) (durazno)
Ortho-McNeil

JENEST 28 TABLETAS
(noretindrona/etinil estradiol)
0.5 mg/35 mcg(7d) (blancas), 1 mg/35 mcg (14d) (durazno)
Organon

TRI-NORINYL®
TABLETAS DE 28 DIAS
(noretindrona/etinil estradiol)
0.5 mg/35 mcg (7d) (azul), 1 mg/35 mcg (9d) (amarillo-verde), 0.5 mg/35 mcg (5d) (azul)
Watson

ORTHO-NOVUM 7/7/7/
28 TABLETAS
(noretindrona/etinil estradiol), 0.5 mg/35 mcg (7d) (blanca),
0.75 mg/35 mcg (7d) (durazno claro),
1 mg/35 mcg (7d) (durazno)
Ortho-McNeil

ORTHO TRI-CYCLEN®
28 TABLETAS
(norgestimato/etinil estradiol)
0.18 mg/35 mcg (7d) (blanco), 0.215 mg/35 mcg (7d) (azul ligero), 0.25 mg/35 mcg (7d) (azul)
Ortho-McNeil

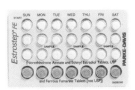

ESTROSTEP® FE
28 TABLETAS
(acetato de norentindrona/etinil estradiol)
1 mg/20 mcg (5d) (blanco triangular), 1 mg/30 mcg (7d)
(blanco cuadrado), 1 mg/35 mcg (9d) 75 mg fumarato
ferroso (7d) (blanco redondo)
Parke-Davis

221

Pastillas Combinadas—Pastillas de 50 microgramos

Pastillas con 50 microgramos de mestranol no son tan fuertes como pastillas de 50 microgramos de einil estradiol.

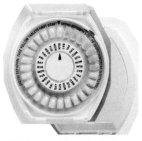

**ORTHO-NOVUM® 1/50
28 TABLETAS**
(1 mg norethindrone/50 mcg mestranol)
(pastillas amarillas activas)
Ortho-McNeil

=

OGESTREL
Watson

OVRAL–21 TABLETAS
(0.5 mg norgestrel/ 50 mcg ethinyl estradiol)
(pastillas blancas activas
Wyeth-Ayerst

OVCON® 50 28-DÍAS
(1 mg norethindrone/ 50 mcg ethinyl estradiol)
(pastillas amarillas activas)
Warner-Chilcott

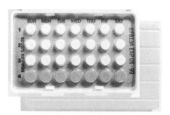

DEMULEN® 1/150-28
(1 mg ethynodiol diacetate/ 50 mcg ethinyl estradiol)
(pastillas blancas activas)
Watson

Pastillas Anticonceptivas Como Método de Emergencia

Existen 2 enfoques: pastillas orales combinadas o pastillas de progestina sóla.

ANTICONCEPTIVOS ORALES COMBINADOS

2 + 2 pastillas
12 horas aparte

Preven (pastillas azules) **O**
Ovral (pastillas blancas)

(Preven u Ovral no se encuentran en todas las farmacias, verifique de antemano).

4 + 4 pastillas
12 horas aparte

Lo-Ovral (pastillas blancas),
Levora (pastillas blancas) **O**
Levlen, O
Nordette (pastillas naranjas) **O**
Triphasil (pastillas amarillas),
Trilevlen (pastillas amarillas) **O**
Trivora (pastillas rosadas)

5 + 5 pastillas
12 horas aparte

Alesse (pastillas rosadas) **O**
Levlite (pastillas rosadas)

PASTILLAS DE PROGESTINA SÓLA

1 + 1 pastillas
12 horas aparte

PLAN B

20 + 20 pastillas
12 horas aparte

Ovrette (pastillas amarillas)

PREVEN

Las pimeras pastillas vendidas como anticonceptivos de emergencia. Dos pastillas en las siguientes 72 horas después de relaciones sin protección; dos pastillas 12 horas despues.
Llame al 1-888-PREVEN2

U OVRAL

LO/OVRAL®-28 TABLETS

(0.3 mg norgestrel / 30 mcg ethinyl estradiol)

O CUALQUIERA DE LAS PASTILLAS EN LA LISTA A LA IZQUIERDA

ALESSE-28 TABLETAS

(0.1 mg levonorgestrel / 20 mcg ethinyl estradiol)

O LEVLITE

plan B (LEVONORGESTREL) **PLAN B**

O OVRETTE® TABLETAS

(0.075 mg norgestrel)

223

Señales de Advertencia de las Pastillas

Las pastillas han sido estudiadas extensamente y son muy seguras. Sin embargo, muy raramente, las pastillas pueden causar serios problemas. Aquí le presentamos los signos de advertencia que hay que tener en cuenta cuando se toman pastillas. Estos signos de advertencia se deletrean en inglés con la palabra ACHES. Si usted tiene uno de estos síntomas, podrían o no estar relacionados con las pastillas. Es necesario que vea a su médico lo antes posible. Los problemas que pueden estar relacionados con las pastillas son los siguientes:

DOLOR ABDOMINAL
- Coágulos sanguíneos en la pelvis o el hígado
- Tumor benigno del hígado o enfermedad de la vesícula biliar

DOLOR DE PECHO
- Coágulos sanguíneos en los pulmones
- Ataque al corazón
- Angina (dolor en el corazón)
- Nódulo en un pecho

DOLOR DE CABEZA
- Derrame cerebral
- Migrañas con problemas neurológicos (visión borrosa, manchas, líneas en zigzag, debilidad, dificultad para hablar)
- Otros dolores de cabeza causados por las pastillas
- Presión arterial alta

PROBLEMAS DE LOS OJOS
- Derrame cerebral
- Visión borrosa, visión doble o pérdida de la visión
- Migrañas con problemas neurológicos (visión borrosa, manchas, líneas en zigzag, debilidad, dificultad para hablar)
- Coágulos sanguíneos en los ojos
- Cambios de la forma de la córnea (los lentes de contacto no le quedan bien)

DOLOR DE PIERNAS SEVERO
- Inflamación y coágulos sanguíneos en una vena de las piernas

Usted debe ir a la oficina del médico si tiene cambios severos del ánimo o depresión, le da ictericia (piel de color amarillo), no le vienen dos reglas seguidas o tiene síntomas de embarazo.